# CANCIONERO POPULAR MEXICANO

L E C T U R A S   M E X I C A N A S
C u a r t a • S e r i e

# CANCIONERO POPULAR MEXICANO
## Tomo dos

Selección, recopilación y textos
de Mario Kuri-Aldana
y Vicente Mendoza Martínez

Primera edición: 1987 SEP
Primera reimpresión: 1988 SEP
Segunda reimpresión: 1990
Tercera reimpresión: 1991
Cuarta reimpresión: 1991
Quinta reimpresión: 1992
Primera edición en Lecturas Mexicanas. Cuarta Serie: 1996
Segunda edición en Lecturas Mexicanas. Cuarta Serie: 2001

Coedición: CONSEJO NACIONAL PARA LA CULTURA Y LAS ARTES
Dirección General de Publicaciones
Dirección General de Culturas Populares
Editorial Océano de México, S.A. de C.V.



ISBN
CONACULTA: 970-18-6654-1 (Volumen II) 2a. edición
970-18-6652-5 (Obra completa) 2a. edición

Océano: 970-651-517-8 (Volumen II)
970-651-515-1 (Obra completa)

Impreso y hecho en México

# Presentación

AL ENCOMENDÁRSENOS la tarea de reunir mil canciones para conformar un Cancionero Popular Mexicano, a primera vista parecía sencillo, tomando en cuenta que solamente se incluirían las letras. Pero muy pronto comprobamos que no era nada fácil, sobre todo cuando dividimos el trabajo entre el equipo y, después de sesudos recuentos, comprobamos que éramos. . . dos.

Recopilar mil canciones de la música popular representativa de nuestro país fue un verdadero reto, pues a pesar de que existen varias fuentes de información al respecto, en muchos casos las letras no aparecen completas o contienen versiones diferentes a las popularizadas. Además, en repetidas ocasiones no se incluye el nombre del autor.

Por otro lado, una vez que conformamos el índice y habíamos avanzado en el trabajo de recopilación, buena parte de las letras no las encontramos por ningún lado, y no nos quedó más remedio que recurrir a la memoria, a veces colectiva, o bien, hacer la transcripción directa a las grabaciones a nuestro alcance.

Sin embargo no debemos quejarnos tanto, porque a pesar de todo, este trabajo resultó ser una grata experiencia en el más estricto sentido de la palabra: recordar la "tonada" de alguna melodía, de la cual no se tuviera la certeza, nos obligaba a recurrir a alguno de nuestros compañeros, entre quienes encontramos entusiastas conocedores de la canción popular. Añorar los tiempos en que fueron famosas determinadas composiciones, traer a la memoria anécdotas, lugares e intérpretes, ha sido, repetimos, una agradable tarea.

Como resultado, esta publicación reúne algunas de las canciones creadas en México que más se han destacado a través del tiempo, ya sea por la popularidad adquirida o por su calidad intrínseca. Así, se encuentran juntas canciones que han logrado gran éxito y difusión en los medios masivos de comunicación, que permanecen en el recuerdo de gran parte de nosotros, junto a otras prácticamente desconocidas fuera de las regiones donde fueron creadas, aunque estas últimas son un número, naturalmente más reducido.

Por supuesto que en un cancionero que reúne más de mil composiciones, habrá algunas que no son ni lo uno ni lo otro: ni populares ni excelsas, pero sí bonitas canciones que en su tiempo y oportunidad lograron adentrarse, en mayor o menor grado, en nuestro gusto. Posiblemente habrá quienes piensen que algunas de las aquí incluidas salen sobrando y que faltan otras muchas, y lo más seguro es que estén en lo cierto. Desde luego no es éste un trabajo que pretenda ser antológico, el cual —de llevarse a cabo— tardaría años de concienzuda investigación, con suficientes recursos humanos y materiales, lo cual no fue nuestro caso.

Uno de los atractivos de esta selección es su división por géneros y regiones, que nos permitió reunir los más diversos tipos de canción, algunas de compositores extranjeros tan arraigadas en nuestro país, que pasan por mexicanas debido a la identificación que se siente al cantarlas, pues en ese terreno la nacionalidad del compositor pasa a un segundo plano.

La clasificación por géneros y regiones no es científicamente rigurosa, pues no fue nuestro propósito un profundo estudio etnomusicológico, como ya quedó dicho. Consideramos razones de orden práctico que permitan localizar fácilmente las canciones y ayudar de esta manera a su espontánea interpretación cuando la ocasión así lo requiera.

La canción de la Revolución pudo haber sido considerada dentro de la canción Histórica, pero quisimos resaltar ese importante periodo de nuestra historia que además contiene creaciones de otros géneros que no expresan estrictamente los aspectos históricos, como son las polkas y los bailes que alegraban los "vivacs" de los revolucionarios. Hemos omitido deliberadamente ejemplos de la última generación de compositores por considerar que aún les falta el juicio definitivo que solamente el tiempo puede darles.

Tenemos que agradecer el apoyo que nos brindó la Sociedad de Autores y Compositores de México (SACM) al proporcionarnos buena parte de los datos biográficos, así como los nombres de autores que no había sido posible localizar. También nos ayudó a disipar dudas el maestro Juan S. Garrido, reconocido investigador en el terreno de la música popular, notable y prolífico compositor.

En la última etapa de investigación y recopilación contamos con la valiosa participación de nuestro compañero etnomusicólogo Jesús Herrera, quien colaboró con verdadero entusiasmo y dedicación.

Es necesario destacar el apoyo que nos brindaron en todo momento nuestra Directora General Marta Turok; Arturo Argueta, Subdirector de Vinculación; Edith Sapién, Jefa del Departamento de Programas Especiales, quien constantemente nos animó facilitándonos discos y publicaciones; Ricardo Monroy, Jefe del Departamento de Medios Gráficos, que puso todo su empeño para que esta publicación saliera lo mejor posible, y, muy especialmente, Lucina Jiménez, Subdirectora de Difusión. Cabe señalar que tuvimos la fortuna de contar con dos excelentes correctores de estilo: Evelín Ferrer Rivera y Miguel Ángel Rocha Sánchez. Todos ellos colaboradores en la Dirección General de Culturas Populares de la SEP.

Finalmente, queremos hacer patente nuestro más sentido reconocimiento a esos hombres y mujeres que nos proporcionaron el contenido de esta publicación: los autores de melodías y letras, y sobre todo, a los compatriotas cuyos nombres no han sido posible rescatar de la penumbra de los tiempos, de los cuales tenemos un legado imperecedero: bellísimas canciones del dominio público (*D.P.*) que ya forman parte de nuestra cultura popular.

*Mario Kuri-Aldana*
*Vicente Mendoza Martínez*

# Prólogo

UN CANCIONERO consiste en la recopilación de canciones populares; éstas en ocasiones son escritas por el pueblo casi en forma colectiva, por autores conocidos o desconocidos, cuyas obras han pasado a ser dominio popular y han enriquecido la cultura de México. Por ello las canciones han tenido temas tan variados que van desde lo amoroso y sentimental hasta lo narrativo y burlesco.

Según el diccionario de la Real Academia de la Lengua Española, el término "cancionero" se aplica a la colección de canciones y poesías de diversos autores. Ahora bien, el término "canción" es una composición en verso, a la cual se le puede poner música.

Es posible que el cancionero en México haya surgido a fines del siglo XIX con la serie de cuadernillos editados por Antonio Vanegas Arroyo, originario de la ciudad de Puebla, donde nació el 6 de junio de 1852. Trabajó con su padre, José María Vanegas, quien instaló un taller de encuadernación en La Perpetua, hoy calle de Venezuela. Más tarde, Antonio Vanegas estableció con su esposa Carmen Rubí un pequeño taller de imprenta, en el barrio de la Penitenciaría (5a. calle de Lecumberri). En este taller se publicaron las *Nueve Jornadas de los Santos Peregrinos* que se cantan en las posadas; de éstas se vendieron 300 ejemplares a tres centavos cada uno. Asimismo se imprimieron oraciones, cancioneros, cuentos, calaveras, pastorelas, versos, cartas de amor y corridos; estos últimos en páginas sueltas e ilustradas por José Guadalupe Posada. Se dice que Antonio Vanegas Arroyo fue el autor de los *Ejemplos* también ilustrados por Posada. Algunos corridos que se editaron en este taller eran versos del poeta oaxaqueño Constancio S. Suárez.

José Guadalupe Posada nació en la ciudad de Aguascalientes el 2 de febrero de 1852, y llegó a la ciudad de México en 1887; su trabajo como grabador, dibujante y caricaturista dio gran impulso al corrido mexicano y a las canciones mexicanas. Sus ilustraciones de esqueletos y calaveras son reflejo de la vida y la muerte de personajes reales o imaginarios; interpretó el dolor, la alegría y la inspiración del pueblo mexicano a través de más de veinte mil grabados en madera, plomo y zinc, realizados durante 25 años en que trabajó con Vanegas Arroyo.

Refiriéndose a su persona y a su trabajo, Diego Rivera dijo: "Tan grande como Goya y Callot, fue un creador de una riqueza inagotable, producía como un manantial de agua hirviendo." En cuanto al trabajo litográfico, Posada aportó ideas originales a partir de las costumbres y la vida diaria del pueblo mexicano, transmitiendo así sus ideas revolucionarias con el fin de lograr un mejor orden social.

El largo periodo de la producción artística que unió al editor Antonio Vanegas Arroyo con el grabador José Guadalupe Posada y el poeta Constancio S. Suárez, coincidió con la dictadura del general Porfirio Díaz y los primeros años de la Revolución mexicana. A Posada correspondió ilustrar los corridos de "Los Mártires de Veracruz", "Demetrio Jáuregui", "Madero" y "Zapata"; en estos corridos sus grabados expresaron su espíritu de lucha, que en repetidas ocasiones lo llevó a la cárcel de Belén.

La técnica que utilizó, lo hizo trascender y ser considerado como uno de los grabadores más notables del mundo. A la muerte de Posada, en 1913, y Vanegas Arroyo, en 1917, surgió otro propagandista del corrido y de las canciones populares: Eduardo Guerrero, quien entre la segunda y tercera décadas de nuestro siglo, publicó centenares de canciones populares en forma de cuadernillos de colores y distintos tamaños, así como también *La voz de la radio*, con sesenta canciones, que editó en su imprenta establecida en Correo Mayor número 100. Estos cancioneros no fueron tan espontáneos como los de Vanegas Arroyo, pero tuvieron aceptación y se vendieron a precios moderados.

Además de los cancioneros ya mencionados, se tiene conocimiento de que alrededor de 1907 se editó *El ruiseñor yucateco*, con canciones recopiladas por Juan Ausucua, publicado en dos volúmenes. Hacia el año de 1928 apareció el primer *Cancionero Picot*, que se repartía gratuitamente en las farmacias de todo México; este cancionero estuvo dedicado a Guty Cárdenas, llamándose sencillamente *Canciones Selectas*. En 1931 se publicó el primer cancionero de la editorial La Casa de las Ideas Propias, propiedad de Antonio Reyes, con canciones del inspirado compositor Agustín Lara, conocido como el Mago de la Canción. Entre otras se incluyeron "Imposible", "Rosa", "Como dos puñales" y "Mujer". En ese mismo año se dio a conocer el libro de Higinio Vázquez Santa Ana *Canciones, cantares y corridos mexicanos*. Herrera Frimont en 1934 editó en Pachuca, Hidalgo, el cuaderno *Corridos de la Revolución*.

Todo esto vino a tomar forma en *El romance español y el corrido mexicano*, obra que realizó Vicente T. Mendoza en 1939. Este mismo autor, junto con Virginia R. de Mendoza, realizó un trabajo similar en *Folklore de San Pedro Piedra Gorda* el año de 1952 y en 1961 *La canción mexicana*. En 1941, el profesor Jesús Romero Flores publicó en el periódico *El Nacional* "Corridos de la Revolución Mexicana". Desde 1949 a 1952, Salvador Flores Rivera hizo lo mismo con *El álbum de oro de la canción*, revista quincenal.

En 1953, aparece *Alma de México*, revista quincenal que incluía en sus páginas un cancionero. En este mismo año, David F. Esquivel, quien dirigía una revista similar, incluyó el suplemento "Melodías Mexicanas". La temática de la canción revolucionaria seguía siendo parte importante en los cancioneros, así Armando de Maria y Campos editó en 1962 dos volúmenes de *La Revolución Mexicana a través de los corridos populares*.

Sumado a los cancioneros mencionados, existen otros cuyas fechas de publicación no fue posible precisar, entre ellos tenemos *El cancionero estrella*, publicado en el Distrito Federal y el *Cancionero occidental*, editado en Guadalajara por Bruno Carrillo. Esta labor de recopilación y publicación de ninguna manera ha concluido, sino que el interés por conocer las canciones populares ha continuado, ejemplo de ello es el *Ómnibus de poesía me-*

*xicana*, de Gabriel Zaid, que contiene una parte de cancionero, esta obra aparece en 1971.

Lo anterior ha venido a despertar la inquietud por contar con una de las más amplias recopilaciones sobre la canción popular mexicana. El resultado de ello es el *Cancionero Popular Mexicano*, al cual elogiamos cordialmente.

La propuesta original de esta obra fue del licenciado Martín Reyes Vayssade, Subsecretario de Cultura de la Secretaría de Educación Pública, la cual empezó a tomar forma a partir del apoyo brindado por la maestra Marta Turok, Directora General de Culturas Populares, y fue realizado dentro del programa de Etnomusicología de la misma Dirección por Mario Kuri-Aldana y Vicente Mendoza Martínez, quienes realizaron una magnífica labor de selección de canciones que seguramente los lectores recordarán y pasarán gratos momentos con sus melodías favoritas.

*Juan S. Garrido*

CANCION
EXTRANJERA
ARRAIGADA
EN MEXICO

# Canción Extranjera Arraigada en México

Uno de los más notables compositores extranjeros que ha radicado en México es el "jibarito" Rafael Hernández, originario de Puerto Rico. Como él, muchos otros autores, en su época, lograron fama en México gracias a sus canciones; las cuales se hicieron tan populares que mucha gente llegó a pensar que eran mexicanas. Dicha popularidad se debió al hecho de que los géneros musicales más difundidos, como el bolero y el danzón, habían llegado del Caribe, principalmente de Cuba.

Es así como las primeras canciones compuestas por Agustín Lara y los hermanos Domínguez, entre otros compositores mexicanos, tomaron como base rítmica el "cinquillo", peculiar en las danzas cubanas que dieron origen al danzón. La canción-bolero compuesta en México comparte en sus primeras etapas esta rítmica antillana, de la misma forma en que la danza habanera y su característico ritmo binario sincopado vinieron a proporcionar el ritmo fundamental de muchas canciones mexicanas de principios de siglo y del tango argentino, llegando a cautivar a algunos renombrados compositores europeos.

Conociendo estos antecedentes en la música de dichos países, no resulta difícil entender que canciones como "Amor perdido", "Me voy pa'l pueblo", "Yo vendo unos ojos negros", consideradas como nuestras, incluso, estos mismos compositores se arraigaron tanto en México que nunca se sintieron extranjeros.

Otros ejemplos de canciones extranjeras que llegaron a adquirir gran popularidad, son: la polka "El barrilito", de Checoslovaquia y la canción-vals "Ramona", de la compositora norteamericana Mabel Wayne.

Podríamos decir, aventurándonos un poco en otra clase de consideraciones, que para las canciones de valor y clase no existen las fronteras. La poesía y la buena música en ninguna parte son consideradas extranjeras.

## LA HIEDRA

*Seracini D'Acquisto*

Pasaron desde aquel ayer
ya tantos años,
dejaron en su gris correr
mil desengaños.

Mas cuando quiero recordar
nuestro pasado
te siento cual la hiedra
ligada a mí.

Y así hasta la eternidad
te sentiré.
Yo sé que estoy ligado a ti
más fuerte que la hiedra,
porque tus ojos de mis sueños
no pueden separarse jamás.

Donde quiera que estés
mi voz escucharás
llamándote con ansiedad.

Por la pena ya sin final
de sentirte en mi soledad.

Jamás la hiedra y la pared
podrían apretarse más,
igual tus ojos de mis sueños
no pueden separarse jamás.

Donde quiera que estés
mi voz escucharás

llamándote con mi canción,
más fuerte que el dolor
se aferra nuestro amor
como la hiedra.

## CÓMO FUE

*P. Duarte*

Cómo fue,
no sé decirte
cómo fue,
no sé explicar lo que pasó
pero de ti me enamoré.

Fue una luz
que iluminó todo mi ser,
tu risa como un manantial,
regó mi vida de inquietud.

Fueron tus ojos o tu boca,
fueron tus manos o tu voz,
fue a lo mejor la impaciencia
de tanto esperar
tu llegada

Mas no sé,
no sé decirte
cómo fue,
no sé explicarme que pasó
que de ti me enamoré.

Fueron tus ojos o tu boca,
fueron tus manos o tu voz,
fue a lo mejor la impaciencia
de tanto esperar
tu llegada

Mas no sé,
no sé decirte
cómo fue,
no sé explicarme que pasó
pero de ti me enamoré.

## TRES PALABRAS

*Bolero*

*O. Farrés*

Oye la confesión
de mi secreto,
sale de un corazón
que está desierto.

Con tres palabras
te diré todas mis cosas,
cosas del corazón
que son preciosas.

Dame tus manos, ven,
toma las mías,
que te voy a confiar
las ansias mías.

Son tres palabras
solamente mis angustias
y esas palabras son:
"¡cómo me gustas!"

## EN UN BOSQUE DE LA CHINA

*R. Ratti*

En un bosque de la China
una china se perdió,
y como yo era un perdido
nos encontramos los dos.

Era de noche y la chinita
tenía miedo, miedo tenía
de andar solita.

Anduvo un poco y se sentó,
junto a la china,
junto a la china me senté yo.

Y yo a que sí y ella a que no,
y yo a que sí y ella a que no,
y al cabo fuimos y al cabo fuimos
los dos juntitos de una opinión.

Bajo el cielo de la China,
la chinita suspiró
y la luna en ese instante
indiscreta la besó.

Luna envidiosa, luna importuna,
tenía celos, celos tenía
de mi fortuna.

Pero una nube la oscureció
bajo la luna, bajo la luna
la besé yo.

Después no sé lo que pasó,
la oscuridad me lo impidió,
y la chinita, y la chinita,
y la chinita, me lo contó.

## VAYA CON DIOS

*L. y M. de Russel, James Pepper y Gamboa*

Se llegó el momento ya de separarnos,
en silencio el corazón dice y suspira:
Vaya con Dios, mi vida,
vaya con Dios, mi amor.

Las campanas de la iglesia suenan tristes
y parece que al sonar también me dicen:
Vaya con Dios, mi vida,
vaya con Dios, mi amor.

Adonde vayas tú yo iré contigo,
en sueños siempre junto a ti estaré,
mi voz escucharás, dulce amor mío,
pensando como yo estarás,
volvernos pronto a ver.

La alborada al despertar feliz te espera,
en tu corazón yo voy adonde quieras.
Vaya con Dios, mi vida,
vaya con Dios, mi amor.

## MARÍA CRISTINA

*L. y M. de Nico Saquito*

María Cristina me quiere gobernar
y yo le sigo, le sigo la corriente,
porque no quiero que diga la gente
que María Cristina me quiere gobernar.

Que acuéstate, Manuel, y me acuesto.
Que vamos a la playa, allá voy.
Que tírate en la arena, y me tiro.
Que quítate la ropa, y me la quito.
Que súbete en el puente, y me subo.
Que tírate en el agua, ¿en el agua?

No, no, no, no, María Cristina, que no,
que no, que no, ¡ay!, porque
María Cristina me quiere gobernar,
si no, ¡ay!, me quiere gobernar.
Oye, ¡ay!, me quiere gobernar.
Anda, ¡ay!, me quiere gobernar.

María Cristina me quiere gobernar
y yo le sigo, le sigo la corriente,
porque no quiero que diga la gente
que María Cristina me quiere gobernar.

Que vamos a Corea, allá voy.
Que te peguen veinte tiros, que me los peguen.
Que vete al infierno, allá voy.
Que vamos para el río, allá voy.
Que quítate la ropa, y me la quito.
Que tírate en el río, ¿en el río?

No, no, no, no, María Cristina, que no,
que no, que no, ¡ay!, porque
María Cristina me quiere gobernar,
si no, ¡ay!, me quiere gobernar.
Oye, ¡ay!, me quiere gobernar.
Anda, ¡ay!, me quiere gobernar.

María Cristina me quiere gobernar
y yo le sigo, le sigo la corriente,
porque no quiero que diga la gente
que María Cristina me quiere gobernar.

Que búscate un trabajo, y yo lo busco.
Que vamos pa' la casa, allá voy.
Que siéntate, Manuel, yo me siento.
Que métete a la ducha, y me meto.
Que quítate la ropa, y me la quito.
Que báñate Manuel, ¿bañarme?

No, no, no, no, María Cristina, que no,
que no, que no, ¡ay!, porque
María Cristina me quiere gobernar.
si no, ¡ay!, me quiere gobernar.
Mary, ¡ay!, me quiere gobernar.
Oye, ¡ay!, me quiere gobernar.
Anda, ¡ay!, me quiere gobernar.
María Cristina me quiere hacer bañar.
María Cristina me quiere hacer bañar.
María Cristina me quiere hacer bañar.

## DRUME, NEGRITA

*E. Grenet*

En su cuna ya no pué drumí
la negrita Lucumí,
si no cabe yo le va a comprá
una cuna colorá.

Mamá, la negrita
se le sale lo pie de la cunita
y la vieja Mercé
ya no sabe qué hacer.

Drume, negrita,
que yo va a comprá nueva cunita
que tendrá capitel
y también cascabel.

Si tú drume, yo te traigo
un melón
muy colorao,
si no drume yo te traigo
un babalao
que da pao, pao.

Drume, negrita,
que yo va a comprá nueva cunita
que tendrá capitel
y también cascabel.

# EL AMOR DE MI BOHÍO

*Bolero*
*Julio Brito*

Valle plateado de luna,
sendero de mis amores;
quiero ofrendarle a las flores
el canto de mi montuna.

Es mi vivir
una linda guajirita,
la cosita más bonita. . .
trigueña.

Es todo amor
lo que reina en mi bohío,
donde la quietud del río. . .
se ensueña.

Al brotar la aurora
sus lindos colores,
matiza de encanto
mi nido de amores.

Y al despertar
a mi linda guajirita,
dejo un beso en su boquita. . .
que adoro.

De nuevo el sol
me recuerda de aquel el día
ya en su plena lozanía,
de aroma.

Luego se ve
a lo lejos el bohío,
y una manita blanca
que me dice adiós.

## ENAMORADO DE TI

*L. y M. de Rafael Hernández*

Si vivo para ti
por qué lo he de negar,
si es mucho mi sufrir
por qué lo he de ocultar,
yo quiero estar a tu lado,
no he de vivir separado, no,
vivir la vida y morir. . .

Yo vivo enamorado de ti
porque tienes el perfume de una flor,
yo vivo enamorado de ti
porque tienes de una virgen el candor.

Yo vivo enamorado de ti
porque llevas en el alma una canción,
porque guardas un cariño para mí
en el fondo de tu amante corazón.

Porque hablan
los destellos de tus ojos
y también tus labios rojos
de una mística ilusión.

## SILENCIO

*Bolero*
*Rafael Hernández*

Duermen en mi jardín
las blancas azucenas,
los nardos y las rosas.

Mi alma muy triste y pesarosa
a las flores quiere ocultar
su amargo dolor.

Yo no quiero que las flores sepan
los tormentos que me da la vida,
si supieran lo que estoy sufriendo
por mis penas morirían también.

Silencio, que están durmiendo
los nardos y las azucenas,
no quiero que sepan mis penas
porque si me ven llorando morirán.

## EL MANICERO

*L. y M. de Moisés Simons*

Maní. . . maní. . .
Si te quieres con el pico divertir
cómete un cucuruchito de maní.

Qué sabrosito y qué rico está
ya no se puede pedir más,
¡ay!, caserita no me dejes ir
porque si no te vas a arrepentir
y va a ser muy tarde ya.

Manicero se va. . . manicero se va. . .
Caserita no te acuestes a dormir
sin comerte un cucurucho de maní.

Cuando la calle sola está,
casera de mi corazón,
el manicero entona su pregón
y si la niña escucha su cantar
llamará a su balcón.

Dame de tu maní. . .,
dame de tu maní. . .
que esta noche no voy a poder dormir
sin comerme un cucurucho de maní.
Me voy. . . me voy. . . me voy. . .

## QUIZÁ, QUIZÁ, QUIZÁ

*Bolero*
*Oswaldo Farrés*

Siempre que te pregunto
que cuándo, cómo y dónde,
tú siempre me respondes,
quizá, quizá, quizá. . .

Y así pasan los días
y yo desesperando
y tú, tú contestando
quizá, quizá, quizá. . .

Estás perdiendo el tiempo
pensando, pensando;
por lo que tú más quieras
hasta cuándo, hasta cuándo.

Y así pasan los días
y yo desesperando
y tú, tú contestando
quizá, quizá, quizá. . .

## PIEL CANELA

*Bobby Capó*

Que se quede el infinito sin estrellas
o que pierda el ancho mar su inmensidad,
pero el negro de tus ojos que no muera
y el canela de tu piel se quede igual.

Si perdiera el arco iris su belleza
y las flores su perfume y su color,
no sería tan inmensa mi tristeza
como aquella de quedarme sin tu amor.

Me importas tú y tú y tú
y solamente tú y tú y tú,
me importas tú y tú y tú
y nadie más que tú.

Ojos negros, piel canela,
que me llegan a desesperar.

Me importas tú y tú y tú. . .

# PERDÓN

*Pedro Flores*

Perdón, vida de mi vida,
perdón, si es que te he faltado,
perdón, cariñito amado,
ángel adorado, dame tu perdón.

Jamás habrá quien separe,
amor, de tu amor el mío,
porque si adorarte ansío
es que el amor mío pide tu perdón.

(Si tú sabes que te quiero. . .)

Si tú sabes que te quiero
con todo el corazón,
con todo el corazón,
con todo el corazón.

(Que tú eres mi esperanza. . .)

Que tú eres el anhelo
de mi única ilusión,
de mi única ilusión,
de mi única ilusión.

(Es la dicha que se alcanza. . .)

Ven, calma mis angustias
con un poco de amor,
con un poco de amor,
que es todo lo que ansía (cuando ama),
que es todo lo que ansía (cuando ama),
mi pobre corazón.

## NO ME QUIERAS TANTO

*Bolero*
*Rafael Hernández*

Yo siento en el alma
tener que decirte,
que mi amor se extingue
como una pavesa,
y poquito a poco
se queda sin luz.

Yo sé que te mueres
cual pálido cirio
y sé que me quieres,
que soy tu delirio
y que en esta vida
he sido tu cruz. . .

¡Ay!, amor, ya no me quieras tanto,
¡ay!, amor, no sufras más por mí;
si nomás puedo causarte llanto,
¡ay!, amor, olvídate de mí.

Me da pena
que sigas sufriendo
tu amor desesperado,
yo quisiera
que tú encontraras
de nuevo otro querer;
otro ser que te brinde
la dicha
que yo no te he brindado,
y poder alejarme de ti
para nunca más volver.

¡Ay!, amor ya no me quieras tanto,. . .

## ¡QUÉ TE IMPORTA!

*L. y M. de Rafael Hernández*

Me dirán que de tanto quererte
me voy a morir...
que no vale por ti el sacrificio
lo podrán decir...

Que no quieres saber de mi nombre,
¡eso ya lo sé!,
pero yo que te quiero de veras,
no sé qué diré.

¡Qué te importa decir por doquier
que ya te perdí!
¡Qué te importa esta pobre mujer
que llora por ti!

¡Qué te importa el hacerme sufrir
con otro querer!
Si no puedo lograr que me ames
¿qué voy a hacer?

## MI DELITO

*Bolero Clave*
*L. y M. de Rafael Hernández*

Mi delito mayor fue quererte
y seguirte queriendo,
y tener que llevarte por siempre
en el fondo de mi alma.

Sin poder arrancar este amor
que me roba la calma.
¡Ah, maldición! ¡Oh, maldición,
castigo cruel!

Hablándole el corazón
de mi quebranto,
contándole de mi ayer
la triste historia.

Le dije que la quería
tanto, tanto,
y que su nombre
por siempre llevo en mi memoria.

## DELIRIO

*Bolero*
*César Portillo de la Luz*

Si pudiera expresarte
cómo es de inmenso,
en el fondo de mi corazón,
mi amor por ti.
Es amor delirante
que abrasa mi alma,
es pasión que atormenta
mi corazón.

Siempre que estás conmigo
en mi tristeza
estás en mi alegría
y en mi sufrir.
Porque en ti se encierra
toda mi dicha,
si no estoy contigo, mi bien,
no sé qué hacer.
Es mi amor delirio
de estar contigo,
y yo soy dichoso
porque me quieres también.

Estas palabras del musicólogo Jas Reuter nos dan una idea cabal de la manera en que se ha ido "comercializando" la música de Jalisco, hasta llegar a ser, en el plano internacional y en algunos estratos nacionales, la más representativa de nuestra nacionalidad, principalmente en lo que se refiere al conjunto musical llamado "mariachi".

Pero existen —a pesar de todo— otro tipo de canciones que se han conservado en los mariachis "auténticos", que todavía incluyen el arpa tradicional, cuyo noble timbre ahuyenta naturalmente a las brillantes trompetas. Este tipo de conjunto, revitalizado principalmente por el doctor Francisco Sánchez Flores en Jalisco y el FONADAN en la ciudad de México, mantiene un repertorio muy diferente: sones tradicionales que en muchas versiones se refieren a animales —"El gato", "El perico loro", entre otros— y valonas —"El gallo juido"— de carácter triste y quejumbroso, muy diferentes a las de Michoacán, picarescas e intencionadas, que intercalan alegres sones o jarabes.

Desgraciadamente, estos conjuntos "auténticos" son cada día más escasos, dependiendo en gran medida de los no muy frecuentes apoyos institucionales que puedan recibir.

## SON DEL TECOLOTILLO

*D.P.*

Pájaro tecolotillo,
pájaro madrugador,
le llevarás una carta
a la dueña de mi amor.

Ticuruy cuy cuy,
ticuruy cuy cuy,
pájaro tecolotillo,
pájaro madrugador,
le llevarás una carta
a la dueña de mi amor.

Estaba un tecolotillo
en una rama cantando,
le respondió el armadillo:
en la concha me estás dando.

Ticuruy cuy cuy,
ticuruy cuy cuy,
le respondió el armadillo:
en la concha me estás dando.

Si yo fuera tecolote
no me ocuparía en volar,
estuviera en mi nidito
acabándome de criar.

Ticuruy cuy cuy,
ticuruy cuy cuy,
si yo fuera tecolote
no me ocuparía en volar,
estuviera en mi nidito
acabándome de criar.

## EL RELICARIO

*Padilla Oliveros*

Un día de San Eugenio
yendo hacia El Prado
le conocí.
Era el torero de más "tronío"
y el más castizo
de "tóo" Madrid.

Iba en calesa, pidiendo guerra
y yo al mirarle me estremecí,
él al notarlo bajó del coche
y muy garboso se vino a mí.

Tiró la capa con gesto altivo,
y descubriéndose me dijo así:

Pisa morena,
pisa con garbo
que un relicario,
que un relicario
me voy a hacer,
con el cachito
de mi capote,
que haya pisado,
que haya pisado
tan limpio pie.

Un lunes abrileño
él toreaba y a verle fui,
nunca lo hiciera
que aquella tarde
de sentimiento creí morir.

Al dar un lance, cayó en la arena,
se sintió herido, miró hacia mí
y un relicario sacó del pecho
que yo al instante reconocí.
Cuando el torero caía inerte
en su delirio decía así:

Pisa morena,. . .

## LO SIENTO POR TI

*Bolero*
*L. y M. de Rafael Hernández*

Sueño de amor que se esfumó
con tu desdén, vana ilusión,
triste dolor un sueño fue.

No creas, mujer, voy a llorar
lo que perdí;
mi vida es cantar, no sé llorar,
lo siento por ti.

Lo siento por ti,
porque tendrás el horrible pesar
de haberme roto el corazón
en mil pedazos,
destrozando sin piedad mi vida.

Lo siento por ti,
porque jamás podrás olvidar
que me traicionaste,
te olvidaste de mí.

Y si el mundo te castiga, mujer,
lo siento por ti.
Y si el mundo te castiga, mujer,
lo siento por ti.

## COPLAS DEL JARABE DE NOCHISTLÁN

*D.P.*

Ánimas que cante el gallo
para ver cuándo amanece,
el que se casa con fea
ni la salvación merece.

Cuando entraron los franceses
entraron por la labor,
al primero que mataron
fue a mi compadre Nabor.

Ya nomás otro versito
y nos vamos despidiendo,
no vaya a llegar el Sancho
y pregunte qué ando haciendo.

Una paloma en el nido
se llevaba un gavilán,
que de aquí para adelante
Nochistlán y su jarabe
lo deben de recordar,
que de aquí para adelante
Nochistlán, Guadalajara
lo deben de recordar.

## EL DISTINGUIDO

*Sonecito*
*D.P.*

Muchachitos del barrio alto,
cómo me han aborrecido,
porque les vengo a cantar
este son del distinguido.

Esta noche con la luna
te vas a pasear conmigo,
aunque le parezca mal
al bueno de tu marido.

Esta noche saco un gallo
y lo saco sin linterna,
y lo paso por tu calle
a ver qué chivo me cuerna.

## MÉXICO LUCIDO

*D.P.*

Dicen que siempre te vas
para México lucido,
no lloró porque te vas,
lloro porque no te has ido.

Mañana me voy
tú también te vas,
¡ay! por el camino
me las pagarás.

De tierras abajo vengo
llegando tienda por tienda
y no he podido encontrar
mujer que cariño tenga.

Mañana me voy...

Dices que me quieres mucho,
no me subas tan arriba,
que las hojas en el árbol
no duran toda la vida.

Mañana me voy...

## ESTRELLITA DEL SUR

*Vals*
*F. Coronel Rueda*

Cuando lejos de ti
quiera penar el corazón,
violento en su gemir
recordará con tu reír,
tu vibración que fue
canto de amor, himno de paz;
ya no habrá entonces dolor,
todo será felicidad.

No, no te digo un adiós,
estrellita del sur,
porque pronto estaré
a tu lado otra vez,
y de nuevo sentir
la fragancia sutil,
campanas de bonanza
repicarán mi corazón.

## MARTHA

*L. y M. de Moisés Simons*

Linda flor de alborada
que brotaste del suelo
cuando la luz del cielo
tu capullo besaba.

De las rosas encanto,
el pensil te ama tanto
que ya loco de amor
siente celos del ave,
del aire y del sol.

Martha, capullito de rosa.
Martha, del jardín linda flor,
dime qué feliz mariposa
en tu cáliz se posa
a libar tu dulzor.

Martha, en tus claras pupilas
brilla una aurora de amor.
Martha, en tus ojos azules
de inefable candor,
veo en ellos amor.

## MI CAFETAL

*L. y M. de Crescencio Salcedo*

Porque la gente vive criticando,
me paso la vida sin pensar en ná.
Porque la gente vive criticando,
me paso la vida sin pensar en na.

Pero no sabiendo que yo soy el hombre
que tengo un hermoso y lindo cafetal.
Pero no sabiendo que yo soy el hombre
que tengo un hermoso y lindo cafetal.

Nada me importa que la gente diga
que no tengo plata, que no tengo ná.
Nada me importa que la gente diga
que no tengo plata, que no tengo na.

Pero no sabiendo que yo soy el hombre
que tengo mi vida bien asegurá.
Pero no sabiendo que yo soy el hombre
que tengo mi vida bien asegurá.

## EL RIFLERO

*Son*
*D.P.*

Señora yo soy riflero,
mi vida,
que ora acabo de llegar
traigo mi rifle terciado,
mi vida,
cansado de caminar.

Señora yo soy riflero,
mi vida,
que al puente vengo llegando,
componiendo mis guaraches,
mi vida,
para seguir caminando,

Tú eres la que me decías,
mi vida,
que primero ibas a ver
las estrellas por el suelo,
mi vida,
que dejarme de querer.

Tú eres la que me decías,
mi vida,
con el alma me adorabas
a todas horas del día,
mi vida,
cuando me "vías" me llorabas.

## GUADALAJARA

*Pepe Guízar*

Guadalajara, Guadalajara,
Guadalajara, Guadalajara,

Tienes el alma de provinciana,
hueles a limpia rosa temprana,
a verde jara fresca del río,
son mil palomas tu caserío,
Guadalajara, Guadalajara,
hueles a pura tierra mojada.

¡Ay! Colomitos lejanos,
¡Ay! ojitos de agua humanos,
¡Ay! Colomitos inolvidables,
inolvidables como las tardes
en que la lluvia desde la loma,
irnos hacía hasta Zapopan.

Guadalajara, Guadalajara.

## EL CUATRO

*Son*
*D.P.*

Este es el cuatro mentado,
el rey de todos los sones,
querido de las mujeres,
apreciado de los hombres.

¡Qué de doces, qué de treces,
qué de malillas y ases!
Chinita, qué mal me pagas,
pero tú sabes lo que haces.

Señora, si usted quisiera
hacerme una caridad,
señora, si usted quisiera
hacerme una caridad,
partiera su rebocito,
ay, me diera la mitad
para hacerme un calzoncito,
que ya vergüenza me da.

## OBSESIÓN

*L. y M. de Pedro Flores*

Por alto esté el cielo en el mundo,
por hondo que sea el mar profundo,
no habrá una barrera en el mundo
que mi amor profundo no rompa por ti.

Amor es el pan de la vida,
amor es la copa divina,
amor es un algo sin nombre
que obsesiona al hombre por una mujer.

Yo vivo obsesionado contigo
y el mundo es testigo de mi frenesí;
por más que se oponga el destino
serás para mí, para mí.

## DESVELO DE AMOR

*L. y M. de Rafael Hernández*

Sufro mucho tu ausencia, no te lo niego,
yo no puedo vivir, si a mi lado no estás,
dicen que soy cobarde, que tengo miedo,
de perder tu cariño, de tus besos perder,
yo comprendo que es mucho lo que te quiero,
no puedo remediarlo, qué voy a hacer. . .

Te juro que dormir casi no puedo,
mi vida es un martirio sin cesar,
mirando tu retrato ¡ay!, me consuelo,
vuelvo a dormir y vuelvo a despertar.

Dejo el lecho y me asomo a la ventana,
contemplo de la noche su esplendor,
me sorprende la luz de la mañana,¡ay!,
en mi loco desvelo por tu amor.

# MI VIEJO

*Bolero*
*Piero José*

Es un buen tipo mi viejo,
que anda solo y esperando,
tiene la tristeza larga
de tanto venir andando.

Yo lo miro desde lejos,
pero somos tan distintos,
es que creció con el siglo,
con tranvía y vino tinto.

Viejo, mi querido viejo,
ahora ya caminas lerdo,
como perdonando al viento;
yo soy tu sangre mi viejo,
soy tu silencio y tu tiempo.

Él tiene los ojos buenos
y una figura pesada,
la edad se le vino encima
sin carnaval ni comparsa.

Yo tengo los años nuevos,
el hombre los años viejos,
el dolor lo lleva dentro
y tiene historias sin tiempo.

Viejo, mi querido viejo,. . .

## EL ENAMORADO

*D.P.*

Chinita, por tus amores,
preso me lleva la ronda.
No tengas cuidado, mi alma, güerita,
que ya tengo quien me esconda

Ay, ay, ay, ay,
si no me quieres me enojo.
Mira qué tormenta viene, güerita,
si no me tapas me mojo.

Chinita, por tus amores
la ronda me lleva preso,
no tengas cuidado, mi alma, güerita,
que nadie se ha muerto de eso.

Ay, ay, ay, ay,
si no me quieres me enojo.
Mira qué tormenta viene, güerita,
si no me tapas me mojo.

## EL MARIACHI

*Pepe Guízar*

Al mariachi de mi tierra,
de mi tierra tapatía,
voy a darle mi cantar.
Arrullada por sus sones
se meció la cuna mía,
se hizo mi alma musical.

Sus violines y guitarras
en las quietas madrugadas
son un dulce despertar;
alma virgen del mariachi,
cuando escucho tus cantares
siento ganas de llorar.

El mariachi suena
con alegre son,
¡oye, cómo alegra!,
canta mi canción. . .

Suena el arpa vieja,
suena el guitarrón;
el violín se queja
lo mismo que yo.

Son sus torres catedrales
como blancos alcatraces,
alcatraces al revés.
En San Juan de Dios, mi barrio,
monto en pelo y bebo en jarro,
la tequila es mi mujer.

El sombrero ancho es mi lujo,
los mariachis son mi gusto
pa' cantarle a quien yo sé;
¡ay, Tepatitlán bonito!
¡Ay, Los Altos de Jalisco!
De "onde" somos los de ley.

El mariachi suena. . .

## LA GLORIA ERES TÚ

*Bolero*

*José Antonio Méndez*

Eres mi bien lo que me tiene extasiado,
¿por qué negar que estoy de ti enamorado?
De tu dulce alma que es todo sentimiento.

De esos ojazos negros de un raro fulgor
que me dominan e incitan al amor.
Eres un encanto, eres mi ilusión.

Dios dice que la gloria está en el cielo,
que es de los mortales el consuelo al morir.
Bendigo a Dios porque al tenerte yo en vida
no necesito ir al cielo tisú,
alma mía, la Gloria eres tú.

## QUIÉREME MUCHO

*L. de A. Rodríguez y M. de Gonzalo Roig*

Quiéreme mucho, dulce amor mío
que amante siempre te adoraré;
yo con tus besos y tus caricias
mis sufrimientos acallaré.

Cuando se quiere deveras
como te quiero yo a ti,
es imposible, mi cielo,
tan separados vivir.

Cuando se quiere deveras
como te quiero yo a ti,
es imposible, mi cielo
tan separados vivir,
tan separados vivir.

## LA MÚCURA

*Antonio Fuentes*

La múcura está en el suelo,
¡ay!, mamá, no puedo con ella,
me la llevo a la cabeza,
¡ay!, mamá, no puedo con ella.

La múcura está en el suelo,. . .

Es que no puedo con ella,
mamá, no puedo con ella.
Es que no puedo con ella,
mamá, no puedo con ella.

Muchacha, si tú no puedes
con esa múcura de agua,
pa' que te ayude a cargarla,
muchacha, llama a San Pedro.

Muchacha, si tú no puedes. . .

Es que no puedo con ella,
mamá, no puedo con ella,
no, no, no puedo con ella,
mamá, no puedo con ella.

¡Ay!, nena, quién te rompió
tu mucurita de barro,
fue Pedro que me ayudó,
pa' qué me hiciste llamarlo.

¡Ay!, nena, quién te rompió. . .

Es que no puedo con ella,
mamá, no puedo con ella,
no, no, no puedo con ella,
mamá, no puedo con ella.

Es que no puedo con ella,. . .

## Canción Mexicana

Cabría preguntarse porqué hemos denominado así a esta sección del cancionero, ya que todas las canciones son —en rigor— mexicanas, si exceptuamos a las extranjeras arraigadas en nuestro país. Trataremos de quitar la duda en la mente de nuestros lectores, afirmando que sí se puede hablar de la canción mexicana como un género lírico-poético, de la misma manera en que hablamos del lied alemán, de la canción francesa, de la romanza italiana o de la danza habanera. Es precisamente de estas dos últimas de las que parece haber tomado sus principales características.

Podríamos hablar de la primera mitad de nuestro siglo para establecer el tiempo en el que se desarrolló este tipo de canción, cuyos temas literarios muchas veces se refieren a la vida en el campo ("Borrachita", "A la orilla de un palmar") aunque sus autores hayan sido citadinos. Ignacio Fernández Esperón "Tata Nacho", Joaquín Pardavé, Manuel M. Ponce, Jorge del Moral, se inspiraron no pocas veces en la vida de los campesinos y hasta en su propia música, ya que muchas ocasiones solamente transcribieron al papel pautado canciones escuchadas a algún humilde compositor campirano.

Es esta unión entre el campesino mexicano y el compositor citadino la que le da el toque clásico a nuestra canción, y nos da pie para clasificarla y distinguirla entre los más destacados géneros líricos del mundo como la Canción Mexicana.

Inspirados poetas como Amado Nervo, Manuel José Othón y Jaime Torres Bodet —por sólo mencionar a algunos— unieron sus letras a las melodías de notables músicos, y así conquistaron el gusto popular en forma definitiva, ya que en un principio, las primeras canciones del maestro Ponce en estilo campesino fueron rechazadas "porque olían a pulque".

## AMAPOLA

*L. y M. de José M. Lacalle*

De amor en los hierros de tu reja,
de amor escuché la triste queja,
de amor que sonó en mi corazón
diciéndome así con su dulce canción:

Amapola, lindísima Amapola,
será siempre mi alma, tuya sola,
yo te quiero, amada niña mía,
igual que ama la flor la luz del día.
Amapola, lindísima Amapola,
no seas tan ingrata y ámame.
Amapola, Amapola,
¿cómo puedes tú vivir tan sola?

Tal vez en los hierros de tu reja,
traidor el amor sintió su queja,
amor que en mi amante corazón
sembró por mi mal una dulce ilusión.

Amapola, lindísima Amapola,. . .

## CONTIGO A LA DISTANCIA

*César Portillo de la Luz*

No existe un momento del día
en que pueda olvidarme de ti;
el mundo parece distinto
cuando no estás junto a mí.

No hay bella melodía
donde no surjas tú,
y no quiero escucharla
si no la escuchas tú.

Es que te has convertido
en parte de mi alma,
ya nada me conforma
si no estás tú también.

Más allá de tus labios,
del sol y las estrellas,
contigo a la distancia,
amada mía, estoy.

## ACÉRCATE MÁS...

*Oswaldo Farrés*

Oye, te estaba esperando,
confiarte quería un secreto
de amor, decirte bajito, bajito al oído,
muchas cosas lindas, muy cerca de ti.

Acércate más y más y más,
pero mucho más,
y bésame así, así, así,
como besas tú.
Pero besa pronto
que me estoy muriendo.
¿Qué no estás tú viendo
que lo estoy queriendo sin saberlo tú?

Acércate más y más y más,
pero mucho más,
y bésame así, así, así como besas tú.
Acaso pretendes el desesperarme.
Ven por Dios a amarme.
pero ven muy pronto,
te lo pido yo.

## EL QUELITE

*D.P.*

Qué bonito es el quelite
bien haya quien lo formó,
que por sus orillas tiene
de quién acordarme yo.

Camino de San Ignacio,
camino de San Gabriel,
no dejes amor pendiente
como el que dejaste ayer.

Mañana me voy mañana,
mañana me voy de aquí,
y el consuelo que me queda
que se han de acordar de mí.

Al pie de un encino verde
me dio sueño y me dormí,
y me despertó un gallito
cantando quiquiriquí.

Cuando pases por el puente
no bebas agua del río,
ni dejes amor pendiente
como dejaste el mío.

Mañana me voy mañana,
mañana me voy de aquí
y el consuelo que me queda
que se han de acordar de mí.

## MI RANCHITO

*L. y M. de Felipe Valdés Leal*

Allá, al pie de la montaña,
donde se oculta temprano el sol,
quedó mi ranchito triste
y abandonada ya mi labor.

Ahí me pasé los años
y ahí encontré mi primer amor,
y fueron los desengaños
los que mataron ya mi ilusión.

¡Ay!, corazón que te vas
para nunca volver,
no me digas adiós,
no te despidas jamás,
si no quieres saber
de la ausencia el dolor.

Malhaya los ojos negros
que me embrujaron con su mirar,
si nunca me hubieran visto
no fueran causa de mi penar.

Malhaya los ojos. . .

¡Ay!, corazón que te vas
para nunca volver
no me digas adiós,
vuelve a alegrar con tu amor
el ranchito que fue
de mi vida ilusión.

## ¡AY. . .! ¡AY. . .! ¡AY. . .!

*L. y M. de Osmán Pérez Freyre*

Asómate a la ventana, ay, ay, ay,
paloma del alma mía,
que ya la aurora temprana,
nos viene a anunciar el día,
que ya la aurora temprana, ay, ay, ay,
nos viene a anunciar el día.

Si alguna vez en tu pecho, ay, ay, ay,
mi cariño no lo abrigas,
engáñalo como a un niño,
pero nunca se lo digas,
engáñalo como a un niño, ay, ay, ay,
pero nunca se lo digas.

El amor mío se muere, ay, ay, ay,
y se me muere de frío,
porque en tu pecho de piedra
tú no quieres darle abrigo,
porque en tu pecho de piedra, ay, ay, ay,
tú no quieres darle abrigo, ay, ay, ay.

## POR ESO NO DEBES

*Margarita Lecuona*

En esta vida lo mejor es callar
cuando se quiere conservar un amor,
aunque se tengan muchas ansias de hablar
el silencio es mejor.

Por eso tú no debes nunca decir
que tú me quieres y te quiero yo a ti,
si así en silencio nos podemos amar,
y vivir nuestro amor.

Por eso no debes decir que me quieres,
por eso no debes decir la verdad,
porque la envidia es enemiga fatal;
del dulce sueño que queremos lograr,
mejor guardarlo entre los dos y esconder
nuestra felicidad.

## NOCHE Y DÍA

*L. y M. de Rafael Hernández*

Yo me paso noche y día pensando
si el destino me llegara
a separar de ti.

He pasado muchas noches llorando
y yo mismo me consuelo
diciendo así:

Ese día no vendrán las mariposas
con sus alas vaporosas
a posarse entre las flores.

Ese día no habrá un rayo de alegría
porque saben que ese día
tú has dejado de quererme.

Y esa noche no habrá líricos derroches,
de sentidas cantinelas,
de Pierrots enamorados.

Y ese día en que dejes de ser mía,
cantará la primavera
esta eterna melodía.

Esa noche y ese día
cantará la primavera
esta eterna melodía.

## EL DÍA QUE ME QUIERAS

*L. de Amado Nervo*
*M. de Manuel Esperón*

El día que me quieras
tendrá más luz que junio,
la noche que me quieras
será de plenilunio.

Con notas de Beethoven
vibrando en cada rayo
sus inefables cosas,
y habrá juntas más rosas
que en todo el mes de mayo.

Al despuntar el alba
del día que me quieras
tendrán todos los pétalos
cuatro hojas agoreras.

Y en el estanque, nido
de gérmenes ignotos,
florecerán las místicas
corolas de los lotos.

El día que me quieras,
para nosotros dos
cabrá en un solo beso
la beatitud de Dios.

## LEJOS DE TI

*L. y M. de Manuel M. Ponce*

Lejos de ti
la vida es un martirio,
sin alegría, sin luz.

Es la existencia cruel,
loco delirio,
porque me faltas tú,
porque me faltas tú,
porque me faltas tú.

Es triste la mañana, sonriente
la tarde, el cielo azul. . .
todo está gris y lúgubre en mi mente,
porque me faltas tú,
porque me faltas tú,
porque me faltas tú.

## A LA ORILLA DE UN PALMAR

*Arr. Manuel M. Ponce*

A la orilla de un palmar
yo vide una joven bella,
su boquita de coral,
sus ojitos dos estrellas.

Al pasar le pregunté
que quién estaba con ella,
y me respondió llorando:
Sola vivo en el palmar.

Soy huerfanita, ¡ay!,
no tengo padre ni madre;
ni un amigo, ¡ay!,
que me venga a consolar.

Solita paso la vida
a la orilla del palmar
y solita voy y vengo
como las olas del mar.

## AMOR PERDIDO

*Bolero*
*Pedro Flores*

Amor perdido,
si como dicen es cierto que vives
dichosa sin mí,
vive dichosa;
quizá otros besos te den la fortuna
que yo no te di.

Hoy me convenzo
que por tu parte nunca fuiste mía,
ni yo para ti,
ni tú para mí;
ni yo para ti,
todo fue un juego,
nomás en la apuesta
yo puse y perdí.

Fue un juego y yo perdí,
ésa es mi suerte,
y pago porque soy buen jugador;
tú vives más feliz,
ésa es tu suerte,
qué más puede decirte
un trovador.

Vive tranquila,
no es necesario que cuando tú pases
me digas adiós:
no estoy herido
y por mi madre que no te aborrezco
ni guardo rencor.

Por el contrario,
junto contigo le doy un aplauso
al placer y al amor.

¡Qué viva el placer!
¡Qué viva el amor!
Ahora soy libre,
quiero a quien me quiera,
¡qué viva el amor!

## CAPULLITO DE ALHELÍ

*Rafael Hernández*

Lindo capullo de alhelí,
si tú supieras mi dolor
correspondieras a mi amor
y calmarás mi sufrir;
porque tú sabes que sin ti
la vida es nada para mí;
tú bien lo sabes, capullito de alhelí.

No hay en el mundo para mí
otro capullo de alhelí
que yo le brinde mi pasión
y que le dé mi corazón,
porque tú eres la mujer
a quien he dado mi querer,
y te juré, lindo alhelí,
fidelidad hasta morir.

Por eso yo te canto a ti,
mi capullito de alhelí,
dame tu aroma seductor
y un poquito de tu amor,
porque tú sabes que sin ti
la vida es nada para mí,
tú bien lo sabes,
capullito de alhelí.

## LA PAJARERA

*Arr. Pablo Santos*

Pajarillos, de mil colores niña,
los traigo chifladores,
cantan, trinan
la canción de los amores.

Al llegar la estación cariñosa
donde alegres ya cantan las avés,
vamos, pues, mi querida Rosita
a escuchar estos dulces cantares.

Ya lo saben que soy pajarera,
que de diario me vivo en los campos,
disfrutando de la primavera,
de las aves sus pulidos cantos.

Cuando a México vayas, Rosita,
por las calles cantando dirás:
Soy, señores, la pajarerita.
¿Quién de ustedes con ella se va?

Ya lo saben que soy pajarera,. . .

Aquí traigo las redes, Rosita,
para ver cuántos puedo agarrar
pajarillos que cantan alegres,
que a buen precio los han de pagar.

Ya cayó un pajarillo silvestre,
ya cayó una mirla con esmero,
ya cayeron un par de gorriones,
ya cayó un pajarillo jilguero.

Cuando a México vayas, Rosita,
a venderlos a la capital,
cinco pesos será el menor precio
que ellos pueden valer por allá.

Ya lo saben que soy pajarera,. . .

Si al pasar te pregunta la dama,
que si son pajarillos silvestres,
le dirás que son de más fama
de los que hay en la tierra caliente.

Ya me voy, mis fieles compañeros,
me despido con gusto y afán;
soy, señores la pajarerita.
¿Quién de ustedes con ella se va?

## TE HE DE QUERER

*Arr. Alfonso Esparza Oteo*

Te he de querer,
te he de adorar
aunque le pese al mundo
si se enojan porque te amo
más adrede lo he de hacer.

Te he de querer,
te he de adorar;
¿qué nos puede suceder?
¿Qué admiración les causa
que yo quiera a esa mujer?

Te lo digo y te lo cumplo
el no abandonarte nunca,
te lo digo y te lo cumplo
el no amar a otra ninguna.

Te he de querer,
te he de adorar;
¿qué nos puede suceder?
¿Qué admiración les causa
que yo quiera a esa mujer?

## CARIÑO VERDAD

*L. y M. de J. y J. Monreal*

En una casita chiquita y muy blanca,
camino del puerto de Santa María,
habita una vieja muy buena y muy santa,
muy buena y muy santa. . .
que es la "mare" mía.

Y maldigo hasta la hora
en que yo la abandoné,
a pesar de sus consejos
no me quise convencer.

Ella me lleva en el alma
y tú en la imaginación,
tú me miras con los ojos
ella con el corazón.

Lo tuyo es capricho,
pura vanidad;
lo de ella es cariño,
cariño verdad.

De quién fue la culpa, no quiero saberlo,
no sé si fue tuya o fue de la suerte,
o fue culpa mía por no comprenderlo,
en vez de olvidarte penaba por verte.

Anda y vete de mi vera,
si te quieres comparar
con aquella vieja santa,
que está ciega de llorar.

Ella me lleva en el alma. . .

## CEREZO ROSA

*Louis Guglielmi y Agerón Marcel*

Inolvidable primavera,
aquella en que te di mi amor,
sentí latir por vez primera
mi corazón.

Enamorado te esperaba,
acariciando una ilusión,
fue una pasión de cuerpo y alma,
dicha y dolor.

Una palabra le di,
una palabra me dio,
amarnos siempre los dos
y no dejarnos jamás.

Fue una promesa de amor
que nadie pudo quebrar;
fue un juramento de azar
que fue verdad.
Inolvidable primavera,
aquella en que te di mi amor,
la más hermosa primavera
del corazón.

No, no, no puedes pensar en olvidar
cuando has amado de verdad.
no, no puedes mentir más,
cuando ya el alma no sabe
mentir más.

# AHORA SEREMOS FELICES

*Rafael Hernández*

Yo tengo ya la casita
que tanto te prometí,
y llena de margaritas
para ti, para mí.

Será un refugio de amores,
será una casa ideal,
y entre romances y flores
formaremos nuestro hogar.

Ahora seremos felices,
ahora podemos cantar,
aquella canción que dice así
con su ritmo tropical:
la-ra-la-la-ra-la-ra.

Que Dios nos dé mucha vida, negra,
y mucha felicidad.
Que Dios nos dé mucha vida, negra,
y mucha felicidad.

Para completar la dicha
y nuestra felicidad
hace falta una cosita,
¿qué será?... ¿qué será?...

Es una cosita chiquita,
por cierto muy singular,
es como una muñequita,
que alegrará nuestro hogar.

# ME VOY PA'L PUEBLO

*Mercedes Valdez*

Me voy pa'l pueblo, hoy es mi día,
voy a alegrar toda el alma mía.

Me voy pa'l pueblo, hoy es mi día,
voy a alegrar toda el alma mía.

Tanto como yo trabajo
y nunca puedo irme al vacilón;
no sé qué pasa con esta guajira,
que no le gusta el huateque y el son.

Ahora sí, yo la voy a dejar
en su bohío asando maíz,
me voy pa'l pueblo a tomarme un jaibol
y cuando vuelva
se acabó el carbón.

Me voy pa'l pueblo, hoy es mi día,. . .

Desde el día que nos casamos,
hasta la fecha trabajando estoy,
quiero que sepas que no estoy dispuesto
a encerrarme siempre en un rincón.

Qué lindo el campo, muy bien, ya lo sé,
pero pa'l pueblo voy echando un pie,
y si no vienes mejor es así,
pues yo no sé lo que será de mí.

Me voy pa'l pueblo, hoy es mi día,. . .

## CANCIÓN DEL ALMA

*Rafael Hernández*

Yo sé que tú comprendes
las penas que hay en mí;
que estando yo a tu lado
se acaba mi sufrir.

Será lo que tú quieras,
la culpa tú tendrás,
pero mi alma te espera,
te espera y nada más.

No sé cómo he podido estar
tanto tiempo lejos de ti,
no sé cómo he podido esperar
y saber resistir.

Yo vivo, y tú lo sabes,
desesperada y triste,
y desde que te fuiste
no sé lo que es vivir.

No sé lo que es vivir
sin ti.

## CANTA. . . CANTA. . .

*Rafael Hernández*

Se me parte el corazón
cuando te veo llorar,
no te puedo consolar
porque mi pena es mayor;
mi penar es un querer
y tú por una ilusión.

Una ilusión que se va
nunca se debe llorar...

Pero un amor de verdad
nunca se puede olvidar.

Canta... si olvidar quieres corazón.
Canta... si olvidar quieres tu dolor.
Canta... si el amor hoy de ti se va.
Canta, que otro volverá...

## AQUELLOS OJOS VERDES

*L. y M. de Nilo Menéndez*

Fueron tus ojos los que me dieron
el tema dulce de mi canción,
tus ojos verdes, claros, serenos,
ojos que han sido mi inspiración.

Aquellos ojos verdes
de mirada serena
dejaron en mi alma
eterna sed de amar,
anhelos de caricias,
de besos y ternuras,
de todas las dulzuras
que sabían brindar.

Aquellos ojos verdes
serenos como un lago
en cuyas quietas aguas
un día me miré, ¡ay!, me miré,
no saben las tristezas
que a mi alma le dejaron
aquellos ojos verdes
que ya nunca besaré.

## SIBONEY

*L. de E. Morse y M. de Ernesto Lecuona*

Siboney, yo te quiero,
yo me muero por tu amor;
Siboney, en tu boca
la miel puso su dulzor.

Ven a mí que te quiero,
y que todo tesoro eres tú para mí.
Siboney, al arrullo
de tu alma pienso en ti.

Siboney, si no vienes
me moriré de amor por ti.
Siboney de mi sueño,
te espero en mi caney.

Siboney, si no vienes
me moriré de amor por ti.
Siboney si no vienes,
me moriré de amor.

Oye el eco
de mi canto de cristal,
no se pierda
por entre el ruido del manigual.

## YO VENDO UNOS OJOS NEGROS

*Tonada chilena*
*D.P.*

Yo vendo unos ojos negros,
¿quién me los quiere comprar?,
los vendo por hechiceros
porque me han pagado mal.

Yo vendo unos ojos negros,. . . .

Más te quisiera,
más te amo yo,
y todas las noches las paso
suspirando por tu amor.

Más te quisiera,. . .

La flores de mi jardín
con el sol se decoloran
y los ojos de mi chata
lloran por el bien que adoran.

Las flores de mi jardín. . .

Más te quisiera,. . .

Cada vez que tengo penas
voy a la orilla del mar
a preguntarle a las olas
si han visto a mi amor pasar.

Cada vez que tengo pena,. . .

Más te quisiera. . .

Ojos negros traicioneros,
¿por qué me miráis así?,
tan alegres para otros
y tan tristes para mí.

Más te quisiera. . .

## REGRESA A MÍ

*Lombardo y Di Minno y Molina Montes*

Regresa a mí,
no me dejes tan solo,
no me vuelvas la cara
después de que todo te di.

Regresa a mí,
golondrina viajera,
nunca más hallarás el calor
que tú encuentras aquí.

Mañana cuando ya estés cansada
de tanto por el mundo correr.

Regresa a mí,
que te estoy esperando
con los brazos abiertos
que están casi muertos sin ti.

## SALUD, DINERO Y AMOR

*Bolero tango*
*Zariavela*

Tres cosas hay en la vida,
salud, dinero y amor,
el que tenga esas tres cosas
puede dar gracias a Dios.

Pues con ellas uno vive
libre de preocupación,
por eso pido que aprendas
el refrán de esta canción.

El que tenga un amor
que lo cuide, que lo cuide,
la salud y la platita
que no la tire, que no la tire.

Hay que guardar, eso conviene,
ya que el que guarda pues siempre tiene.

El que tenga un amor. . .

Un gran amor he tenido
y tanto en él yo confié,
nunca pensé que un descuido
pudo hacérmelo perder.

Con la salud y el dinero
lo mismo me sucedió,
por eso pido que aprendas
el refrán de esta canción.

El que tenga un amor. . .

CANCION
HISTORICA
CUADERNO
PUBLICADA
POR
ARROYO.
MEXICO

# Canción Histórica

Un reducido grupo de canciones de carácter histórico forma esta parte de nuestra recopilación. No porque falten, pues un gran número de ellas se conserva, gracias —principalmente— a la labor de dos investigadores cuyos méritos superan con creces cualquier cosa que de ellos pudiera decirse: Vicente T. Mendoza y Rubén M. Campos.

Lo que pasa con estas canciones es que fueron populares hace mucho tiempo, la mayor parte de ellas en el siglo pasado, y hoy son muy pocos los que las recuerdan. Se han ido olvidando, como tantas otras cosas que, sin embargo, fortalecieron en su lugar y momento el fervor nacional, que ha sido tan necesario en los momentos decisivos de nuestra historia.

Algo que vino a reforzar nuestra memoria colectiva fue la grabación del disco "Cancionero de la Intervención Francesa", cuya edición estuvo a cargo de las investigadoras —que merecen por ello nuestro mayor reconocimiento— Irene Vásquez Valle y María del Carmen Ruiz Castañeda. No encontramos nada mejor como introducción a esta parte del cancionero, que sus propias palabras:

> . . .destacados intelectuales y artistas liberales —Guillermo Prieto, Ignacio Ramírez y Vicente Riva Palacio, por no destacar sino a unos cuantos— contribuyeron, junto con el pueblo, a configurar en la época de la intervención francesa un vasto repertorio de literatura política que empleó un lenguaje popular y esquemas poéticos tradicionales.
>
> Hay que hacer notar que la literatura "alineada", es decir, la utilizada como arma política, brota con fuerza en nuestro país desde la guerra de Independencia y prolifera enormemente de 1847 a 1867. Hecho lógico si se piensa que es un periodo crítico en el que se suceden, la primera invasión norteamericana, la última dictadura de Santa Anna, las guerras de Reforma, la invasión francesa y el imperio de Maximiliano.

Los cantos satírico-políticos atacan a los principales personajes del ala intervencionista y conservadora; aunque también la sátira se hace extensiva a los franceses invasores y a los conservadores en general. Así, se ridiculiza su actuación en las luchas y en la política; su forma de vestir, de hablar, de comportarse. . . Y como contrapartida exaltan a personas, usos y costumbres liberales mexicanos.

## LA NUEVA PALOMA

*Sebastián de Yradier*

Cuando salí del Congreso,
¡válgame Dios!
nadie me ha visto salir,
si no fui yo.
Y unos pocos diputados
de oposición,
que han seguido tras de mí,
que sí señor.

Si a tus estados llega
un hijo pródigo,
trátale con cariño
que este es el código;

cuéntale mis pesares,
bien de mi vida;
corónalo de azahares
que es cosa mía.

¡Ay!, Benito, que sí.
¡Ay!, que dame tu amor.
¡Ay!, que vente conmigo Benito
adonde impero yo.

No te he enseñao, no te he enseñao
todo este código tan decantao
que los austriacos abandonaron,
el amo mío muy dibujao.

Y el Papelítico certificao
de que la guerra ha terminao.
Con cien obleas me lo han pegao,
muy repegao, muy repegao.

## ADIÓS MAMÁ CARLOTA

*Vicente Riva Palacio*

Alegre el marinero
con voz pesada canta,
y el ancla ya levanta
con extraño rumor.

La nave va en los mares,
botando cual pelota;
adiós mamá Carlota,
adiós mi tierno amor.

De la remota playa
te mira con tristeza
la estúpida nobleza
del mocho y el traidor.

En lo hondo de su pecho
ya sienten su derrota;
adiós mamá Carlota,
adiós mi tierno amor.

Acábanse en Palacio
tertulias, juegos, bailes;
agítanse los frailes
en fuerza de dolor.

La chusma de las Cruces
gritando se alborota;
adiós mamá Carlota,
adiós mi tierno amor.

Murmuran sordamente
los tristes chambelanes,
lloran los chambelanes
y las damas de honor.

El triste Chucho Hermosa
canta con lira rota;
adiós mamá Carlota,
adiós mi tierno amor.

Y en tanto los Chinacos
que ya cantan victoria,
guardando tu memoria
sin miedo ni rencor,
dicen mientras el viento
tu embarcación azota;
adiós mamá Carlota,
adiós mi tierno amor.

## BATALLA DEL 5 DE MAYO

*Siglo XIX—Intervención francesa*
*D.P.*

Al estallido del cañón mortífero
corrían los zuavos en gran confusión
y les gritaban todos los chinacos:
¡Vengan, traidores! ¡Tengan su Intervención!

Con Tamariz y Márquez se entendieron,
les ayudó el traidor de Miramón,
y los chinacos, bravos, se batieron
inundando de gloria la Nación.

¡Alto el fuego! Ya corren los traidores,
ni vergüenza tuvieron, ni pudor.
¡Toquen diana!, clarines y tambores,
un día de gloria, la patria que triunfó.

¡Alto el fuego! Ya corren los traidores,
que vinieron a darnos la lección.
¡Coronemos a México de flores!
¡Muera Francia! y ¡muera Napoleón!

## LA PASADITA

*Siglo XIX—Intervención francesa*
*D.P.*

Una cosa es cierta,
y es que en un tris-tras,
triunfó ya el partido
anticlerical;
por eso las viejas
rabiosas están
pero yo me río,
contesto, ja, ja.

Y a la pasadita
tan, darín, darán.
Y a la pasadita
tan, darín, darán.

El último golpe
ha estado formal,
le quitan al clero
la enseñanza ya.

¡Adiós Seminario
y Universidad!
¡Qué viva el progreso!
Dejadme gritar.

Y a la pasadita. . .

Un señor Obispo,
de muchos que hay,
contra las reformas
protestó locuaz.
¿Y de esa protesta
qué resultará?
De fijo la echaron
a algún muladar.

¿Sabéis qué resulta
si no camináis?
Que los extranjeros
todo abarcarán;
que de afuera, tontos,
muy pronto vendrán
quien de vuestras casas
os han de arrojar.

Y a la pasadita...

Y a la pasadita...

¿Por qué tal empeño,
tal tenacidad
de los que pretenden
andar para atrás?
En lugar de estorbos
como siempre dan,
¿No mejor les era
unirse y marchar?

Y a la pasadita...

## ALLÁ EN LA CUMBRE

*D.P.*

Allá en la cumbre de una montaña
un estandarte yo vi flotar,
el de la Virgen de Guadalupe,
vino a la Patria a representar.

¡Viva México! ¡Viva mi Patria!
¡Vivan los hombres de gran valor!
¡Viva Miguel Hidalgo y Costilla
que fue el primer libertador!

## LOS CANGREJOS

*Siglo XIX—Intervención francesa*
*L. de Guillermo Prieto*
*M. tradicional*

Cangrejos, al combate,
cangrejos, a compás;
un paso pa' delante,
doscientos para atrás.

Casacas y sotanas
dominan dondequiera,
los sabios de montera
felices nos harán.

¡Zuz, ziz, zaz!
¡Viva la libertad!
¿Quieres inquisición?
¡Ja-ja-ja-ja-ja-ja!
Vendrá "Pancho membrillo"
y los azotará.

Maldita federata
qué oprobios nos recuerda,
hoy los pueblos en cuerda
se miran desfilar.

¿A dónde vais, arrieros?
Dejad esos costales:
Aquí hay cien oficiales
que habéis de transportar.

Cangrejos, al combate,
cangrejos, a compás;
un paso pa' delante,
doscientos para atrás.

¡Zuz, ziz, zaz!. . .

Orden, ¡gobierno fuerte!
y en holgorio el jesuita,
y el guardia de garita,
y el fuero militar.

Heroicos vencedores
de juegos y portales,
ya aplacan nuestros males
la espada y el cirial.

Cangrejos, al combate,
cangrejos, a compás;
un paso pa' delante,
doscientos para atrás.

¡Zuz, ziz, zaz!. . .

En ocio el artesano
se oculta por la leva,
ya ni al mercado lleva
el indio su huacal.

Horrible el contrabando
cual plaga lo denunció,
pero entre tanto el nuncio
repite sin cesar:

Cangrejos, al combate,
cangrejos, a compás;
un paso pa' delante,
doscientos para atrás.

¡Zuz, ziz, zaz!. . .

## LA MALDICIÓN DE MALINCHE

*Gabino Palomares*

Del mar los vieron llegar
mis hermanos emplumados,
eran los hombres barbados
de la profecía esperada.

Se oyó la voz del monarca
de que el Dios había llegado
y les abrimos la puerta
por temor a lo ignorado.

Iban montados en bestias
como Demonios del mal,
iban con fuego en las manos
y cubiertos de metal.

Sólo el valor de unos cuantos
les opuso resistencia
y al mirar correr la sangre
se llenaron de vergüenza.

Porque los Dioses ni comen,
ni gozan con lo robado
y cuando nos dimos cuenta
ya todo estaba acabado.

Y en ese error entregamos
la grandeza del pasado,
y en ese error nos quedamos
trescientos años esclavos.

Se nos quedó el maleficio
de brindar al extranjero
nuestra fe, nuestra cultura,
nuestro pan, nuestro dinero.

Y les seguimos cambiando
oro por cuentas de vidrio
y damos nuestra riqueza
por sus espejos con brillo.

Hoy en pleno siglo XX
nos siguen llegando rubios
y les abrimos la casa
y los llamamos amigos.

Pero si llega cansado
un indio de andar la sierra,
lo humillamos y lo vemos
como extraño por su tierra.

Tú, hipócrita que te muestras
humilde ante el extranjero,
pero te vuelves soberbio
con tus hermanos del pueblo.

Oh, Maldición de Malinche,
enfermedad del presente
¿Cuándo dejarás mi tierra,
cuando harás libre a mi gente?

## EL TELELE

*D.P.*

Ya Pamuceno murió,
¡Ay, no, no, no, no, no!,
ya lo llevan a enterrar
entre cuatro reaccionarios,
Saligny de sacristán.

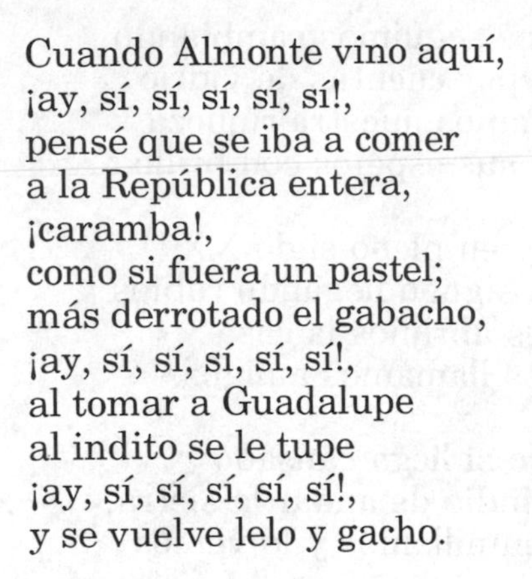

Cuando Almonte vino aquí,
¡ay, sí, sí, sí, sí, sí!,
pensé que se iba a comer
a la República entera,
¡caramba!,
como si fuera un pastel;
más derrotado el gabacho,
¡ay, sí, sí, sí, sí, sí!,
al tomar a Guadalupe
al indito se le tupe
¡ay, sí, sí, sí, sí, sí!,
y se vuelve lelo y gacho.

Ya Pamuceno murió,
¡ay, no, no, no, no, no!,
ya lo llevan a enterrar
con la cruz alta Miranda,
Tamariz con el cirial.

Cuando Almonte vino aquí,
¡ay, sí, sí, sí, sí, sí!,
por el petit Napoleón,
soñaba ser presidente,
¡caramba!,
y mandar a la nación;
aceptó México el reto,
¡ay, sí, sí, sí, sí, sí!,
y el hábil de Pamuceno
se ha dado un frentazo bueno,
¡ay, sí, sí, sí, sí, sí!,
en el Cerro de Loreto.

Ya Pamuceno murió,
¡ay, no, no, no, no, no!,
ya lo llevan a enterrar;
Cobos le canta el responso,
Zuloaga se echa a llorar.

Cuando Almonte vino aquí,
¡ay, sí, sí, sí, sí, sí!,
a ponerse el Majestad
y a darnos en su gobierno,
¡caramba!,
palos y fiestas y pan,
llegó con sus once ovejas,
¡ay, sí, sí, sí, sí, sí!,
entonando viejos chochos,
dando esperanzas a mochos,
¡ay, sí, sí, sí, sí, sí!,
y consuelos a las viejas.

Ya Pamuceno murió
¡ay, no, no, no, no, no!,
ya lo llevan a enterrar;
los mochos se ponen luto,
las mochas van a rezar.

Cuando Almonte se murió
del Telele que le dio,
dejó escrito en un papel
que le hicieran los honores
¡caramba!,
y un entierro de virrey.
Ya le alzan un mausoleo,
¡ay, sí, sí, sí, sí, sí!,
y un epitafio que dice:
"Aquí yace un infelice,
¡ay, sí, sí, sí, sí, sí!,
se le indigestó el empleo."

Que ya Almonte se murió,
¡ay, no, no, no, no, no!,
ya lo llevan a enterrar,
si no con manto de rey
con banda de general.

## LOS ENANOS

*Siglo XIX—Intervención francesa*

*D.P.*

Estos franchutes
ya se enojaron
porque a su nana
la pellizcaron.

Padece insomnios
monsieur Forey
porque en su triunfo
no tiene fe. . .

Y mientras tanto
¿qué es lo que hará
monsieur Botella?
¿Toma cognac?

Estos franceses
ya se enojaron
porque sus glorias
les eclipsaron.

Y Pamuceno
¿qué les dirá?
que ya no quiere
ser majestá.

Que aunque les pese
vuelve a cargar
con sus guaraches
y su huacal. . .

Esos franchutes
ya se enojaron
porque a su nana
la pellizcaron.

Se hacen chiquitos,
se hacen grandotes
y nunca pasan de monigotes

Se hacen chiquitos,
se hacen grandotes
y nunca pasan de monigotes.

## ¡ADIÓS ESPAÑA!

*D.P.*

Rema, nanita, rema,
y rema y vamos remando;
ya los gachupines vienen
y los vamos avanzando.

Los gachupas quieren sangre,
matar a nuestra nación;
la verdad que si se meten
los haremos chicharrón.

Rema, nanita, rema. . .

Ellos son muy poderosos
en armas y munición,
nosotros tenemos piedras
y muchísimo calzón.

Rema, nanita, rema. . .

Por un cabo doy dos reales,
por un sargento un tostón,
por mi General Morelos
doy todo mi corazón.

Rema, nanita, rema. . .

## EL GUAJITO

*Siglo XIX—Intervención francesa*

*D.P.*

Guajito
ay de mí,
dame un traguito
para Saligny.

Dizque piensan los franceses
que han venido a los infiernos,
aquí no tenemos cuernos,
los ponemos muchas veces.

Guajito. . .

—Señora, déme un guajito,
con pico de filigrana
para un francés borrachito.
—La verdá no tengo gana. . .
si me lo arrebata grito,
que al cabo soy mexicana.

Guajito. . .

Dizque unos guajitos vende
un francés en Orizaba,
y yo le digo, no entende,
que al cabo su amor se acaba;
quiero a un chinaco de Allende
y hasta se le cae la baba.

Guajito. . .

Quiso un francés currutaco
darme un guaje con diamantes,
y le dijo mi chinaco:
—Franchute, no la atarantes,
mi guajito vale tlaco. . .
pero ya tiene marchantes.

Guajito. . .

En la barriga de un guaje
han pintado a Napoleón,
y en el pico a Prim sentado
sirviéndole de tapón,
porque no es tan atontado
para engordar la reacción.

Guajito. . .

# CANTO DE CHINACA

*Siglo XIX—Intervención francesa*
*D.P.*

Yo soy libre como el viento,
pero tengo dignidad,
adoro la libertad
con todo mi corazón.

Y de orgullo el alma llena,
declaro de buena gana
que soy pura mexicana,
nada tengo de español.

—"Mocho poji" Mariquita.
—Yo cuando me hacen la guerra
¿quién lo llamó a nuestra tierra?
¿quién le ruega estar aquí?. . .

¿Yo quererte? con mirarte
sabe Dios que me condenas,
ve a que te saquen de penas
Pamuceno y Saligny.

Te quiere mi Mariquita,
e trovaremos un hico.
Quién le dio tan grande pico,
¡si soy chinaquita yo!

Y antes de que a un extranjero
darle mi mano resuelva,
le diré: ve a que te envuelva
la madre que te parió.

¡Qué lindo es pasar la vida
junto a una blusa encarnada!,
viendo una frente tostada,
y hermosa con su altivez.

¡Mariquita! —El extranjero
es un plato desabrido. . .
ven chinacate querido,
a espantar a ese francés.

12
CANCION HUMO-RISTI-CA
TE VOLVI A VER

# Canción Humorística

Es frecuente encontrar la afirmación de que nuestro pueblo tiene un sentido del humor muy especial y que aun a las situaciones más difíciles les da un tratamiento jocoso. Tal vez así sea, pero no es frecuente encontrar en nuestra lírica popular obras puramente cómicas, la mayor parte van unidas a una crítica social o de plano pretenden ridiculizar a determinado personaje, como en el "Cancionero de la Intervención Francesa", en muchas canciones de la Revolución, o en otras posteriores en las que el pueblo hace escarnio de sus opresores o de quienes se ha liberado, pues a veces es la burla o la sátira lo único que le queda para protestar ante determinadas situaciones.

Entre los compositores de música popular más conocidos ocupa un lugar especial Salvador Flores Rivera, quien con un agudo sentido de la observación nos hace sonreír, cuando menos, de determinadas situaciones de la vida citadina que cotidianamente vivimos, las que en el fondo no resultan sino una aguda crítica y a veces hasta un reclamo de nuestra forma de vivir, todo dicho con tal gracia y oportunidad, que han hecho que Chava Flores se haya colocado en un honroso sitio entre los compositores de música popular. Algunas de sus más conocidas composiciones son: "Sábado, Distrito Federal", "Peso sobre peso", "La tertulia", "El gato viudo", "Boda de vecindad", entre otras.

No podemos dejar de señalar aquí a Ventura Romero autor de "La burrita", "La vaca" o "El piojo y la pulga" del Charro Gil, quienes llenaron toda una época con estas graciosas composiciones. Este género, por ser ampliamente conocido, no precisa mayor explicación, por lo menos desde el punto de vista musical, aunque sí desde el punto de vista antropológico o sociológico, pero eso no es nuestro cometido y lo dejamos a quien tenga autoridad para hacerlo.

# PANCHO LÓPEZ

*Bruns, Blackburn y Lalo Guerrero*

Nació en Chihuahua en novecientos seis
en un petate bajo un ciprés,
a los dos años ya hablaba inglés,
mató a dos hombres a la edad de tres.
Pancho, Pancho López,
chiquito, pero matón.

A los cuatro años sabía montar,
la carabina sabía pulsar,
a treinta yardas lo vi apagar
un ojo a un piojo y sin apuntar.
Pancho, Pancho López,
valiente como un león.

A los cinco años sabía cantar,
tocar guitarra y hasta bailar;
y su papá lo dejaba fumar
y se emborrachaba con puro mezcal.
Pancho, Pancho López
a la cárcel fue a parar.

A los seis años se enamoró,
luego a los siete, pues se casó,
lo que tenía que pasar pasó,
a los ocho años papá resultó.
Pancho, Pancho López
se fue a la revolución.

Aquí la historia se terminó
porque a los nueve Pancho murió,
y el consejo de la historia es:
no vivas la vida con tanta rapidez.

Pancho, Pancho López,
viviste como un ciclón,
Pancho, Pancho López,
viviste como un ciclón.

## LA VIEJA CHISMOSA

*Cuates Castilla*

Mire, Chachita, no le haga caso
lo que esa vieja le fue a contar,
que soy un vago, que no trabajo,
que sólo pienso en descansar.

Que no trabajo, eso es muy cierto,
pero no lo hago por holgazán,
yo no trabajo para ahorrar tiempo
y asté podérselo dedicar.

¡Ay!, esa vieja tan rechismosa,
cómo le gusta chismografiar,
nomás ve la más pequeña cosa
y ahí va enseguida todo a agrandar.

Mire, Chachita, todo es un cuento
lo que esa vieja le fue a contar
que por las noches con Juan y el Tuerto
yo sus ahorritos voy a jugar.

Que me los juego, eso es muy cierto,
pero no lo hago para lucrar,
yo sólo juego pa' ver si acierto
y así podernos pronto casar.

¡Ay!, esa vieja tan rechismosa,. . .

Mire, Chachita, no desespere,
son chismes tontos y sin razón,
que si he besado a Juana y a Tere,
a Mariquita, Luz y Asunción.

Que si he besado, eso es muy cierto,
pero esos besos no son de amor,
sólo he besado pa' ver si aprendo
y asté poderla besar mejor.

¡Ay!, esa vieja tan rechismosa,. . .

## YO NO FUI

*Chelo Velázquez*

Si te vienen a contar
cositas malas de mí,
manda a todos a volar
y diles que yo no fui.

Yo te aseguro que yo no fui,
son puros cuentos de por ahí,
tú me tienes que creer a mí,
yo te lo juro que yo no fui.

Si te vienen a contar
cositas malas de mí,
manda a todos a volar
y diles que yo no fui.

Todos me dicen por ahí
que tienes cara de yo no fui,
a ti te dicen el yo lo vi,
tú me tienes que creer a mí;
yo te lo juro que yo no fui,
no, no. no, no, yo no fui.

## LAS OTRAS MAÑANITAS

*Chava Flores*

El saludo que traigo en este día,
es la muestra de amistad que yo te doy,
si dormida tú te encuentras todavía,
ya despierta pa' que escuches mi canción.

Sólo vengo acompañado de mis cuates
que te brindan su amistad igual que yo,
desvelados y friolentos los mariachis
piden algo pa' que entrenos en calor.

Por favor, prende la luz si estás despierta
que te quiero dedicar otra canción,
ya nos anda porque nos abras la puerta
y nos brindes una copa de licor.

Es tu santo y a cantarte hemos venido,
nos escucha muy atento el velador,
te suplico, te lo ruego, te lo pido,
nos invites a pasar al comedor.

Varias veces ha pasado la patrulla,
y nos pone en muy difícil situación,
si nos llevan para el bote es culpa tuya
por no hacernos una fiel invitación.

Yo te juro que a la gorra no venimos
ni tampoco a recibir tu ingratitud,
pero es triste que lleganos y nos fuinos
sin echarnos una copa a tu salud.

Se prendieron ya las luces mis cuatachos,
la del santo nos oyó y se levantó,
estén listos pa' correr si avientan agua
u otro líquido que manche nuestro honor.

Pero miren que las puertas ya se abrieron,
entren Santos Peregrinos por favor,
y al unísono, gritemos: ¡Viva! ¡Viva!
y tres porras por el santo que es el de hoy.

A la bio, a la bao,
a la bim, bom, ba,
la del santo
la del santo,
ra, ra, ra.

## LOS PULQUES DE APAN

*Chava Flores*

Se inauguró en la colonia Pensil
la pulquería de Ozofronio el mayor,
"Los Pulques de Apan" se llama el cubil
y hubo banderas a todo color.

Con vil fuchina pintó el aserrín
con que adornara banquetas y salón,
dio de regalos platos y jarros
con enchiladas que hicieron ahí,
harto confeti, globos y cuetes
y hasta una banda que nos tocaba así:

Ricos curados de tuna y melón,
avena, piña, de fresa y limón,
su carbonato pa'l tlachicotón,
jarro caliente, jarrito, camión.

Pa' las mujeres entrada especial,
servicio en la obra por si es asté albañil
cuando cerramos, pos le toreamos;
para sus fiestas prestamos barril.
Los pulques de Apan, los que solapan
los cuetes diarios por toda la Pensil.

## LA TERTULIA

*Chava Flores*

La otra noche fui de fiesta en cas'e Julia,
se encontraba ya reunida la familia:
Mari-Pepa, Felícitas, Luz y Otilia
y Camila, que alegraba la tertulia.

Mientras Lupe daba al niño su mamila
doña Cleta pidió una botella a Celia,
nos formó a los de confianza dos en fila
y brindamos con charanda de Morelia.

Después Amelia puso la vitrola
y le tupimos a la danza, ahí, hechos bola;
había un cadete que celaba a Chelo,
mas la canija con Gaspar se daba vuelo.

Después nos dieron sangüichitos de jalea,
a unos ponche y a los tristes coca-cola,
como la gata pa' servir ni se menea
yo me llevé hasta la cocina mi charola.

Ahí me encontré con los amiguitos de Ofelia
que a contrabando habían pasado su tequila,
nos aventamos unas copas tras la pila
y por poquito ya mero nos cae Amelia.

Luego pidieron que cantara Lola
y soportamos *Ya te doy la despedida...*
después tía Cleta tocó la pianola,
pa' que no hablara le dimos buena aplaudida.

Yo me hice fuerte y les canté *La carta a Ufemia*,
que me echo un gallo y un changuito me vacila,
que me le arranco, pero me detuvo Ugenia,
si no en el limbo ya estuviera haciendo fila.

Pero ya estaba digerida la jalea,
pos la mujer del general me hacía la bola,
fue con el chisme la metiche de Carola
y vino el viejo y que comienza la pelea.

Se armó el relajo, sacó su pistola,
yo, precavido, me escondí tras la pianola.
Vino la "julia", pues la llamó Lola,
y pa' la cárcel nos llevaron hechos bola.

## LA INTERESADA

*Chava Flores*

Si yo te bajara el sol. . .
¡quemadota que te dabas!. . . ¡habas!
Si te bajara la luna. . .
¿cómo diablos la cargabas?. . . ¡habas!

Si te bajara una estrella,
vida mía, te "dislumbrabas". . .
¡Mejor no. . . no te bajo el sol,
ni la luna ni la estrella
pa' que no te pase nada!

¡Mejor no te bajo el sol,
ni la luna ni la estrella,
no seas tan interesada!

Si a ti te ofreciera el mar
yo te apuesto que te ahogabas. . . ¡habas!
Si te ofreciera un millón
de un calambre te estirabas. . . ¡habas!

Si te llevo a Nueva York,
de seguro ahi me dejabas...
¡mejor no... no te ofrezco el mar
ni el millón ni Nueva York
pa' que no te pase nada!

¡Mejor no te ofrezco el mar
ni te llevo a Nueva York,
no seas tan interesada!

Si yo te diera mi amor...
¡la armadota que te dabas!... ¡habas!
Si te hablara con pasión...
¡qué soba me acomodabas!... ¡habas!

Si te hiciera una canción
con el otro la cantabas... ¡habas!
¡Mejor no... no te doy mi amor
ni te ofrezco mi canción
pa' que no te pase nada!

¡Mejor no te doy mi amor
y le sigo al vacilón...
tú eres muy interesada!

## MI CHORRO DE VOZ

*Chava Flores*

Yo tenía un chorro de voz,
yo era el amo del falsete...
Ay, laralai...
por el canto me di al "cuete"
y por fumar me dio la tos,
y de aquel chorro de voz
sólo me quedó un chisguete.

Cantaba un titipuchal,
las chamacas me admiraban,
por mis cantos suspiraban
y yo me daba a desear,
pero hoy que quise cantar
los gallos se alborotaban.

Pobre voz que anda al garete
por la parranda y el cuete,
por fumar y por la tos,
cuando quise echar falsete
sólo sale un vil chisguete
de aquel gran chorro de voz.

Yo tenía un chorro de voz
y me daba mi paquete. . .
me admiró Jorge Negrete,
Pedro Vargas y otros dos,
pero del chorro de voz
sólo me quedó el chisguete.

Anteanoche fui a cantar,
festejaba Casimira,
al primer compás de lira
comenzaron a gritar:
—El sombrero y la chamarra
del señor que se retira.

Al que toma y al que canta
se le pudre la garganta
como a mí me dio la tos,
cuando quiero echar falsete
sólo sale un vil chisguete
de aquel gran chorro de voz.

## POBRE TOM

*Chava Flores*

Por el río del Colorado,
cerca ya del gran cañón,
hubo una vez un vaquero
chaparrito y barrigón;
como al perro de tía Cleta
la primer vez que ladró
le dieron con la cubeta
como le dieron a Tom.

Una vez compró un caballo
burriciego y percherón
pa' inscribirlo en las carreras,
lo creyó muy correlón,
y pasados cuatro meses
de acabada la función
y el vaquero seguía terco
y no arrancaba el percherón.

Pobre Tom. . . Pobre Tom. . .
Pobre tonto, pobre tonto, pobre Tom.
Pobre Tom. . . Pobre Tom. . .
Por tan tanto y por tan pobre, pobre Tom.

Asaltó una diligencia
y del caballo se cayó,
pa' robar no trae licencia
vámonos pa'l botellón,
se fugó de los cherifes
y en la hacienda se escondió
y al ratito lo casaron
con la nieta del patrón.

Pobre Tom. . . Pobre Tom. . .

Al primer pleito que tuvo,
su mujer lo descontó,
y al segundo le dio mate,
con tamaño pistolón,
para siempre lo enterraron
en medio del gran cañón
y tan mala fue su suerte
que el cañón hizo explosión.

Pobre Tom. . . Pobre Tom. . .

Allá arriba en una nube
vive un ángel cachetón,
lo corrieron de los cielos
por chaparro y barrigón,
no le dan en los infiernos
cama ni alimentación
porque no encontraron cuernos
de la talla de este Tom.

Pobre Tom. . . Pobre Tom. . .

## LA VACA

*Guaracha*
*Ventura Romero*

Me robaron una vaca,
me dejaron la becerra,
y la vaca no la encuentro
ni por cielo, mar y tierra.

Mis amigos me preguntan,
que si, qué señas tenía,
y yo les digo que era pinta
y bramaba todo el día.

La ordeñaba en la mañana,
la ordeñaba a medio día,
la ordeñaba por la tarde
y daba leche todavía.

La ordeñaba en la mañana,. . .

La becerra está muy triste,
ya no quiere la pastura;
¡ay!, qué cosas le han pasado
al ranchero de Ventura.

Voy a dejar mi ranchito,
ya no quiero ser ranchero,
me robaron mi vaquita,
lo demás pa' qué lo quiero.

La ordeñaba en la mañana,. . .

## LLEGARON LOS GORRONES

*Corrido*

*L. y M. de Chava Flores*

En una fiesta de barriada muy popof
¡no faltan los gorrones!
Se da uno cuenta que nadie los invitó
por múltiples razones.

Se cuelan cuatro, cinco, seis o siete o diez
o todo un regimiento
y se dedican las botellas a vaciar
en menos que lo cuento.
Pero eso sí. . . llegaron los gorrones,
hay que esconder botellas y platones.

Y si se pone usted en su casa a averiguar
por qué han tanto invitado,
verá que tres los trajo aquél,
que aquellos seis son de Miguel
y cien de un diputado.

—A usted, ¿quién lo invitó?
—Yo soy amigo de la hermana de un señor
que no vino a la fiesta.

—¿Y a usted, amigo?
—Por yo soy cuate del sobrino de Nabor
que toca con la orquesta.

—¿Y a usted, mariposón?
—¡Ay!. . . a mí me dijo el de la tienda:
¡Vaya usté que va a estar retesuave!
—¿Y a usted, cara de sonso?
—Yo soy hermano de la criada que está aquí
y hasta me dio la llave.
(¡Qué descaro!)

Pero eso, llegaron los gorrones,
hay que esconder botellas y platones.

Cuando en su casa nadie lo conoce a usted,
la cosa es ya funesta;
si quiere una copa beber
a sus gorrones diga usted:

—Invítame a otra fiesta, ¿no?. . .
Ahora sí, llegamos los gorrones,
aquí voy yo, vaciando botellones.

Yo soy amigo de la hermana de un señor
que no vino a la fiesta,
también soy cuate del sobrino de Nabor

—¿Nabor. . .?
¿Cuál Nabor?. . .
—. . .Nabor el de la orquesta.

## VÁMONOS AL PARQUE, CÉFIRA

*Chava Flores*

Los domingos y los jueves,
en el parque principal,
ameniza las reuniones
la banda municipal;
como a eso de las siete
ya se miran desfilar
las muchachas y muchachos
que las vueltas van a dar.

¡Vámonos al parque, Céfira,
a ver si encuentras cónyuge!
¡Vámonos al parque, Céfira,
yo te llevo, tú respóndele!

Las muchachas por allá,
los muchachos por acá,
y sentados en las bancas
los papás y las mamás;
las muchachas por allá,
los muchachos por acá,
una vuelta, una mirada. . .
¡ya se está cociendo el pan!

—Señorita, su pañuelo.
—¡Ay, señor, se me cayó!
—¿Me recibe una cartita?
—Pos "aceite asté" esta flor.
—¿Me permite acompañarla?
—No, nos mira mi mamá;
—Por ella no se preocupe,
la entretiene mi papá.

¡Vámonos al parque, Céfira. . .!

—Cuando yo tenía tus años
ya había nacido Piedad,
Holocausto, Justiniano,
Masiosare y Nicolás;
la menor de las Gutiérrez
con cien vueltas se casó,
y esta Céfira no sale
por más vueltas que le doy.

¡Vámonos al parque, Céfira. . .!

## PESO SOBRE PESO

*Chava Flores*

Mira, Bartola,
ahí te dejo esos dos pesos,
pagas la renta,
el teléfono y la luz;
de lo que sobre
coge de ahí para tu gasto,
guárdame el resto
para echarme mi alipús.

El dinero que yo gano
toditito te lo doy,
te doy peso sobre peso
siempre hasta llegar a. . . dos.

Tú no aprecias mis centavos
y los gastas que da horror,
yo por eso no soy rico
por ser despilfarrador.

Mira, Bartola,
ahí te dejo esos dos pesos,
pagas la renta,
el teléfono y la luz;
de lo que sobre
coge de ahí para tu gasto,
guárdame el resto
para echarme mi alipús.

Si te alcanza pa' la criada. . .
¡pos le pagas de un jalón!
Tienes peso sobre peso
aunque no pasen de. . . ¡dos!

Guárdate algo pa' mañana
que hay que ser conservador,
ya verás cómo te ahorras
pa' un abrigo de visón.

Mira, Bartola,. . .

## CERRÓ SUS OJITOS CLETO

*Corrido*
*Chava Flores*

Cleto, El Fufuy, sus ojitos cerró,
todo el equipo al morir entregó.
Cayendo el muerto, soltando el llanto,
¡Voy!, ni que fuera para tanto,
dijo a la viuda el doitor.

De un coraje se le enfrió.
¡Qué poco aguante!
Lo sacaron con los tenis pa' delante.
Los ataques que Luchita, su mujer,
había ensayado,
esa noche como actriz de gran cartel
la consagraron.

Cuando vivía el infeliz:
¡Ya que se muera!
Y hoy, que ya está en el veliz:
¡Qué bueno era!
Sin embargo, se veló
y el rosario se rezó
y una voz en el silencio interrumpió:

—Ya pasa la botella,
no te quedes con ella. . .
y la botella tuvo el final de Cleto:
¡murió, murió, murió!

Yo creo que adrede ese Cleto se enfrió,
pues lo que debe, jamás lo pagó.
Tipo malaje, no fue tan guaje, ¡claro!,
con lo caro que está todo,
regalado le salió.

El velorio fue un relajo,
¡pura vida!
La peluca y el café
fue con bebida,
y empezaron con los cuentos de color
para ir pasando,
y acabaron con que Cleto ya se andaba
chamuscando.

Se pusieron a jugar
a la baraja
y la viuda, en un albur. . .
¡perdió la caja!,

y después por reponer,
hasta el muerto fue a perder
y el velorio se acabó,
¡hombre no hay que ser!

Tengo en mi casa
a Cleto y ahora dónde
lo meto, pero como
ya dijo Luz su señora,
murió, murió, murió.

## EL RETRATO DE MANUELA

*Chava Flores*

A Manuela su retrato le pidió el novio Fidel
y se fue emperifollada a retratarse para él.
Se pintó cuatro lunares, se quitó cofia y mandil
y mandó hacer seis postales, tres de frente, tres perf
y pensó en dedicatorias pa' Fidel el albañil.

¡Click, click, click. . . el retrato ya salió!
¡Click, click, click. . . señorita, se movió!
¡Click, click, click. . . probaremos otra vez!,
pero afine la mirada pa' que no salga al revés
y no enseñe los colmillos que parece Lucifer.

El retrato de Manuela nadie lo reconoció,
retocadas las viruelas, su semblante se perdió,
parecía una princesita, muñequita de biscuit,
con su moño colorado y la manita puesta aquí,
la mirada de quién dicen: —¿Ya me ven? ¡Pues soy así

¡Click, click, click. . . el retrato ya salió!
¡Click, click, click. . . el artista se vació!
¡Click, click, click. . . suprimamos el perfil!,
porque sale la verruga que le crece en la nariz
y se ve recoquetona, parece una codorniz.

El retrato es pa' tus ojos y el original pa' ti
Decía la dedicatoria pa' Fidel el albañil,
quien la recibió amoroso, todo lleno de pasión,
y lo metió en la cartera que guarda en el pantalón,
en una bolsa trasera muy cerca del . . .corazón.

¡Click, click, click. . . el retrato ya salió!
¡Click, click, click. . . con los cuates presumió!
¡Click, click, click. . . hoy se casa Fidelín!
El retrato de Manuela fue la causa de este fin.
—El retrato es pa' tus ojos y el original pa' ti.

¡Click, click, click!

## EL GATO VIUDO

*Polka*
*Chava Flores*

Cuando la luna se pone regrandota
como una pelotota y alumbra el callejón,
se oye el maullido de un triste gato viudo
y su lomo peludo se eriza con horror.

Pero no falta quien mande zapatazo
que salga hecho balazo a quitarle lo chillón,
y en el alero del místico tejado
el gato se ha quedado cantando esta canción:

Para curar mi mal de amores
dijeron los doitores
que no había salvación.
Ahora me dicen Gato Viudo
porque una gata pudo
quitarme lo chiquión.

Antes sacaba del mandado,
me daba pa' mi helado,
mi cine y mi fur-bol;
ora, con lo que me ha pasado,
me tiene más enfriado
que un hielo de jaibol.

Con esta triste y maullida serenata,
la noche es una lata, no duerme el más gallón.
Salió una vieja con cuetes, crema y bata
y le pidió a la gata tuviera compasión.

Pero la endina se hace la remolona
pues dice la patrona que ya no dé jalón,
y el pobre gato está pagando el pato,
allá va otro zapato y allá va otra canción:

Para curar mi mal de amores,. . .

## LA PRESENTACIÓN

*Chava Flores*

Al momento en que nos presentaron
con tu mano estrechaste la mía,
en silencio los dos nos miramos,
yo sintí que la tierra se hundía.

Tú dijiste quién sabe qui cosa,
yo ti dije qui il gusto era mío,
—pa' sirvirle Nicasio Zarzosa;
tú dijiste llamarte Rocío.

En el cielo brillaba la luna,
en la tierra brillaban tus ojos,
en tu mano brillaba un anillo
y en la casa de enfrente los focos.

Embrillados los dos nos quedamos
y otra vez ti tomé di la mano;
angustiosos segundos pasaron
y en el cielo pasó un airoplano;
angustiosos segundos pasaron
de milagro no pasó tu hermano.

Lo primero que me sugeriste,
que el hablarnos de tú es más sincero
y yo muerto di pena ti dije:
—Yo sí ti hablo, pero tú, tú primero.

La confianza que entonces tuvimos
nos llevó por caminos extraños;
hoy tinemos en casa tres niños
y eso que sucedió hace dos años,
hoy tinemos en casa tres niños
y eso que sucedió hace dos años.

## LA SEMANA SANTA

*D.P.*

El lunes por la mañana
bastante malo me vi,
fui a curarme a la cantina
se me pasó y la seguí.

Martes de Carnestolenda
es de gusto general,
al verse las copas llenas
de tequila y de mezcal.

Miércoles de la Ceniza
es el día de la tristeza,
al ver que se vuelve polvo
la humana naturaleza.

Jueves Santo me emborracho,
porque el Señor en su templo
se alzó una copa de vino
para darnos el ejemplo.

Viernes Santo bien quisiera
ya quitarme la embriaguez,
pero me ha podido mucho
la pasión de nuestro juez.

Y el sábado fue de Gloria
y esto me invitó a seguir,
a eso vino Jesucristo,
este mundo a redimir.

Y el domingo fue de gusto
porque me diste tu amor,
y por eso me emborracho
con este bello licor.

## EL HIJO DE SU. . .

*Juan Reséndiz*

Hijo de su, era un muchacho
el hijo de su. . .,
hijo de doña Susana
el hijo de su. . .

Ese chico era muy malo
para levantarse temprano
porque era muy "arrastrao"
el hijo de su. . .

Hijo de su. . .,
hijo de su. . .
Hijo de doña Susana
el hijo de su. . .

No tenía ni un amigo
el hijo de su. . .,
no tenía ni un amigo
el hijo de su. . .

Con él nadie se juntaba
porque a todos los robaba
tenía muy largas las uñas.
Ay, hijo de su. . .

Hijo de su. . .

Le gustaba gastar feria
al hijo de su. . .
Le gustaba gastar feria
al hijo de su. . .

Y la feria que gastaba
no se dónde la agarraba,
porque nunca trabajaba
el hijo de su. . .

Hijo de su. . .

Le gustaban las muchachas
al hijo de su. . .
Le gustaban las muchachas
al hijo de su. . .

Pero él nunca les hablaba
porque nunca se bañaba
ta'ba "peliao" con l'agua
el hijo de su. . .

Hijo de su. . .

También bailar le gustaba
al hijo de su. . .
También bailar le gustaba
al hijo de su. . .

Y ese baile del Tlacuache
lo bailaba como apache
se aventaba pa'l guarache
el hijo de su. . .

## LA ENDINA

*Juan Mendoza*

Me dijo la muy endina
que si me quería casar,
pero tenía que cargar
con su mama y con su papa.

Vámonos pues, le dije,
no me hagas repelar;
cargaremos con tu mama, con tu papa,
pero ya vámonos a casar.

Otra vez me dijo la endina
que sí, nos daríamos vuelo,
pero tenía que cargar
con chu abuela y con chu abuelo.

Vámonos pues, le dije,
no me hagas repelar;
cargaremos con tu mama, con tu papa
con tu abuela y con tu abuelo,
pero ya vámonos a casar.

Pero otra vez me dijo la endina
que me daba sus ojitos,
pero tenía que cargar
con su primor de cuatitos.

Vámonos pues, le dije,
no me hagas repelar;
cargaremos con tu mama, con tu papa,
con tu abuela, con tu abuelo,
con tu primor de cuatitos,
pero ya vámonos a casar.

Y otra vez me dijo la endina
que me daba de besitos,
pero tenía que cargar
con Calixto "El Nopalito".

Vámonos pues, le dije,
no me hagas repelar;
cargaremos con tu mama, con tu papa,
con tu abuela, con tu abuelo,
con tu primor de cuatitos,
con Calixto "El Nopalito",
pero ya vámonos a casar.

"Refleicionando le dije:
—Quen es ese 'Nopalito'
y me contestó la endina:
—El papá de mis cuatitos.

Hija de la guayaba,
qué soba me iba a dar,
que se quede con toda su parentela,
ya no me quiero casar.

## VIRGEN PURÍSIMA

*D.P.*

En noche lóbrega, galán incógnito
las calles céntricas atravesó,
y bajo clásica ventana gótica
pulsó su cítara y así cantó:

"Virgen Purísima, de faz angélica
que en blancas sábanas durmiendo estás
despierta y óyeme y entre mis cánticos
suspiros prófugos escucharás".

La bella sílfide al oír los cánticos,
entre las sábanas se arrebujó
y dijo ¡cáscaras!, a ese murciélago
que anda romántico, no le abro yo.

Porque si es húmeda la noche y lóbrega,
me van los céfiros a constipar,
y hasta la médula y hasta los tuétanos.
si yo le abro, me voy a helar.

## EL PIOJO Y LA PULGA

*Charro Gil*

El piojo y la pulga se van a casar
no se han casado por falta de "maiz".

Tiro lo tiro tiro liro liro
tiro lo tiro tiro liro la.

Responde el gorgojo desde su maizal:
—Hágase la boda que yo doy el maiz.

Tiro lo tiro tiro liro liro. . .

Bendito sea el cielo que todos tenemos
pero los padrinos dónde agarraremos.

Tiro lo tiro tiro liro liro. . .

Salta el ratón desde el ratonal:
—Amarren al gato que yo iré a apadrinar.

Tiro lo tiro tiro liro liro. . .

El piojo y la pulga se van a casar
les pregunta el padre si saben rezar.

Tiro lo tiro tiro liro liro. . .

Salta la pulga que se desafina:
—Tráiganme unas naguas, yo seré madrina.

Tiro lo tiro tiro liro liro. . .

Se acabó la boda, hubo mucho vino
se soltó el gatito y se comió al padrino.

Tiro lo tiro tiro liro liro. . .

En la madrugada cuando el sol salió
no hubo ni un changuito que no se rascó.

Tiro lo tiro tiro liro liro. . .

## LOS AGUACEROS DE MAYO

*Chava Flores*

Los aguaceros de mayo
tuvieron la culpa
que fueras infiel. . .
al'ora que me citabas
caía el aguacero
y yo abajo de él.

Y como tú te mojabas,
nomás no llegabas
¡ay, pobre de mí!,
en un zahuán, un portero
te daba refugio
y ahí te perdí.

Hoy que veo llorar al cielo
yo lo acompaño en su llanto;
me acuerdo los aguaceros
cuando yo te quise tanto. . .
¡caray, qué sufrir!

Hoy que ya tengo impermeable,
sombrero y paraguas
no encuentro otro amor. . .
los aguaceros de mayo
tuvieron la culpa
de mi cruel dolor.

## EL CHARRO PONCIANO

*D.P.*

Ahí viene el Charro Ponciano
dando vuelta a la estación,
viene pegando respingos
porque lo hicieron. . .

Calla, mujer, calla,
deja de tanto llorar,
que esta noche con la luna
nos vamos a emborrachar.

Ahí viene maistro Graciano,
el que toca el acordeón,
mientras lo estira y lo encoge
vamos a hacerlo. . .

Calla, mujer, calla,. . .

Si tu marido es celoso
dale a comer chicharrón,
pa' ver si con la manteca
se le quita lo. . .

Calla, mujer, calla,. . .

Si tu marido es celoso
dale el agua de cebada,
pa' ver si con lo fresquito
se lo lleva la. . .

Calla, mujer, calla,. . .

Si tu suegra se te enoja
tírale con un ladrillo,
tómale bien puntería
y dale en el mero. . .

Calla, mujer, calla,. . .

Yo soy la víbora negra
que habita en los paredones,
soy amigo de los buenos,
pero no de los. . .

Calla, mujer, calla,. . .

Carretera para arriba,
carretera para abajo,
unos se van al casino
y otros se van al. . .

Calla, mujer, calla,. . .

Asco le tengo a los pesos
y más asco a los tostones,
pero más asco le tengo
a esa punta de. . .

Calla, mujer, calla,. . .

## SÁBADO, DISTRITO FEDERAL

*Chava Flores*

Sábado, Distrito Federal,
sábado, Distrito Federal,
sábado, Distrito Federal,
ay, ay, ay.

Desde las diez ya no hay dónde parar el coche
ni un ruletero que lo quiera a uno llevar,
llegar al centro, atravesarlo es un desmoche,
un hormiguero no tiene tanto animal.

Los almacenes y las tiendas son alarde
de multitudes que así llegan a comprar,
de puro fiado porque está la cosa que arde
al banco llegan nada más para sacar.

El que nada hizo en la semana está sin lana,
a empeñar la palangana y en el Monte de Piedad
hay unas colas de tres cuadras las ingratas
y no faltan papanatas que le ganen el lugar.

Desde las doce se llenó la pulquería,
los albañiles acabaron de rayar;
que repicosas empanadas hizo Otilia,
la fritanguera que allí pone su comal.

Sábado, Distrito Federal. . .

La burocracia va a las dos a la cantina,
todos los cuetes siempre empiezan a las dos;
los potentados salen ya con su charchina
pa' Cuernavaca, pa' Palo Alto, que sé yo.

Toda la tarde pa'l café se van los vagos,
otros al pókar, al billar o al dominó,
ahí el desfalco va iniciando sus estragos
¿y la familia?, muy bien, gracias, no comió.

Los cabaretes en las noches tienen pistas
atascadas de turistas y de la alta sociedad,
pagan sus cuentas con un cheque de rebote
o ahí te dejo el relojote, luego lo vendré a sacar.

Van a los caldos a eso de la madrugada
los que por suerte se escaparon de la vial,
un trío les canta en Indianilla donde acaban
ricos y pobres del Distrito Federal.

Así es un sábado Distrito Federal
sábado, Distrito Federal
sábado, Distrito Federal.

## BODA DE VECINDAD

*Corrido*
*Chava Flores*

Se casó Tacho con Tencha la del ocho,
del uno hasta el veintiocho
pusieron un festón.

Engalanaron la vecindad entera,
Pachita la portera
cobró su comisión.

El patio mugre ya no era basurero,
quitaron tendederos
y ropa de asolear.

La pulquería "Las Glorias de Modesta"
cedió flamante orquesta
pa' que fuera a tocar.

Tencha lució su vestido chillante
que, de charmés, le mercó a don Abraham,
mas con zapatos se m'iba pa'delante,
pero iba re'legante
del brazo de su 'apa.

Al pobre Tacho le quedó chico el traje
y aunque hizo su coraje,
así fue a la función.

En el fotingo del dueño del garaje
partió la comitiva
a la iglesia "La Asunción".

En ca'Rufino fue la fotografía
que por cuenta corría
del padrino don Chón.

Luego el fotingo sufrió seria avería,
volvieron en tranvía
y los novios en camión.

Mole y pulmón nos dieron en ca'Cuca,
hubo danzón con la del veintidós;
de ahí los novios partieron pa'Toluca.
¡Feliz viaje de bodas
deseamos a los dos!

CUADERNO
CANCIÓN
INFANTIL
PUBLICADO POR
A. VANEGAS ARROYO MEXICO
POSADA

# Canción Infantil

Mucho tiempo estuvieron excluidas del sistema educativo nacional las canciones de un gran compositor mexicano, Francisco Gabilondo Soler "Cri-crí". Afortunadamente esta absurda e incomprensible disposición ya no está vigente, pues se cometía una gran injusticia en contra del mejor músico-poeta de los niños —a nuestro parecer—, el cual ha dedicado gran parte de su vida a la elaboración de composiciones dedicadas a llevarles alegría y sano esparcimiento.

Para esta notable labor Gabilondo ha aprovechado ritmos, giros melódicos e instrumentos de la música popular, principalmente de nuestro país y de otros pueblos latinoamericanos. Este hecho —aunado a una espontánea y sencilla musicalidad creativa— llevó sus canciones infantiles a un grado de popularidad que ningún otro autor ha alcanzado en este terreno.

Hemos incluido algunas de sus composiciones, pues sabemos que —en su totalidad— merecen considerarse como un invaluable patrimonio artístico nacional, en beneficio de todos los niños de 8 a 80 años que hemos escuchado, cantado o bailado sus canciones.

Se incluyen también algunos ejemplos de la música infantil tradicional, de la cual existen varias publicaciones muy valiosas, entre las cuales cabría destacar la *Lírica Infantil de México* de don Vicente T. Mendoza.

Precisamente han surgido en nuestro país compositores que han dedicado su tiempo y su inspiración a componer música para los niños. Cabría destacar entre ellos a los hermanos Rincón y al notable educador César Tort. Pero, aun teniendo la mejor opinión de sus trabajos —que indudablemente, la tenemos— hemos preferido esperar como ya lo dijimos antes, al tamiz del tiempo, que es el único que consagra o descalifica a los compositores, a veces —muchas veces— a destiempo, como diría Renato Leduc.

## LA VIUDITA

*D.P.*

Yo soy la viudita
de Santa Isabel,
me quiero casar
y no hallo con quién.

El mozo del cura
me manda un papel,
y yo le mando otro
con Santa Isabel.

Mi madre lo supo,
qué palos me dio;
¡mal haya sea el hombre
que me enamoró!

Pasé por su casa
y estaba llorando,
con un pañuelito
se estaba secando.

Me gusta el cigarro,
me gusta el tabaco,
pero más me gustan
los ojos del gato.

Me gusta la leche,
me gusta el café,
pero más me gustan
los ojos de usted.

## EL CHORRITO

*Francisco Gabilondo Soler*

La gota de agua que da la nube
como regalo para la flor,
en vapor se desvanece
cuando se levanta el sol.

Y nuevamente al cielo sube
hasta la nube que la soltó;
la gotita sube y baja, baja y sube
al compás de esta canción.

Allá en la fuente
había un chorrito
se hacía grandote,
se hacía chiquito;
estaba de mal humor,
pobre chorrito, tenía calor,
estaba de mal humor,
pobre chorrito, tenía calor.

En el paisaje siempre nevado
acurrucado sobre el volcán
hay millones de gotitas
convertidas en cristal.

En el invierno la nieve crece,
en el verano la funde el sol;
la gotita sube y baja, baja y sube
al compás de esta canción.

Ahí va la hormiga con su paraguas
y recogiéndose las enaguas,
porque el chorrito la salpicó
y sus chapitas le despintó.

## LA PATITA

*Francisco Gabilondo Soler*

La patita,
de canasta y con rebozo de bolita,
va al mercado
a comprar todas las cosas del mandado,
se va meneando al caminar
como los barcos en altamar.

La patita,
va corriendo y buscando en su bolsita
centavitos para darles de comer
a sus patitos,
porque ya sabe que al regresar
toditos ellos preguntarán:
¿Qué me trajiste, mamá cuacuá?
¿Qué me trajiste, cuaracuacuá?

La patita,
de canasta y con rebozo de bolita,
se ha enojado
por lo caro que está todo en el mercado,
como no tiene para comprar
se pasa el día en regatear.

Sus patitos
van creciendo y no tienen zapatitos,
y su esposo
es un pato sinvergüenza y perezoso,,
que no da nada para comer
y la patita, pues qué va a hacer,
cuando le pidan, contestará:
—Coman mosquitos, cuaracuacuá.

## LOS DIEZ PERRITOS

*Juan S. Garrido*

Yo tenía diez perritos
y uno se murió en la nieve,
ya nomás me quedan nueve,
nueve, nueve, nueve, nueve,

De los nueve que tenía
uno se comió un bizcocho,
ya nomás me quedan ocho,
ocho, ocho, ocho, ocho.

De los ocho que quedaban
uno se clavó un tranchete,
ya nomás me quedan siete,
siete, siete, siete, siete.

De los siete que quedaban
uno se quemó los pies,
ya nomás me quedan seis,
seis, seis, seis, seis.

De los seis que me quedaban
uno se mató de un brinco,
ya nomás me quedan cinco,
cinco, cinco, cinco, cinco.

De los cinco que quedaban
uno se cayó de un teatro,
ya nomás me quedan cuatro,
cuatro, cuatro, cuatro, cuatro.

De los cuatro que quedaban
uno se volteó al revés,
ya nomás me quedan tres,
tres, tres, tres, tres.

De los tres que me quedaban
uno se murió de tos,
ya nomás me quedan dos,
dos, dos, dos, dos.

De los dos que me quedaban
uno se murió de ayuno,
ya nomás me queda uno,
uno, uno, uno, uno.

Y ese uno que quedaba
se lo llevó mi cuñada,
ahora ya no tengo nada,
nada, nada, nada, nada.

Cuando ya no tenía nada
la perra parió otra vez,
y ahora ya tengo otros diez,
diez, diez, diez, diez.

## LA MARCHA DE LAS LETRAS

*Francisco Gabilondo Soler*

Que dejen toditos los libros abiertos,
ha sido la orden que dio el general.
Que todos los niños estén muy atentos,
las cinco vocales van a desfilar.

Primero verás que pasa la A,
con sus dos patitas muy abiertas al marchar;
ahí viene la E, alzando los pies,
el palo de enmedio es más chico, como ves;
aquí está la I, le sigue la O,
una flaca y otra gorda porque ya comió;
y luego hasta atrás, llegó la U,
como la cuerda con que siempre saltas tú.

## CANCIÓN DE CUNA

*D.P.*

A la rorro niño,
a la rorro ro,
duérmete mi niño
duérmete mi amor.

—Señora Santa Ana,
¿por qué llora el niño?
—Por una manzana
que se le ha perdido.

Vamos a la huerta,
cortaremos dos,
una para el niño
y otra para Dios.

Este niño lindo
que nació de noche
quiere que lo lleven
a pasear en coche.

La Virgen lavaba,
San José tendía,
y el niño lloraba
de hambre que tenía.

Esta niña linda
que nació de día
quiere que la lleven
a la nevería.

A la rorro niño
a la rorro ro,
duérmete mi niño,
duérmete mi amor.

## EL PIOJITO

*D.P.*

El lunes me picó un piojo
y hasta el martes lo agarré;
para poderlo lazar
cinco reatas reventé.

Para poderlo alcanzar
ocho caballos cansé;
para poderlo matar,
cuatro cuchillos quebré.

Para poderlo guisar
a todo el pueblo invité;
de los huesos que quedaron
un potrerito cerqué.

Yéndome yo para León
me encontré un zapatero,
y ya me daba el ingrato
veinte reales por el cuero.

El cuerito no lo vendo,
lo quiero para botines,
para hacerles su calzado
a toditos los catrines.

El cuerito no lo vendo,
lo quiero para tacones,
para hacerles su calzado
a toditos los m. . .mirones.

## TENGO UNA MUÑECA

*D.P.*

Tengo una muñeca
vestida de azul,
con sus zapatitos
y su canesú.

La saqué a paseo
y se me constipó,
la tengo en la cama
con mucho dolor.

—Brinca la tablita.
—Yo ya la brinqué.
—Bríncala de nuevo.
—Yo ya me cansé.

Dos y dos son cuatro,
cuatro y dos son seis,
seis y dos son ocho
y ocho, dieciséis,
y ocho, veinticuatro
y ocho, treinta y dos,
ánimas benditas
que se me murió.

## PATITO, PATITO. . .

*Belisario de Jesús García*

Patito, patito
color de café,
si usté no me quiere
pos luego por qué.

Ya no me presumas
que al cabo yo sé
que usté es un patito
color de café.

Me dijo que sí
y luego que no,
era una patita
como todas son.

La pata voló
y el pato también,
y allá entre los tules,
no sé qué pasó.

Patito, patito
color de café,
si usté no me quiere
pos luego por qué.

## DI POR QUÉ

*Francisco Gabilondo Soler*

Di por qué,
dime, abuelita,
di por qué eres viejita,
di por qué sobre las camas
ya no te gusta brincar.

Di por qué usas los lentes,
di por qué no tienes dientes,
di por qué son tus cabellos
como la espuma del mar.

Micifuz siempre está
junto al calor, igual que tú.

Di por qué frente al ropero
donde hay tantos retratos,
di por qué lloras a ratos,
dime abuelita por qué.

## LA HUERFANITA

*D.P.*

Pobrecita huerfanita,
sin su padre y sin su madre,
la echaremos a la calle
a llorar su desventura,
desventura, desventura,
carretón de la basura.

Cuando yo tenía a mis padres
me vestían de oro y plata,
y ahora que ya no los tengo,
me visten de hoja de lata.

Cuando yo tenía a mis padres
me daban mi chocolate,
y ahora que ya no los tengo
me dan agua del metate.

Cuando yo tenía mis padres
me daban chocolatito,
y ahora que ya no los tengo
me dan gordas con chilito.

## LOS COCHINITOS DORMILONES

*Francisco Gabilondo Soler*

Los cochinitos ya están en la cama,
muchos besitos les dio su mamá,
y calientitos todos en piyama,
dentro de un rato los tres roncarán.

Uno soñaba que era rey
y de momento quiso un pastel,
su gran ministro le hizo traer
quinientos pasteles nomás para él.

Otro soñaba que en el mar,
en una lancha iba a remar,
mas de repente al embarcar,
se cayó de la cama y se puso a llorar.

El más pequeño de los tres,
un cochinito lindo y cortés,
ese soñaba con trabajar
para ayudar a su pobre mamá.

Y así soñando sin despertar,
los cochinitos pueden jugar,
ronca que ronca y vuelve a roncar,
al país de los sueños se van a pasear.

# MAMBRÚ

*Versión para niños*
*D.P.*

Mambrú se fue a la guerra, do, re, mi,
Mambrú se fue a la guerra, no sé cuándo vendrá,
do, re, mi, fa, sol, la, no sé cuándo vendrá.

Sube a la torre niña, do, re, mi,
sube a la torre niña, a ver si viene ya,
do, re, mi, fa, sol, la, a ver si viene ya,

Ahí viene un pajarito, do, re, mi,
ahí viene un pajarito, ¿qué noticias traerá!,
do, re, mi, fa, sol, la, ¿qué noticias traerá?

La noticia que traigo, do, re, mi,
la noticia que traigo: Mambrú ha muerto ya,
do, re, mi, fa, sol, la, Mambrú ha muerto ya.

En caja e terciopelo, do, re, mi,
en caja e terciopelo lo llevan a enterrar,
do, re, mi, fa, sol, la, lo llevan a enterrar.

Arriba de la caja, do, re, mi,
arriba de la caja dos pajaritos van,
do, re, mi, fa, sol, la, dos pajaritos van.

Los pajaritos cantan, do, re, mi,
los pajaritos cantan el pío, pío, pan,
do, re, mi, fa, sol, la, el pío, pío, pan.

## A LA VÍBORA DE LA MAR

*D.P.*

A la víbora, víbora de la mar, de la mar
por aquí pueden pasar
los de adelante corren mucho
y los de atrás se quedarán,
trás, trás, trás.

Una mexicana que fruta vendía
ciruelas, chabacanos, melón o sandía.

Verbena, verbena
jardín de matatena,
verbena, verbena
jardín de matatena.

Campanita de oro
déjame pasar,
con todos mis hijos
menos el de atrás
trás, trás, trás.

Será melón, será sandía,
será la vieja del otro día, día, día. . .

CANCIÓN NAVIDEÑA
PUBLICADA POR
A. VANEGAS ARROYO MEXICO
POSADA

# Canción Navideña

El nacimiento de Jesús se festeja en buena parte de los cinco continentes. Este acontecimiento llena de alegría y buenos propósitos a la humanidad que canta en todos los idiomas la ternura hacia un recién nacido.

Se cree que el Papa Telésforo compuso el primer canto de Navidad en el siglo II de nuestra era, pero fue hasta el siglo XIII cuando en España se empezaron a cantar los villancicos navideños, en Francia los *Cantique de Noel*, en Inglaterra los *Carols* y en Alemania los *Bein Nachten Lieder*.

Con los españoles llegan a tierras americanas los villancicos, quienes debido a la delicadeza de su letra y a la sencillez de su melodía son rápidamente aceptados por los lugareños.

Por otro lado, durante la época colonial, desde el inicio de la catequización, los evangelizadores aprovecharon la sensibilidad del indígena para inculcarles la religión católica, valiéndose de la representación en vivo de diferentes pasajes de la vida de Cristo, los llamados autos sacramentales. Estas representaciones todavía subsisten, por ejemplo en Semana Santa y en Navidad a través de las pastorelas, en donde intervienen personajes de sobra conocidos.

Volviendo al villancico navideño, son cantos tradicionales que sólo se ejecutan en dicha época, sobre todo en los pequeños poblados, y los hay de arrullo, de alegría, de anunciación; los personajes que en ellos se nombran son: el Niño Jesús, la Virgen María, San José y los Reyes Magos, principalmente.

Incluimos en esta pequeña selección "La rama", que se canta sobre todo en la parte sur del estado de Veracruz y estados circunvecinos, que es todo un espectáculo de luz, alegría y color. También un fragmento de una pastorela de estilo cardenche del ejido Sapioriz, municipio de Lerdo, Durango, cuya representación dura varias horas.

No podían faltar, desde luego, cantos tradicionales como la “Petición de posadas”, incluso en una versión antigua, y “La piñata”. También se hallarán aquí algunos ejemplos de villancicos españoles y sudamericanos.

## QUEDITO, QUEDO

*Miguel D. Miranda*

Quedito, quedo
quedo pastor,
quedito, quedo
quedo pastor

Llega con tiento
a la más bella flor
suprime el aliento
suprime la voz.

Que duerme mi Niño
que duerme mi amor,
que duerme mi Niño
que duerme mi amor. . . sí.

Quedito, quedo. . .

## VILLANCICO MEXICANO

*Siglo XVI*

A que la gusto que la teniendo
porque ya vide a mi "pagre" amado,
ya'stá vestido de nuestra carne
para librarnos del "hacha- Diablo"

Aquí tienes estos indios
lleno de un santo alegría
estátelo con tu "pagre"
y con tu "magre" María,
Estátelo con tu "pagre"
y con tu "magre" María.

A que la gusto que la teniendo. . .

## LA RAMA

*D.P.*

A la banda de oro,
quítense el sombrero
porque en esta casa
vive un caballero.

Vive un caballero,
vive un general,
si nos dan licencia
para comenzar.

Esta es la ramita,
linda Navidad,
viene a visitarlo
a su buen hogar.

Ya llegó la rama,
llegó de Campeche
y le trae al niño
su vaso de leche.

Ya llegó la rama,
viene del Oriente,
viene proclamando
por el inocente.

Para Nochebuena,
para Navidad
nació nuestro guía,
¡qué felicidad!

La virgen María
también gozará,
el señor José
la acompañará.

Arriba del cielo
hay una ventana
donde se asoma
la Guadalupana.

Arriba del cielo
tomaron anís,
lo supo San Pedro,
se fue de nariz.

Arriba del cielo
mataron un gato,
lo supo San Pedro
y perdió su zapato.

El señor San Pedro
no se ha de negar
y sus bendiciones
nos tiene que dar.

Oye, borreguito,
¿por qué estás llorando?
Voy a ver a Cristo,
que lo están matando.

Ya se va la rama
con patas de alambre,
porque en esta casa
se mueren de hambre.

Ya se va la rama
con muchos faroles,
porque en esta casa
son muy cocoyoles.

Ya se va la rama
muy agradecida,
porque en esta casa
fue bien recibida.

## LAS MAÑANITAS

*Fragmento de una pastorela del ejido de Sapioriz, Durango*

Qué mañanitas alegres,
cuando el Niño Dios nació
lo arrullaron los pastores,
luego que ya amaneció.

Los cielos regocijados
y Luzbel triste lloró,
porque Dios había nacido
luego que ya amaneció.

Despierta Niñito hermoso
que la luz del día nos dio,
abre Niño tus ojitos,
mira que ya amaneció.

Cumplidas las profecías
en Belén se divulgó
cuando Dios había nacido,
mira que ya amaneció.

Suspenso se hallaba el Orbe
luego que el Verbo nació;
ya tenemos el remedio
luego que ya amaneció.

Una luz como de día
en aquel portal se vio
cuando el Dios había nacido
luego que ya amaneció.

Vinieron muchos millares
de ángeles según se vio,
y ellos a Dios adoraron
luego que ya amaneció.

En unos pobres pañales
su madre allí lo envolvió,
y lo acostó en un pesebre
luego que ya amaneció.

Vinieron tres Reyes Santos
a adorar al que nació,
Herodes salía a encontrarlos
luego que ya amaneció.

Para libertar al Niño
de Herodes, según se vio,
vuelven por otros caminos
luego que ya amaneció.

Para los reyes judíos
la estrella se oscureció,
sólo los reyes de Oriente
dijeron: ya amaneció.

José se quedó admirado
y a Dios por hijo adoptó
y le besó sus mejillas
luego que ya amaneció.

Sagrada Virgen María,
madre del que padeció,
cuida de tu Niño hermoso,
mira que ya amaneció.

Viva María para siempre,
viva su esposo José,
viva su Niñito hermoso,
porque nos trajo la fe.

Adiós mi Niñito hermoso,
de ti me despido yo,
échanos la bendición
ahora que ya amaneció.

## NIÑITO JESÚS

*Popular argentino*

Se ha dormido el Niño,
el Niñito Jesús.
Se ha dormido el Niño,
el Niñito Jesús.
Como si supiera
que va a morir en la cruz.
Como si supiera
que va a morir en la cruz.

Y todas las estrellas
juntas le han dejado su luz.
Y todas las estrellas
juntas le han dejado su luz.

Duérmase Niñito,
descanse feliz,
que cuando sea grande
mucho ha de sufrir.

El Niñito Santo
a la Tierra llegó.
El Niñito Santo
a la Tierra llegó.
Y vino del Cielo
por la voluntad de Dios.
Y vino del Cielo
por la voluntad de Dios.

A dejar en las almas
Gloria con la fe y el perdón.
A dejar en las almas
Gloria con la fe y el perdón

Duérmase Niñito, . . .

## VEINTICINCO DE DICIEMBRE

*D.P.*

Veinticinco de diciembre,
fum, fum, fum.
Veinticinco de diciembre,
fum, fum, fum.

Un niñito muy bonito
ha nacido en un portal,
con su carita de rosa
parece una flor hermosa,
fum, fum, fum.

Veinticinco de diciembre. . .

Como un sol nació Jesús,
radiando luz, radiando luz;
de María era hijo,
un establo fue su cuna,
fum, fum, fum.

Veinticinco de diciembre, . . .

Pastorcitos, vamos pronto,
fum, fum, fum.
Pastorcitos, vamos pronto,
fum, fum, fum.

Vamos con la pandereta
y castañuelas al portal
que el autor del firmamento
duerme junto a un vil jumento,
fum, fum, fum.

Pastorcitos vamos pronto. . .

## A LA RU, RU, RU

*L. y M. de Ventura Romero*

Duerme, duerme dulce Niño
que mañana es Navidad:
a la ru, ru, ru,
a la ro, ro, ro,
mi Niñito duerme ya.

Vienen ya los Reyes Magos
y te quieren saludar:
a la ru, ru, ru,
a la ro, ro, ro,
mi Niñito duérmete ya.

Oye la campana que nos llama,
pero tú estás dormidito
y ya te voy a acostar.
Sueña con un rayito de luna
acostadito en tu cuna
que yo te voy a cuidar.

Duerme, duerme, dulce Niño,
que te arrulle mi canción:
a la ru, ru, ru,
a la ro, ro, ro,
mi Niñito duerme ya.

Sueña con bonitos juguetitos
que ya traen los Santos Reyes
y te quieren regalar:
una sonajita de colores,
soldaditos con tambores,
un payaso y un Sultán.

Vienen ya los Reyes Magos
y te quieren saludar:
a la ru, ru, ru,
a la ro, ro, ro,
mi Niñito duerme ya. . .
mi Niñito duerme ya. . .

# HACIA BELÉN VA UN BORRICO

*Tradicional español*

Hacia Belén va un borrico, rin, rin,
yo me remendaba, yo me remendé,
yo me he hecho un remiendo, yo me lo quité,
cargado de chocolate.

Lleva su chocolatera, rin, rin,
yo me remendaba, yo me remendé,
yo me he hecho un remiendo, yo me lo quité,
su molinillo y su anafre.

María, María,
ven acá corriendo
que el chocolatito
te lo están comiendo.

María, María, . . .

En el portal de Belén, rin, rin,
yo me remendaba, yo me remendé,
yo me he hecho un remiendo, yo me lo quité,
gitanillos han entrado.

Y al Niño que está en la cuna, rin, rin,
yo me remendaba, yo me remendé,
yo me he hecho un remiendo, yo me lo quité,
los pañales le han quitado.

María, María,
ven acá corriendo,
que los pañalitos
los están cogiendo.

María, María, . . .

Hacia Belén va un borrico, rin, rin, . . .

Lleva su chocolatera, rin, rin, . . .

## DUERME, NO LLORES

*L. y M. de J. G. Treviño*

Os anunciamos con gozo inmenso
que hoy ha nacido El Salvador
en un pesebre, sobre las pajas,
y entre pañales duerme el Señor.

Duerme, no llores, Jesús del alma;
duerme, no llores, mi dulce amor.
Duerme, no llores que esas tus lágrimas
parten el alma de compasión.

Si por mí lloras, Jesús amado,
por mis pecados e ingratitud,
que cese el llanto, que en adelante
ya nunca ingrato te haré llorar.

Duerme, no llores, Jesús del alma;. . .

Ya mis cantares no harán más ruido,
ya mis cantares van a callar;
mas mis amores en el silencio
siguen velando. ¡No callarán!

Duerme, no llores, Jesús del alma;. . .

## ESTA NOCHE ES NOCHEBUENA

*D.P.*

Esta noche es Nochebuena,
noche de felicidad,
esta noche es Nochebuena
y mañana, Navidad.

Esta noche es Nochebuena, . . .

Las estrellas en el cielo
tienen raro resplandor,
los ojitos del Dios Niño
les han dado su fulgor.

Esta noche es Nochebuena, . . .

Las campanas en los valles
tienen más dulce sonar,
es que cantan al Dios Niño
y a su Madre Virginal.

Esta noche es Nochebuena, . . .

## VELO QUÉ BONITO

*Tradicional colombiano*

Velo qué bonito lo vienen bajando,
con ramos de flores lo van adorando.
Velo qué bonito lo vienen bajando
con ramos de flores lo van adorando.

Ro, ri, ro, ra,
San Antonio ya se va.
Ro, ri, ro, ra,
San Antonio ya se va.

Señora Santa Ana,
¿por qué llora el niño?
San Antonio ya se va.
Por una manzana
que se le ha perdido
San Antonio ya se va.

Velo qué bonito lo vienen bajando, . . .

## EN BELÉN

*D.P.*

Ya en Belén estamos,
podemos sumisos
brindar nuestros dones
al Dios pequeñito.

Quedo, muy quedo,
quedo, quedito.

Mas entremos quedo,
no despierte el niño,
que siendo de noche
debe estar dormido,
que siendo de noche
debe estar dormido.

## SOY UN POBRE PASTORCILLO

*D.P.*

Soy un pobre pastorcillo
que camina hacia Belén,
voy buscando al que ha nacido
Dios, con nosotros Manuel.

Caminando, camina ligero,
no te canses de caminar
que te esperan José y María
con el Niño en el portal.

Aunque soy pobre le llevo
un blanquísimo vellón
para que le haga su madre
un cotoncito de algodón.

Caminando, camina ligero, . . .

Guardadito aquí en el pecho
yo le llevo el mejor don;
al Niñito que ha nacido
le llevo mi corazón.

Caminando, camina ligero, . .

## NUNCA SUENAN LAS CAMPANAS

*D.P.*

Nunca suenan las campanas
con tan dulce claridad,
como cantando las glorias
de la hermosa Navidad.

Es porque cantan la noche feliz,
es porque cantan la noche sin par,
en que Dios Niño ha nacido
y en el mundo ha de reinar.

Es la voz de las campanas
eco de angélico son,
es el brillante destello
de Gloria y Redención.

Es porque cantan la noche feliz, . . .

En todas partes se oye
su dulce y claro sonar,
en las cumbres y en los valles
y hasta en el fondo del mar.

Es porque cantan la noche feliz, . . .

## VENID PASTORCILLOS

*D.P.*

Venid pastorcillos,
venid a adorar
al Rey de los Cielos
que ha nacido ya.

Un rústico techo
abrigo le da,
por cuna un pesebre,
por templo un portal.

En lecho de paja
desnudito está
quien ve las estrellas
a sus pies brillar.

Venid pastorcillos, . . .

Hermoso lucero
lo viene a anunciar,
y magos de oriente
buscándolo van.

Delante se postran
del rey de Judá;
de incienso, oro y mirra
tributo le dan.

Venid pastorcillos, . . .

Su madre en los brazos
meciéndole está
y quiere dormirle
con dulce cantar.

Un ángel responde
al mismo compás:
Gloria en las alturas
y en la tierra, Paz.

Venid pastorcillos, . . .

Con alma y con vida
volemos allá,
que Dios, niño y pobre,
nos dice: llegad.

Los brazos nos tiende
con grato ademán;
venid, nos repite
su voz celestial.

## GASPAR, MELCHOR Y BALTAZAR

*L. y M. de Juan S. Garrido*

Gaspar, Melchor y Baltazar
son los Reyes Magos de la ilusión;
ellos vienen del lejano Oriente
a la adoración del Niño Dios,
con su cargamento de juguetes
y su vieja y legendaria tradición.
Gaspar, Melchor y Baltazar,
cuantas alegrías nos van a dar.

Gaspar, Melchor y Baltazar
son los Reyes Magos de la ilusión;
ellos vienen del lejano Oriente
a la adoración del Niño Dios,
traen riquezas, oro, incienso y mirra;
los tres reyes vienen derramando el bien.
Gaspar, Melchor y Baltazar
siguen a la Estrella de Belén. . .

## EL RORRO

*D.P.*

A la rorro Niño,
a la rorro ro,
te ofrezco mi vida
y mi corazón.

Naciste entre paja
de humilde portal
y a librarnos vienes
de pecado y mal.

Cándido cordero,
celestial pichón,
duérmete, bien mío,
duérmete mi amor.

Noche venturosa,
noche de alegría,
bendita la dulce,
divina María,
bendita la dulce,
divina María.

Coros celestiales
con su dulce acento
cantan la ventura
de este nacimiento,
cantan la ventura
de este nacimiento.

A la rorro Niño,
a la rorro ro,
te ofrezco mi vida
y mi corazón,
te ofrezco mi vida
y mi corazón.

## A LA NANITA

*D.P.*

A la Nanita Nana, Nanita ea,
mi Jesús tiene sueño, bendito sea.
a la Nanita, Nana, Nanita ea,
mi Jesús tiene sueño, bendito sea.
ea, ea. . .

Pimpollo de canela,
lirio en capullo,
duérmete vida mía
mientras te arrullo;
duérmete que del alma
mi canto brota
y un deliquio de amores
es cada gota.

Oh, Niño en cuyos ojos
el sol fulgura,
cerrarlos es cercarme
de noche oscura;
pero cierra bien mío
los ojos bellos,
aunque tu madre muera
sin verse en ellos.

Fuentecilla que corre
clara y sonora,
ruiseñor que en la selva
cantando llora,
callen mientras la cuna
se balancea. . .
A la Nanita, Nana, Nanita ea. . . ea. . .

A la Nanita, Nana, Nanita ea,. . .

## NOCHE DE PAZ

*M. de Franz Grüber,*
*L. de Josef Mohr*
*Alemania siglo XIX*

Noche de paz, noche de amor,
todo duerme en derredor.
Entre los astros que esparcen su luz
bella anunciando al Niñito Jesús
brilla la estrella de paz,
brilla la estrella de paz.

Noche de paz, noche de amor;
oye humilde el fiel pastor
coros celestes que anuncian salud,
gracias y gloria en gran plenitud,
por nuestro buen redentor,
por nuestro buen redentor.

Noche de paz, noche de amor;
ver qué bello resplandor
luce en el rostro el Niño Jesús,
en el pesebre del mundo la luz,
astro de eterno fulgor,
astro de eterno fulgor.

## LOS PASTORES

*D.P.*

En Belén a medianoche
un Niñito nacerá,
un Niñito nacerá. . .
Alegraos pastorcitos
que el que nace Dios será,
alegraos partorcitos
que el que nace Dios será,
que el que nace Dios será,
que el que nace Dios será.

Toquen las panderetas,
ruido y más ruido
porque las profecías
ya se han cumplido. . .

Sí, sí, ya se han cumplido.
Sí, sí, ya se han cumplido.

## LA PIÑATA

*D.P.*

No quiero oro ni quiero plata,
yo lo que quiero es romper la piñata.
Echen confites y canelones
pa' mis muchachos que son muy tragones.
No quiero oro ni quiero plata,
yo lo que quiero es romper la piñata.

De los cerritos y los cerrotes
saltan y brincan los tejocotes.
Ándale amigo, sal del rincón
con la canasta de la colación.
Ándale amigo, no te dilates
con la canasta de los cacahuates.

Ándale niña, sal otra vez
con la botella del vino jerez,
que muy alegre está la posada,
pero a mi copa no han servido nada.
Anda compadre, no sea payaso
y de ese ponche ponga a mi vaso.

Castaña asada, piña cubierta,
denle de palos a los de la puerta
y que les sirvan ponches calientes
a las viejitas que no tienen dientes.
No quiero oro ni quiero plata,
yo lo que quiero es romper la piñata.

## LOS PASTORES

*La Cañada, Querétaro*
*D.P.*

Los pastores a Belén
corren presurosos
llevan de tanto correr
los zapatos rotos.

Ay, ay, ay,
qué alegres van,
ay, ay, ay,
si volverán.

Con la pan, pan, pan,
con la de, de, de,
con la pan, con la de
con la pandereta
y las castañuelas.

Un pastor se tropezó
a media vereda
un borreguito gritó:
—Ése ahí se queda.

Ay, ay, ay,
qué alegres van,
ay, ay, ay,
si volverán.

Con la pan, pan, pan,
con la de, de, de,
con la pan, con la de
con la pandereta
y las castañuelas.

## EL PASTORCILLO

*D.P.*

Vamos pastores, vamos,
vamos a Belén
a ver en ese Niño
la Gloria del Edén,
a ver en ese Niño
la Gloria del Edén,
la Gloria del Edén, del Edén. . .

Ese precioso Niño,
yo me muero por él,
sus ojitos me encantan,
su boquita también.
El padre le acaricia,
la madre mira en él
y los dos extasiados
contemplan aquel ser,
contemplan aquel ser.

Vamos pastores, vamos,
vamos a Belén
a ver en ese Niño
la Gloria del Edén,
a ver en ese Niño
la Gloria del Edén,
la Gloria del Edén, del Edén. . .

## VERSOS PARA PEDIR Y DAR POSADA

*D.P.*

—En el nombre del cielo
os pido posada,
pues no puede andar
mi esposa amada.

—Aquí no es mesón,
sigan adelante,
pues no puedo abrir,
no sea algún tunante.

—No seas inhumano,
dadnos caridad,
que el Dios de los cielos
os lo premiará.

—Ya se pueden ir
y no molestar,
porque si me enfado
os voy a apalear.

—Venimos rendidos
desde Nazaret,
yo soy carpintero
de nombre José.

—No me importa el nombre
déjenme dormir
pues que yo les digo
que no hemos de abrir.

—Posada te pide
amado casero,
por sólo una noche
la Reina del Cielo.

—Pues si es una reina
quien lo solicita
¿cómo es que de noche
anda tan solita?

—Mi esposa es María,
es Reina del Cielo,
y madre va a ser
del Divino Verbo.

—¿Eres tú José?
¡Tu esposa es María!
Entren peregrinos,
no los conocía.

—Dios pague, señores,
vuestra caridad
y que os colme el cielo
de felicidad.

—Dichosa la casa
que alberga este día
a la Virgen pura,
¡la hermosa María!

Entre, Santos Peregrinos, Peregrinos,
reciban este rincón.
Aunque es pobre la morada, la morada,
la damos de corazón.

Entren, Santos Peregrinos,. . .

## LA POSADA

*D.P.*
*Versión antigua*

—Posada te piden
estos peregrinos
que vienen cansados
de andar los caminos.

—¿Quién viene a esta hora
el sueño a turbar?
Váyanse de aquí
para otro lugar.

—Ya mi amada esposa
está muy cansada
por eso en tu choza
pedimos posada.

—Yo no abro las puertas,
no sé quién será.
¿Serán bandoleros
y nos robarán?

—Robarte quisiera
alma y corazón
si en tu morada
nos das un rincón.

—Decid vuestros nombres.
¿Sois desconocidos
y a hora tan pasada
andan peregrinos?

—Yo soy carpintero
y de Nazaret,
mi esposa es María
y yo soy José.

—Voy a espiar primero
a ver si es verdad
para abrir las puertas
con seguridad.

—Somos gente buena,
mira a nos bien,
unos caminantes
que van a Belén.

—Ábranse las puertas,
rómpanse los velos,
que viene a pasar
el Rey de los Cielos.

Entren Santos Peregrinos
reciban esta mansión,
que aunque es pobre la morada
os la doy de corazón.

Esta noche es de alegría
de gusto y de regocijo,
porque hospedamos aquí
a la madre del Dios Hijo.

CANCION
PARA
ROMANTICA URBANA
EDITOR
A. VANEGAS ARROYO.
MEXICO.
POSADA.

## Canción Romántica Urbana

A esta sección la íbamos a titular Boleros, que fue el género más popular durante varias décadas, a partir más o menos de los años treinta, apoyándose en músicos tan inspirados y prolíficos como Agustín Lara y Alberto Domínguez. Las primeras canciones de estos magníficos compositores se nutrieron principalmente de la música cubana, el danzón y el bolero para ser más precisos. Para cualquier músico medianamente preparado, la comparación de las partes de piano del cubano Cervantes con las de nuestros compatriotas apoya lo antes dicho. Otros muchos compositores siguieron el mismo camino, como Joaquín Pardavé en "Negra consentida", por ejemplo.

Pero otra gama de influencias nos obligó a cambiar el título: el fox-trot, más o menos de la misma época, fue decisivo en la creación de varios compositores, tanto así, que su ritmo llegó a ser característica principal de autores como Gonzalo Curiel y Gabriel Ruiz. Más aún, el ritmo de fox fue aprovechado en la canción ranchera con notable éxito, lo cual parecería a primera vista un híbrido inconcebible, si consideramos la canción ranchera como representativa de nuestra música.

Otros ritmos tuvieron también su época de influencia —el blues, el tango, el vals, el beguine— pero ninguno tan fuerte y representativo como el bolero: "Perfidia", "Frenesí", "Solamente una vez", "Bésame mucho", se impusieron internacionalmente y los tríos —intérpretes principalísimos del bolero— llenaron toda una época de la canción popular en teatros, cabarets, radio, cine y televisión.

Consecuentemente, podemos decir que los compositores citadinos —originarios o residentes— conformaron una generación que se especializó por la creación de canciones "románticas" dedicadas generalmente a exaltar las virtudes o defectos de la mujer, de manera exhaustiva que, con el tiempo, llegó a ser repetitiva.

De esta forma llegaron a idealizar un tipo de vida que se identificaba con los bohemios europeos, caracterizados espléndidamente en la famosa ópera "La Bohemia" de Giacomo Puccini.

Así, explotando *ad nauseam* situaciones tales como la del amor mal correspondido o el brillo misterioso de los ojos de la mujer amada, el compositor pasaba el tiempo ante inagotables copas de licor fumando cigarrillo tras cigarrillo, en la inútil espera de la correspondencia amorosa. Esta situación, que se repite invariablemente —y por fortuna— de generación en generación, dio por resultado miles y miles de canciones que alimentaron nuestros afanes "románticos" durante largos años. . . hasta la fecha.

La inspiración melódico-armónica de muchos músicos notables, aunada a la de algunos poetas que se adhirieron a nuestra "bohemia", produjo una pléyade de canciones que se cantaron —y se cantan— en las serenatas, en las cantinas, en los teatros, destacando la genialidad de algunos de ellos, que llegaron a ser auténticos "ídolos", demostrando de esta manera —*vox populi, vox Dei*— que habían logrado identificarse con el sentimiento del pueblo mexicano, pero muy especialmente con el de la ciudad.

Finos compositores como Federico Baena, Mario Ruiz Armengol y Vicente Garrido, entre otros, enriquecieron con su poesía este género popular, el cual vino a prolongarse de cierta manera en la balada, con compositores de la talla de Roberto Cantoral y Armando Manzanero, que han continuado nuestra tradición melódica.

## ME DICES QUE TE VAS

*Bolero*
*M. Prado y B. Sancristóbal*

Me dices que te vas
muy lejos de mi vida,
me dices que tal vez
un día volverás.

Que tienes corazón
de errante golondrina,
me dices que te vas
que no me olvidarás.

Llorando me verás
el día que me dejes;
mis lágrimas dirán
la pena de mi amor.

Mis labios temblarán
el día que te alejes,
pues no sabrán besar
para decir adiós.

Me dices que te vas,
te pido que no vuelvas,
las cosas no serán
lo mismo que ahora son.

No quiero que al volver
encuentres que la ausencia
el odio y el rencor
sembró en mi corazón.

## ÓDIAME

*Vals*
*Rafael Otero*

Ódiame por piedad yo te lo pido,
ódiame sin medida ni clemencia,
odio quiero más que indiferencia
porque el rencor hiere menos que el olvido.

Ódiame por piedad yo te lo pido. . .

Si tú me odias quedaré yo convencido
que me amaste, mujer, con insistencia,
pero ten presente de acuerdo a la experiencia
que tan sólo se odia lo querido.

¿Qué vale más, yo niño, tú orgullosa,
o vale más tu débil hermosura?
Piensa que en el fondo de la fosa
llevaremos la misma vestidura.

¿Qué vale más, yo niño, tú orgullosa,. . .

Si tú me odias quedaré yo convencido
que me amaste, mujer, con insistencia,
pero ten presente de acuerdo a la experiencia
que tan sólo se odia lo querido.

## NOVIA MÍA

*L. y M. de Guerrero y Castellanos*

Esta novia mía
va a ser mi tormento,
de noche y de día
no sé lo que siento.

Cara tan bonita,
cara tan bonita
la de mi tormento.

Novia mía, novia mía,
cascabel de plata y oro,
tienes que ser mi mujer.

Novia mía, novia mía,
por tu cara de azucena
cómo te voy a querer.

Por llevarte a los altares
cantaré con alegría,
que sin ti no quiero a nadie,
novia mía, novia mía.

## SIN TI

*Bolero*
*Pepe Guízar*

Sin ti no podré vivir jamás;
y pensar que nunca más
estarás junto a mí.

Sin ti qué me puede ya importar,
si lo que me hace llorar
está lejos de aquí.

Sin ti no hay clemencia en mi dolor,
la esperanza de mi amor
te la llevas al fin.

Sin ti es inútil vivir,
como inútil será
el quererte olvidar.

## PARECE QUE FUE AYER

*Armando Manzanero*

Parece que fue ayer
cuando te vi aquella tarde
en primavera.

Parece que fue ayer
cuando las manos te tomé
por vez primera.

Soy tan feliz
de haber vivido junto a ti
por tantos años.

Soy tan feliz
de disfrutar algunas veces
tus regaños.

Parece que fue ayer,
eras mi novia y te llevaba
de mi brazo.

Parece que fue ayer
cuando dormido yo soñaba
en tu regazo.

Soy tan feliz
pues sigues siendo
de mi vida la fragancia,
en nuestro amor nunca
ha existido la distancia,
que Dios te guarde
por hacerme tan feliz.

Parece que fue ayer,
eras mi novia y te llevaba
de mi brazo.

Parece que fue ayer
cuando dormido yo soñaba
en tu regazo.

Son tan feliz
pues sigues siendo
de mi vida la fragancia,
en nuestro amor nunca
ha existido la distancia,
que Dios te guarde
por hacerme tan feliz.

## HUMO EN LOS OJOS

*Agustín Lara*

Humo en los ojos
cuando te fuiste,
cuando dijiste
llena de angustia
ya volveré.

Humo en los ojos
cuando volviste,
cuando me viste
antes que a nadie
no sé por qué.

Humo en los ojos
al encontrarnos,
al abrazarnos
el mismo cielo se estremeció.

Humo en los ojos
niebla de ausencia
que con la magia
de tu presencia
se disipó.

## AL SON DE LA MARIMBA

*Alberto Domínguez*

De la marimba al son te conocí,
y al contemplarte fui de la ilusión
el prisionero que viene a cantarte
las penas de su corazón.

Al son de la marimba que al cantar
en el embrujo de la noche azul,
me va diciendo que eres la mujer
que ya nunca lograré olvidar.

Y pido a Dios que nunca pueda ser
mejor destino el de mi corazón,
que de tus ojos recibir la luz,
de tus labios el primer amor.

Fue el florecer de una leyenda de amor
que roba tu corazón para mi linda mujer.
De la marimba al son te embrujaré
y el alma entera perderás,
entre las redes de mi amor
y entre las notas de cristal.

## OYE LA MARIMBA

*Vals*
*Agustín Lara*

Oye la marimba,
cómo se cimbra cuando canta para ti.
Oye cómo suena,
cómo su pena se transforma en frenesí.
Mira cómo llora,
cómo rumora la canción que yo te di.
Oye la marimba,
cómo se cimbra cuando canta para ti.

## LA NOVIA BLANCA

*L. y M. de Hermanos Martínez Gil*

Cuando marchabas garbosa, de blanco,
cuando marchabas de blanco al altar,
sentí que la esperanza se fue de mi vida,
sentí que mi alma se destrozaba en mí.

Cuando marchabas altiva del brazo
del que tus besos me supo robar,
llegó el estío trayendo el ocaso
y mi quimera vino a deshojar.

La novia blanca se fue de mis ojos,
de mí se alejó llevándose mi amor,
dejándome un dolor la novia ingrata
que fuera otro tiempo la luz de mi ser.

La novia buena que antes yo adoraba
hoy me ha dejado el alma destrozada
y los azahares de mi gran cariño. . .
ella se los llevó.

## LLÉVAME

*Gonzalo Curiel*

Llévame todas las tardes a tu huerto,
y siéntate junto a mí entre las rosas,
cuéntame por piedad aquellas cosas
que hacen latir mi corazón ya muerto.

Deja que incline mi frente fatigada
al ver esta nueva luz de la esperanza.
Y déjame comprender en tu mirada
que ya he vuelto a nacer, porque me quieres.

## SERÁ POR ESO

*Chelo Velázquez*

Si tú supieras que me parte el alma
el pensar que pronto te veré partir,
si comprendieras lo que estoy sufriendo
porque sé que tengo que dejarte ir.

Los dos sabemos que jamás podremos
entregar el alma por segunda vez,
pero el destino que es quien manda siempre,
sabrá que la ausencia no podrá vencer.

Sin verte, para mí será la muerte,
la vida no la quiero sin tenerte,
será por eso que al sentirte mía
siento la agonía de la última vez.

Y en ese beso se me va la vida,
pero todavía te veré volver.
Porque tiene que ser,
quiero verte volver.

## ME SOBRA CORAZÓN

*Manuel Álvarez "Maciste"*

Así la quería, así como tú,
un sueño, un sueño de nácar,
un vestido azul;
por eso, en mi vida,
con sol y con luna
sólo brilla una
que se llama: tú.

Yo sé que no he de hallar,
otro cariño igual,
mi amor, no seas así,
porqué me tratas mal.

Dónde he de encontrar otra mujer
con esos ojos tuyos,
ojos que al mirar han doblegado
todos mis orgullos.

En ti, nomás en ti
he puesto yo mi fe
después de tanta y tanta decepción.

Dolido como estoy de las mujeres,
me sobra todavía corazón.
Dolido como estoy de las mujeres,
me sobra todavía corazón.

## TODA UNA VIDA

*Oswaldo Farrés*

Toda una vida me estaría contigo,
no me importa en qué forma
ni cómo ni dónde, pero junto a ti.
Toda una vida te estaría mimando,
te estaría cuidando
como cuido mi vida, que la vivo por ti.

No me cansaría de decirte siempre,
pero siempre, siempre,
que eres en mi vida, ansiedad,
angustia y desesperación.

Toda una vida me estaría contigo,
no me importa en qué forma
ni cómo ni dónde, pero junto a ti.

## INCERTIDUMBRE

*Bolero*

*Gonzalo Curiel*

¡Ay!, cómo es cruel la incertidumbre,
si es que tus besos son de amor
o sólo son para engañar.

¡Ay!, esta amarga pesadumbre,
si ella merece mi dolor
o yo la tengo que olvidar.

Si la vas a juzgar, corazón,
nunca pienses que ella es mala,
si es valiente y te comprende
no la pierdas, corazón.

El amor y el dolor, corazón,
valen poco junto a ella,
si merece más que eso
da tu vida, corazón.

Incertidumbre es el dolor de amar,
incertidumbre es el dolor de amor.

## MIS OJOS ME DENUNCIAN

*L. de Manuel S. Acuña*
*M. de Felipe Valdés Leal*

Mis ojos me denuncian lo que siento,
tus ojos me lo dicen al mirar
que dentro de mi pecho ya muy dentro
fallece un corazón de tanto amar.

En vano he de ocultar cuánto te quiero,
en vano he de negar que te amo a ti. . .,
dormido yo te adoro entre mis sueños,
y despierto ya tan sólo y pienso en ti.

## FRENESÍ

*L. de Rodolfo Sandoval*
*M. de Alberto Domínguez*

Bésame tú a mí,
bésame igual que mi boca te besó,
dame el frenesí
que mi locura te dio.

Quién, si no fui yo,
pudo enseñarte el camino del amor,
muerta mi altivez
cuando mi orgullo rodó a tus pies.

Quiero que vivas sólo para mí,
y que tú vayas por donde yo voy
para que mi alma sea nomás de ti,
bésame con frenesí.

Dame la luz que tiene tu mirar,
y la ansiedad que entre tus labios vi;
esa locura de vivir y amar,
que es más que amor, frenesí.

Hay en el beso que te di,
alma, piedad, corazón,
dime que sabes tu sentir
lo mismo que siento yo.

Quiero que vivas sólo para mí,
y que tú vayas por donde yo voy
para que mi alma sea nomás de ti,
bésame con frenesí.

## LÁGRIMAS DE AMOR

*Bolero*
*Raúl Shaw Moreno*

Nos tenemos que decir adiós
porque quizá jamás
en la vida te vuelva a encontrar;
nos tenemos que decir adiós
porque tal vez será
nuestra última noche de amor.

Capullito de rosa
que tiene para mí,
corazoncito mío
tengo que partir.

Aquí dentro de mi alma
está lloviendo,
como lluvia de llanto
lágrimas de amor.

Ya está la madrugada
ya empieza a amanecer,
pero en mi triste vida
parece anochecer.

Aquí dentro de mi alma. . .

## SABOR DE ENGAÑO

*Mario Álvarez*

Sabor de engaño siento en tus ojos
cuando me miras,
sabor de engaño siento en tus labios
cuando me besan.

No eres sincero cuando me dices
que aún me quieres,
y en tus palabras se nota el filo
de la traición.

Es imposible seguir fingiendo
de esta manera,
yo te agradezco con toda el alma
tu noble empeño.

Y te prometo sentirme fuerte
cuando me digas
que no me amas, que es para otra
tu corazón.

## MIÉNTEME

*L. y M. de Armando Domínguez*

Voy viviendo ya de tus mentiras,
sé que tu cariño no es sincero;
sé que mientes al besar,
y mientes al decir "te quiero",
me conformo porque sé,
que pago mi maldad de ayer.

Siempre fui llevado por la mala,
es por eso que te quiero tanto;
mas si das a mi vivir
la dicha con tu amor fingido,
miénteme una eternidad
que me hace tu maldad feliz.

¿Y qué más da?,
la vida es sólo una mentira.
Miénteme más,
que me hace tu maldad feliz.

## YO LO COMPRENDO

*L. de R. Cantoral y D. Ramos*

Que has dejado de amarme
y no sientes dejarme,
yo lo comprendo,
que de mí te cansaste,
que otro amor encontraste,
yo lo comprendo.

Porque todo en la vida,
aunque sé que lastima,
lo que empieza termina,
y no tengo derecho
de engrillarte a mi lecho
aunque sangre mi herida.

Haces bien en marcharte,
para qué complicarte,
yo lo comprendo.

Sé feliz en tu anhelo
si cambiaste de cielo,
yo lo comprendo.

Pero cómo le explico a mi corazón
cuando extrañe en las noches
tu piel, tu voz,
y latiendo me pregunte por qué razón
tú de mí te alejaste.

Pero cómo le explico a mi corazón
mi vergüenza de verte con otro amor,
que te dio lo que ya no te diera yo,
que fallé como amante.

Pero cómo le explico a mi corazón
cuando extrañe,. . .

## SIEMPREVIVA

*Alfredo Núñez de Borbón*

Penumbra en el jardín,
romance vuelto flor,
un pétalo manchado de rocío,
lágrimas de un amor.

Miento, si digo que te odio,
porque en el fondo siento
que te quiero tanto,
que no puedo más.

Eres gotita de mi llanto,
que por tu desencanto
quedó congelada,
no pudo rodar.

Piensa que fuiste tú en mi vida
como una siempreviva
que en mi triste huerto
yo vi florecer,
toda la miel que en tu alma encontré
no he de hallarla en ninguna mujer.

## SACRIFICIO

*L. y M. de Chucho Monge*

¿Por qué te alejas para siempre de mi vida?
¿Por qué me dejas con el alma entristecida?,
si tú bien sabes que te vas y yo me muero,
¿por qué me dejas, ángel mío, si yo te quiero?

El sacrificio del amor es el olvido,
no sacrifiques en sus garras mi querer,
si tú te llevas lo mejor que yo he vivido,
la humedad de tus besos va en mi ser.

## MADRIGAL

*L. y M. de los Hermanos Martínez Gil*

Vuelve, vuelve otra vez,
que el madrigal de mi corazón
está a tus pies.

Vuelve, vuelve otra vez,
que el madrigal de mi corazón
está a tus pies.

Cantando volverás a mí
y olvidaré mi rencor por ti,
volverán nuestros idilios a empezar
y será nuestro vivir todo un cantar.

Haremos en el cielo una mansión,
borraremos nuestras penas una a una,
tendremos como Dios al corazón
y nuestras almas que se pierdan en la bruma.

## DOS GARDENIAS

*Bolero*
*Isolina Carrillo*

Dos gardenias para ti,
con ellas quiero decir:
te quiero, te adoro, mi vida;
ponles toda la atención
porque son tu corazón y el mío.

Dos gardenias para ti,
que tendrán todo el calor de un beso,
de esos besos que te di
y que jamás encontrarás
en el calor de otro querer.

A tu lado vivirán y te hablarán
como cuando estás conmigo,
y hasta creerás que te dirán
¡te quiero!

Pero si un atardecer
las gardenias de mi amor se mueren,
es porque han adivinado
que tu amor se ha terminado
porque existe otro querer.

## LA MENTIRA

*Bolero*
*Álvaro Carrillo*

Se te olvida
que me quieres a pesar de lo que dices,
pues llevamos en el alma cicatrices
imposibles de borrar.

Se te olvida
que hasta puedo hacerte mal
si me decido,
pues tu amor lo tengo muy comprometido,
pero a fuerza no será.

Y hoy resulta
que no soy de la estatura de tu vida,
y al dejarme casi, casi, se te olvida
que hay un pacto entre los dos.

Por mi parte
te devuelvo tu promesa de adorarme,
ni siquiera sientas pena por dejarme
que este pacto no es con Dios.

## HAY QUE SABER PERDER

*A. Domínguez*

Cuando un amor se va
¡qué desesperación!
Cuando un cariño vuela
nada consuela mi corazón.

Dan ganas de llorar,
no es fácil olvidar
al querer que se aleja
y que nos deja sin compasión.

No puedo comprender
qué cosa es el amor,
si lo que más quería,
si el alma mía me abandonó.

Pero no hay que llorar,
hay que saber perder,
lo mismo pierde un hombre
que una mujer.

## ROSA

*Bolero*
*Agustín Lara*

Mi vida, triste jardín,
tuvo el encanto
de tus perfumes y tu carmín.

Brotaste de la ilusión,
y perfumaste
con tus recuerdos mi corazón.

Rosa, deslumbrante,
divina rosa
que encendió mi amor.
Eres en mi vida,
remedio de la herida
que otro amor dejó.

Rosa, palpitante,
que en un instante
mi alma cautivó.
Rosa, la más hermosa,
la primorosa flor
que mi ser perfumó.

## RECUERDOS DE TI

*Roque Carbajo*

Hoy que me encuentro
solito tan lejos de ti,
no sabes cuánto te extraño
y sufro por ti.

Cuando te tuve cerca
de mi vida,
nunca me imaginé
que te quería.

No sabes cuántos amores
dejé por ahí. . .
pero de todos juntitos
me acuerdo de ti.

No llores corazón
no me hagas padecer
que aún falta mucho tiempo
para volver.

## RUMBO PERDIDO

*Bolero*

*Mario Álvarez*

Sé que te vas
con un rumbo perdido;
has de jurar
que abandonas el nido.

Ya no tendrás,
el calor de mis besos,
nunca podrás
encontrar un cariño mejor.

Algo quizás
te hablará de un olvido,
y has de querer
retornar a mi nido.

Ya no podrás
encontrar un recuerdo
porque mi amor,
como tú, ya su rumbo perdió.

## YA ES MUY TARDE

*Alfredo Gil*

Ya es muy tarde para remediar
todo lo que ha pasado,
ya es muy tarde para revivir
nuestro viejo querer,
preferible para ti que olvides el pasado;
ya es muy tarde si tratas de volver,
eso no puede ser.

En muchas ocasiones te busqué,
a tus plantas de rodillas imploré.

Ya no insistas en reunir
tu vida con la mía,
ya es muy tarde si tratas de volver,
resígnate a perder;
ya es muy tarde si tratas de volver,
resígnate a perder.

## LÁGRIMAS DE SANGRE

*Bolero*
*Agustín Lara*

Con lágrimas de sangre
pude escribir la historia
de este amor sacrosanto
que tú hiciste nacer.

Con lágrimas de sangre
pude comprar la gloria,
y convertirla en versos
y ponerla a tus pies;
y convertirla en versos
y ponerla a tus pies.

Yo que tuve tus manos
y tu boca y tu pelo,
y la blanca tibieza
que derramaste en mí;
hoy me desgarro el alma
como una fiera en celo,
y no sé lo que quiero
porque te quiero a ti;
y no sé lo que quiero
porque te quiero a ti.

## AMAR Y VIVIR

*Consuelo Velázquez*

¿Por qué no han de saber
que te amo vida mía?
¿Por qué no he de decirlo,
si fundes tu alma con el alma mía?

Qué importa si después
me ven llorando un día,
si acaso me preguntan,
diré que te quiero mucho todavía.

Se vive solamente una vez,
hay que aprender a querer y a vivir;
hay que saber que la vida se aleja
y nos deja llorando quimeras.

No quiero arrepentirme después,
de lo que pudo haber sido y no fue,
quiero gozar esta vida,
teniéndote cerca de mí hasta que muera.

## YA NO ME QUIERES

*María Grever*

Tuya soy
y siempre lo seré,
un día dijiste
tembloroso de pasión.

Di por qué
con tu silencio cruel
ahora pretendes destrozar
nuestra ilusión.

Ya no te acuerdas de mí,
ya no me quieres,
y por no hacerme sufrir
callar prefieres.

Si has encontrado una nueva ilusión
no me lo niegues,
y nunca trates de fingirme amor
porque me hieres.

Yo por estar junto a ti
no sé qué diera,
y por besarte otra vez
la vida entera.

Quiero fundir en la llama de amor
nuestros dos seres. . .
mas no te acuerdas de mí,
. . .ya no me quieres.

## POBRE DE MÍ

*Bolero*
*Agustín Lara*

Sol de mi vida, luz de mis ojos,
sienten mis manos
cuando acarician tu tersa piel,
mis pobres manos, alas quebradas,
crucificadas. . . crucificadas bajo tus pies.

Abre los brazos maravillosos
y entre sollozos
llévate mi alma. . . que es para ti.

Qué culpa tengo de ser tan tuyo
de que tu orgullo
sea mi cadena, pobre de mí.

## VOLVERÁ EL AMOR

*Gilberto Mejía Pelazzi*

Volverá el amor, sé que volverá,
volverá el amor como vuelve el sol
y mi corazón volverá a sentir
la felicidad que me dio el ayer.

Volverá el amor, sé que volverá,
habrá en mi cantar otro amanecer
y el mundo será para ti otra vez
el camino azul, grande como el mar.

La luz del nuevo día será mi mañana,
será mi alegría y mi porvenir,
un mundo sin barreras será mi sendero
y el amor viajero será mi final.

Volverá el amor, sé que volverá,
volverá con el otro amanecer
y mi corazón volverá a sentir
la felicidad que me dio el ayer.

La luz del nuevo día será mi mañana...

## VOY

*Luis Demetrio*

Voy a mojarme los labios
con agua bendita
para lavar los besos
que una vez me diera
tu boca maldita.

Voy a ponerme en los ojos
un hierro candente
pues mil veces prefiero estar ciego
que volver a verte.

Voy a tratar de olvidar
que una vez fuiste mía.
Voy con mi sueño
a matar el amor
de este día.

Voy a mojarme los labios
con agua bendita
para lavar los besos
que una vez me diera
tu boca maldita.

## PRISIONERO DEL MAR

*L. de E. Cortázar*
*M. de Luis Arcaraz*

Soy prisionero del ritmo del mar,
de un deseo infinito de amar
y de tu corazón;
voy a la playa tu amor a buscar,
a la luz de la luna cantar
mi desesperación.

Quiero llegarte a querer en un amanecer
con quietud de cristal,
quiero llegarte a tener en un atardecer
de inquietud tropical.

Ven mi cadena de amor a romper,
a quitarme la pena de ser
prisionero del mar.

## LA NOCHE ES NUESTRA

*L. de J. A. Zorrilla*
*M. de Gabriel Ruiz*

Se ha dicho que los sueños
sueños son,
sin embargo me puse a esperar,
a esperar el milagro de ver
que se junten los sueños
con la realidad.

Hoy como nunca
la noche es nuestra,
no te me vayas
déjate amar.

Estamos juntos,
estamos solos,
la vida es breve,
quiéreme más.

Hunde tus dedos
entre mi pelo,
dame tu aliento,
tu suspirar.

La noche es nuestra,
mi vida es tuya,
tu boca es mía,
bésame más.

## TÚ ME ACOSTUMBRASTE

*Frank Domínguez*

Tú me acostumbraste
a todas esas cosas,
y tú me enseñaste
que son maravillosas.

Sutil llegaste a mí
como la tentación,
llenando de ansiedad
mi corazón.

Yo no comprendía
cómo se quería,
en tu mundo raro,
y por ti aprendí.

Por eso me pregunto
al ver que me olvidaste,
¿por qué no me enseñaste,
cómo se vive. . . sin ti?

## SERENATA EN LA NOCHE

*L. y M. de Juan S. Garrido*

Cuando la noche lo envuelve,
México sueña despierto,
porque de sombras cubierto
vive su vida mejor.

Al cintilar los luceros
y los faroles primeros
como por milagrería,
regando alegría florece el amor.

La ciudad con su traje de noche
parece una reina por su majestad,
en el cielo la luna es un broche
que esmalta las calles con su claridad.

A lo lejos como ascua encendida
se mira el castillo de Chapultepec
y en los barrios se olvida la vida,
cantando a las penas que deja el querer.

La ciudad con su traje de noche. . .

## ¿QUIÉN SERÁ?

*Pablo Beltrán Ruiz y Luis Demetrio*

¿Quién será
la que me quiera a mí?,
¿quién será, quién será?,
¿quién será,
la que me dé su amor?,
¿quién será, quién será?

Yo no sé si la podré encontrar,
yo no sé, ¡ay!, yo no sé,
yo no sé si volveré a querer,
yo no sé, yo no sé.

He querido volver a vivir,
la pasión y el calor de otro amor,
de otro amor, que me hiciera sentir,
que me hiciera feliz, como ayer lo fui.

¡Ay! ¿Quién será
la que me quiera a mí?,
¿quién será, quién será?;
¿quién será
la que me dé su amor?,
¿quién será, quién será?

## LAMENTO JAROCHO

*Agustín Lara*

Canto a la raza, raza de bronce,
raza jarocha que el sol quemó,
a los que sufren, a los que lloran,
a los que esperan, les canto yo.

Alma jarocha que nació morena,
talle que se mueve
con vaivén de hamaca,
carne perfumada con besos de arena,
tardes que semejan paisajes de laca.

Boca donde gime la queja doliente
de toda una raza llena de amargura,
alma de jarocho que nació valiente
para sufrir toda su desventura.

## PERFIDIA

*Bolero*
*Alberto Domínguez*

Nadie comprende lo que sufro yo,
canto, pues ya no puedo sollozar,
solo, temblando de ansiedad estoy,
todos me miran y se van.

Mujer, si puedes tú con Dios hablar,
pregúntale si yo alguna vez
te he dejado de adorar.

Y al mar, espejo de mi corazón,
las veces que me ha visto llorar
la perfidia de tu amor.

Te he buscado donde quiera que yo voy
y no te puedo hallar.
¿Para qué quiero otros besos
si tus labios no me quieren ya besar?

Y tú, quién sabe por dónde andarás,
quién sabe qué aventura tendrás
que lejos estás de mí.

## LA NAVE DEL OLVIDO

*Roberto Cantoral y Dino Ramos*

Espera, aún la nave del olvido no ha partido,
no condenemos al naufragio lo vivido,
por nuestro ayer, por nuestro amor yo te lo pido.

Espera, aún me quedan en mis manos primaveras,
para colmarte de caricias todas nuevas
que morirían en mis manos si te fueras.

Espera un poco, un poquito más,
para llenarte de felicidad,
espera un poco, un poquito más,
me moriría si te vas.

Espera un poco, un poquito más. . .

Espera, aún me quedan alegrías para darte,
tengo mil noches de amor que regalarte,
te doy mi vida a cambio de quedarte.

Espera, no entendería mi mañana si te fueras
y hasta te admito que tu amor me lo mintieras,
te adoraría aunque tú no me quisieras.

Espera un poco, un poquito más. . .

## RÍO COLORADO

*Vals*

*G. González Camarena*

Hermosa claridad que resplandece
en esta hermosa noche de ilusión,
es la luna bella que aparece
besando los cristales del balcón.

Detrás de ese balcón
duerme mi amada,
soñando sus quimeras con rubor,
mientras que mi alma enamorada
llora con la ausencia de tu amor.

Cuando te levantes del quebranto
y mojada encuentres una flor,
es que la regué yo con mi llanto
porque estoy tan lejos de tu amor.

Mientras que las nubes en el cielo
ya se van tiñendo de carmín;
duerme, niña, duerme sin recelo
que velando estoy cerca de ti.

## RIVAL

*Vals*
*Agustín Lara*

Rival de mi cariño
el viento que te besa,
rival de mi tristeza
mi propia soledad.

No quiero que te vayas,
no quiero que me dejes,
me duele que te alejes
y que no vuelvas más.

Mi rival es mi propio corazón
por traicionero,
yo no sé cómo puedo aborrecerte
si tanto te quiero;
no me explico por qué me atormenta
el rencor,
y no sé cómo puedo vivir,
sin tu amor.

## REVANCHA

*Agustín Lara*

Yo conocí el amor,
es muy hermoso,
pero en mí
fue fugaz y traicionero;
volvió canalla
lo que fue glorioso,
pero fue un gran amor
y fue el primero.

Amor,
por ti bebí
mi propio llanto;
amor,
fuiste mi cruz,
mi religión.

Es justa la revancha
y entre tanto,
sigamos engañando
al corazón.

## RELÁMPAGO

*Bolero*
*Hermanos Martínez Gil*

Chispazo de luz del cielo
que en vertiginoso vuelo
anuncias la tempestad. . .
reanima por Dios mi anhelo,
descorre el manchado velo
con que cubre el desconsuelo
que me dejó tu maldad.

No por odiarla te pido
que te la lleves muy lejos,
más lejos del más allá. . .,
sólo es por quererla tanto,
es porque al verla me espanto,
ya no quiero verla más. . .

Relámpago, furia del cielo,
que has de llevarte mi anhelo
a donde no pueda más. . .
dile que la quiero mucho,
que cuando su nombre escucho
me dan ganas de llorar.

## RAYITO DE LUNA

*Bolero*
*Chucho Navarro*

Como un rayito de luna
entre la selva dormida,
así la luz de tus ojos
ha iluminado mi pobre vida.

Tú diste luz al sendero
en mis noches sin fortuna;
iluminando mi cielo
como un rayito claro de luna.

Rayito de luna blanca
que iluminas mi camino,
así es tu amor en mi vida,
la verdad de mi destino.

Tú diste luz al sendero
en mis noches sin fortuna;
iluminando mi cielo
como un rayito claro de luna.

## REGÁLAME ESTA NOCHE

*Bolero*
*Roberto Cantoral*

No quiero que te vayas
la noche está muy fría,
abrígame en tus brazos
hasta que vuelva el día.

La almohada está impaciente
de acariciar tu cara,
tal vez te dé un consejo,
tal vez no diga nada.

Mañana muy temprano
platicarás conmigo,
y si estás decidida
a abandonar el nido.

Entonces, será en vano
tratar de detenerte;
regálame esta noche,
retrásame la muerte.

## CIEN AÑOS

*L. de Alberto Cervantes*
*M. de Rubén Fuentes*

Pasaste a mi lado
con gran indiferencia
tus ojos ni siquiera
voltearon hacia mí.

Te hablé sin que me oyeras,
te vi sin que me vieras
y toda mi amargura
quedó dentro de mí.

Me duele aquí en el alma
saber que me olvidaste,
pensar que ni desprecio
merezco yo de ti.

Y sin embargo sigues
unida a mi existencia
y si vivo cien años,
cien años pienso en ti.

## CORAZÓN

*Bolero*
*Consuelo Velázquez*

Si buscas en la vida
amor sin desengaño,
me duele que lo sepas corazón,
que debes admitir
que tienes que sufrir.

Tal vez te has encontrado
con un amor sincero
pero no estés confiado corazón,
tarde o temprano llorarás.

Existen tantas cosas
en contra de un cariño,
la vida es como un niño
que juega por capricho
con nuestro gran dolor.

Tú nunca te arrepientas
y quiérelo aunque sufras,
amar es tu destino,
por algo Dios te puso
por nombre corazón.

¡Ay, corazón!

## POR SI NO TE VUELVO A VER

*L. y M. de María Grever*

No sé si al alejarme me enloqueces
y por eso habré venido por un último adiós,
yo no quiero por eso entristecerte
pues sé que es un martirio para los dos.

He venido a decirte únicamente
que aunque vivas muy lejos, jamás te olvidaré,
que tu imagen se ha grabado en mi mente
y que cual hostia santa te adoraré.

Tú, la de los ojazos negros,
la de la boca chiquita,
la de tan chiquito el pie,
tú, la que eres tan orgullosa
por saber que eres hermosa,
no me dejes de querer.

Tú, la que al hablar tiene el dejo
de la tierra que me alejo
para quizá no volver;
deja que, con ilusión loca,
te dé un beso en esa boca,
por si no te vuelvo a ver.

## QUÉ TE PARECE

*Bolero*
*Julio Gutiérrez*

¡Ay!, pero qué te parece,
enamorarme de ti,
después de tantas veces,
que indiferentemente pasaste por mí.

Qué te parece,
que ahora me muera por ti,
que ahora me vuelva loco
por tenerte cerca, muy cerca de mí.

Así son las cosas de la vida,
así son las cosas del amor,
buscamos amores imposibles,
teniendo tan cerca un corazón.

Pero, qué te parece,
enamorarme de ti,
después que tantas veces,
que indiferentemente pasaste por mí.

## CIEN MUJERES

*Bolero*
*Alfredo Gil*

Esta desesperación
aumenta mi dolor por ti,
no me deja vivir
ni me deja morir.

Tú serás la salvación
para encontrar la paz en mí,
no comprendes que la vida se me va
y la dicha que yo espero
no sé cuándo llegará.

Cien mujeres han pasado por mi vida
y ninguna me ha robado tu cariño,
muchas veces he tratado de olvidarte
pero sigues aquí dentro de mi ser.

Los placeres que una a una me brindaron
no lograron arrancarte de mi mente,
y hoy que busco las caricias de tus manos
ya no encuentro la ternura de tu amor.

## QUINTO PATIO

*L. de Mario Molina Montes*
*M. de Luis Arcaraz*

Por vivir en quinto patio
desprecian mis besos,
un cariño verdadero
sin mentiras ni maldad.

El amor cuando es sincero
se encuentra lo mismo
en las torres de un castillo
que en humilde vecindad.

Nada me importa que desprecien
la humildad de mi cariño,
el dinero no es la vida
es tan sólo vanidad.

Y aunque ahora no me quiera,
yo sé que algún día
me dará con su cariño,
toda la felicidad.

## COMPRÉNDEME

*María Alma*

Yo quiero
que comprendas, vida mía,
que tu amor y mi amor
no pueden ser.

Que quiso ser sincera
el alma mía
y por no herirte a ti,
todo callé.

Te tuve una vez
muy dentro de mi corazón,
y no sé por qué
me fui alejando de ti.

Perdona mi bien
si digo toda la verdad,
la vida es así
y debes de comprenderme.

No volverás
a escuchar mis palabras de amor,
ya no tendrás
el sabor de mis labios.

Y quiero desearte
hoy que me alejo de ti,
que encuentres al fin
quien comprenda tu cariño.

## CONSENTIDA

*Alfredo Núñez de Borbón*

Llevo tantas penas en el alma,
que al mirarte a ti nunca pensé
que pudiera al fin otra vez poner
en un nuevo amor mi fe.

Aunque lo pague con el precio de mi vida,
aunque comprenda lo que tengo que sufrir,
puedo jurar que tú serás mi consentida
y que a nadie quiero tanto como a ti.

Haz que contigo mi calvario se haga santo
ya no me importa lo que digan los demás,
mi corazón se ha de quedar entre tus manos
cuando al fin esté cansado ya de tanto amar.

## QUISIERA SER

*Bolero*
*Mario Clavel*

Quisiera ser el primer motivo de tu vivir
estar en ti en la misma forma que estás en mí,
representar en tu vida el sol, la emoción, la fe
y esa ilusión de amor que se siente una sola vez.

Quisiera ser como la canción que te guste más
y así poder estar en tus labios, en tu soñar.

Tu humilde sombra y el libro aquel
que te acompaña desde tu niñez.
Eso y mil cosas tuyas, mi vida, quisiera ser.

Quisiera ser el primer motivo de tu vivir. . .

## SÁBELO BIEN

*A. Rodríguez*

Sábelo bien
que al jardín de mi alma
tú le diste calor,
sábelo bien
que si miras hay dicha
y si besas hay miel.

Sábelo bien
que tus caricias y tus besos
me dan celos,
sábelo bien
que tu orgullo y vanidad
me dan miedo.

Sábelo bien
que como nadie te he querido,
sábelo bien
que como nadie te he adorado.

Si tus tristezas tu dolor y malestares
te fatigan
y si has podido descansar entre mis brazos
vida mía,
sábelo bien
que ya no tengo que temer
que tú me olvides;
yo te quiero con locura,
sábelo bien.

## CONDICIÓN

*L. de Gabriel Luna de la Fuente*
*M. de Gabriel Ruiz*

Tenía que suceder, al fin te has convencido,
que no puedes vivir separada de mí;
el quererme olvidar de nada te ha valido
y tu orgullo por fin se ha venido a rendir.

Estamos en las mismas condiciones,
borrarte de mi mente no he podido,
sé que has tenido crueles decepciones
y como yo sufrí, sé que has sufrido.

Si quieres que empecemos nuevamente,
con una condición vuelvo contigo;
hay que olvidar lo que nos ofendimos
y hacer de cuenta que hoy nos conocimos.

Hay que olvidar lo que nos ofendimos
y hacer de cuenta que hoy nos conocimos.

## QUE MURMUREN

*Bolero*
*R. Fuentes y R. Cárdenas*

Que murmuren,
qué me importa que murmuren;
no me importa lo que digan
ni lo que piense la gente,
si el agua se aclara sola
al paso de la corriente.

Que murmuren,
no me importa que murmuren;
que digan que no me quieres,
que digan que no te quiero
que tú me estás engañando,
que vienes por mi dinero.

Ríete de pareceres
y de lo que se figuren,
que mientras seas como eres
que murmuren, que murmuren.

## POR FIN

*Bolero*
*Armando Navarro*

Por fin
ahora soy feliz,
por fin he realizado
el amor soñado en mi corazón.

Serás
como una bendición,
calmaste tú mi pena
que era una condena,
una maldición.

Ahora
se acaba mi sufrir,
mi alma
ha vuelto a ser feliz.

Por fin. . .

## EL TRISTE

*Roberto Cantoral*

Qué triste fue decirnos adiós
cuando nos adorábamos más,
hasta la golondrina emigró
presagiando el final.

Qué triste luce todo sin ti,
los mares de las playas se van,
se tiñen los colores de gris,
hoy todo es soledad.

No sé si vuelva a verte después,
no sé qué de mi vida será
sin el lucero azul de tu ser,
que no me alumbra ya.

Hoy quiero saborear mi dolor,
no pido compasión ni piedad,
la historia de este amor se escribió
para la eternidad.

El triste todos dicen que soy,
que siempre estoy hablando de ti,
no saben que pensando en tu amor, en tu amor
he podido ayudarme a vivir,
he podido ayudarme a vivir.

## POR LA CRUZ

*L. y M. de Alberto Domínguez*

Ven conmigo, mi vida,
ten confianza en el cielo,
por la cruz yo te juro
que no te haré sufrir.

Tú serás la alegría
de mis nuevos anhelos,
nada habrá en este mundo
que nos haga mentir.

Y si llega ese día
en que seas mi consuelo,
por la cruz yo te juro
ser sólo para ti.

Si no cumplo lo dicho,
con mis manos haría
mi terrible verdugo
para vengar tu amor.

Pero no ha de ser,
si te adoro yo.
Pero no ha de ser,
si te adoro yo.

## VANIDAD

*Bolero*
*Armando González*

Sembramos de espinas el camino,
cercamos de penas el amor
y luego culpamos al destino
de nuestro error.

Vanidad,
por tu culpa he perdido un amor,
vanidad,
que no puedo olvidar.

Vanidad,
con las alas doradas,
yo pensaba reír
y hoy me pongo a llorar.

Me cegué,
la arranqué de mi vida,
pero yo la volveré a besar.

Vanidad,
con las alas doradas,
yo pensaba reír
y hoy me pongo a llorar.

## NOCHECITA

*L. y M. de Víctor Huesca*

Cómo se podrá olvidar,
noche, mi testigo fiel,
dime, tú, que sabes bien,
si lo que canto yo ya no puede ser.

Nochecita que de ensueño fue mi vida,
cuanto tu amor y tu cariño me olvidó,
con el alma en mil pedazos yo te digo
lo que he sufrido al sentir tu decepción.

Aunque sabes que el amarte es mi delirio
tú te burlas y no tienes compasión,
yo te quiero y en silencio he de adorarte
cuando escuches en las noches mi canción.

## POR EQUIVOCACIÓN

*Bolero*
*Charlie López*

Tú me has dado a comprender
que no te importo nada,
que me diste tu amor
por equivocación.

Yo no sé qué voy a hacer,
si reír o llorar.
o llenarme de pena,
o sufrir la condena
de tu cruel proceder.

Porque mi corazón,
cansado de sufrir,
ya no resiste más
esta condena cruel.

Tú me has dado a comprender
que no te importo nada,
que me diste tu amor,
¡ay!, que me diste tu amor
por equivocación.

## MAR Y CIELO

*Julio Rodríguez*

Me tienes, pero de nada te vale,
soy tuya porque lo dicta un papel,
mi vida la controlan las leyes,
pero en mi corazón
que es el que siente amor
tan sólo mando yo.

El mar y el cielo
se ven igual de azules,
y en la distancia
parece que se unen.

Mejor es que recuerdes
que el cielo es siempre cielo,
que nunca, nunca, nunca
el mar lo alcanzará.

Permíteme igualarme con el cielo,
que a ti te corresponde ser el mar.
Permíteme igualarme con el cielo,
que a ti te corresponde ser el mar.

## TU Y YO

*Bolero*
*Salvador Rangel*

Tú y yo
hicimos de la vida un amor,
fue de Dios
que nos quisiéramos los dos.

Tú a mí
me diste la ternura del amor,
yo a ti
te di sin miedo el corazón.

Tú y yo
nunca nos podremos olvidar,
la eternidad
es un solo instante para amar.

Tú y yo
hicimos de la vida un amor,
fue de Dios
que nos quisiéramos los dos.

## CUMBANCHA

*Agustín Lara*

Oiga usted cómo suena la clave,
mire usted cómo suena el bongó,
diga usted si las maracas tienen
el ritmo que nos mueve el corazón.

Última carcajada de la cumbancha
llévale mis tristezas y mis cantares.
Tú que sabes sufrir, tú que sabes llorar,
tú que puedes decir
cómo son las noches de mi penar.

Última carcajada de la cumbancha,
llévale mis tristezas y mis cantares,
tú que sabes sufrir, tú que sabes llorar
tú que puedes decir cómo llevo el alma,
de tanto amar.

## USTED

*L. de J. A. Zorrilla*
*M. de Gabriel Ruiz*

Usted es la culpable
de todas mis angustias
y todos mis quebrantos.

Usted llenó mi vida
de dulces inquietudes
y amargos desencantos.

Su amor es como un grito
que llevo aquí en mi sangre
y aquí en mi corazón.

Y soy, aunque no quiera,
esclavo de sus ojos,
juguete de su amor.

No juegue con mis penas
ni con mis sentimientos,
que es lo único que tengo.

Usted es mi esperanza,
mi última esperanza. . .
comprenda de una vez.

Usted me desespera,
me mata, me enloquece,
y hasta la vida diera
por vencer el miedo
de besarla a usted.

## UNA AVENTURA MÁS

*Oskar Kinleiner*

Yo sé que soy
una aventura más para ti,
que después de esta noche
te olvidarás de mí.

Yo sé que soy
una ilusión fugaz para ti,
un capricho del alma
que hoy se acerca a ti.

Aunque me beses
con loca pasión
y yo te bese feliz,
con la aurora que llega
muere mi corazón por ti.

Yo sé que soy. . .

## LOCA PASIÓN

*Bolero*
*Edmundo Domínguez*

Contemplando tus cabellos de oro
una tarde entre mis brazos te mecías,
y jurando que eras mi único tesoro
confidente al oído te decía.

Yo quiero sentir el fuego de tu voz,
de tu corazón el palpitar,
quiero sentirme dentro de tu pecho
y de ese sueño nunca despertar.

Yo quiero libar de tu boca la miel,
y embelesarme con tu piel,
y loco de pasión, entregarte el corazón
para vivir hecho un esclavo de tu amor.

Yo quiero libar de tu boca la miel,
y embelesarme con tu piel,
y loco de pasión, entregarte el corazón
para vivir, hecho un esclavo de tu amor.

## SORTILEGIO

*Luis Arcaraz*

Sortilegio de mujer,
magia negra en tu mirar;
un hechizo has de tener
para embrujar. . .

Magia roja debe haber
en tus labios de listón,
que al besar saben prender
mi corazón. . .

Sortilegio de un amor
que se muere al comenzar;
en mi vida fuiste tú
misterio al amar.

Cuando menos lo pensé,
el encanto se rompió
y el castillo que formé
se derrumbó. . .

## VUÉLVEME A QUERER

*L. y M. de Mario Álvarez*

Cuando me asalta el recuerdo de ti
siento en mi alma mortal soledad,
y aunque quiero sonreír
siempre acabo por llorar,
porque tu aliento ya no es para mí,
por qué tendrá que ser,
toda mi amargura te quiere decir.

Vuélveme a querer
como antes me quisiste,
vuélveme a besar
igual que tú lo hacías,
porque sin tu amor
alerta de mis besos
se marchitará mi corazón.

Hay que revivir
las rosas deshojadas,
quiéreme otra vez
igual o más que ayer,
piensa que te adoro
mira cómo lloro,
tenme compasión,
vuélveme a querer
mucho más que ayer.

## UNA TRAICIÓN

*L. y M. de Claudio Estrada*

Con esos ojazos negros
que parecen dos luceros
me llegaste a cautivar;
con esa boca sedosa
como pétalo de rosa
mi amor lograste robar.

Permitiste que te viera
y al oído te dijera
todo lo que te amo yo,
y tan sólo en ese instante
mi corazón anhelante
sintió una nueva ilusión.

Tu mirada me embelesó
y diste a mi boca un beso
en señal de tu pasión. . .
pero todo fue mentira,
porque sé que en ti se anida
la crueldad y la traición.

Con esos ojazos negros. . .

## VERACRUZ

*L. y M. de Agustín Lara*

Yo nací con la luna de plata
y nací con alma de pirata,
he nacido rumbero y jarocho,
trovador de veras
y me fui lejos de Veracruz

Veracruz,
rinconcito donde hacen sus nidos
las olas del mar;

Veracruz, pedacito de patria
que sabe sufrir y cantar;

Veracruz, son tus noches
diluvio de estrellas,
palmera y mujer;

Veracruz, vibra en mi ser,
algún día hasta tus playas lejanas
tendré que volver.

## UN GRAN AMOR

*L. y M. de Gonzalo Curiel*

Hay en mi vida un gran amor,
un solo amor, el de tu alma.
Hay en tu alma intenso afán
de ser tan sólo para mí. . .

Nadie en el mundo llegará
a separar nuestras dos almas,
si Dios quería que tú y yo
nos comprendiéramos así. . .

Ya no recuerdo cuántas veces
tus juramentos escuché,
sólo recuerdo que con besos,
con muchos besos te adoré. . .

La vieja historia repitió
en nuestro amor incomparable,
y para siempre vivirá
en el altar del corazón.

## VEREDA TROPICAL

*L. y M. de Gonzalo Curiel*

Voy por la vereda tropical,
la noche llena de quietud,
con su perfume de humedad.

En la brisa que viene del mar
se oye el rumor de una canción,
canción de amor y de piedad.

Con ella fui, noche tras noche hasta el mar,
para besar su boca fresca de amar,
y me juró quererme más y más
y no olvidar jamás aquellas horas junto al mar

Hoy sólo me queda recordar;
mis ojos se mueren de llorar,
y el alma muere de esperar.

¿Por qué se fue?,
tú la dejaste ir, vereda tropical,
hazla volver a mí,
quiero besar su boca otra vez junto al mar,

Vereda tropical.

## TUS PROMESAS DE AMOR

*Miguel Amadeo*

No, tú no puedes
dejar de adorarme,
porque sabes que Dios
ya sabrá castigarte
si rompes
tu promesa de amor.

No, no puedes olvidarme,
porque dentro de tu alma
tan sólo hay una imagen,
y esa imagen soy yo.

Tú juraste ante un altar,
en confesión,
que jamás me olvidarías,
y hoy pretendes
romper tus promesas,
dejándome sin ti.

No, tú no puedes. . .

## VIAJERA

*L. de Mario Molina Montes*
*M. de Luis Arcaraz*

Viajera que vas por cielo y por mar
dejando en los corazones
latir de pasión, vibrar de canción,
y luego mil decepciones.

A mí me tocó quererte también,
besarte y después perderte,
Dios quiera que al fin
te canses de andar
y entonces quieras quedarte.

No sé qué será sin verte,
no sé qué vendrá después,
no sé si podré olvidarte,
no sé si me moriré.

Mi luna y mi sol irán tras de ti
unidos en mis canciones,
diciéndote ven, regresa otra vez,
no rompas más corazones.

## ESTOY PERDIDO

*Víctor Manuel Mata*

Estoy perdido
y no sé qué camino
me trajo hasta aquí;
estoy vencido
y será mi destino
sufrir hasta el fin.

Siento aquí en mi pecho
el remordimiento
de mi proceder,
pues me duele el alma
y vivo en la angustia
de mi padecer.

Hoy me arrepiento
de haberte dejado
tan sola y sin mí;
tanto he sufrido
que hasta en mi delirio
me acuerdo de ti.

Hoy vago solo en el mundo sin ti,
no sé si pueda volverte a besar,
y hoy como un niño me pongo a llorar
porque ya te perdí.

## SON TUS OJOS VERDE MAR

*Gonzalo Curiel*

Son tus ojos verde mar,
dos gotitas de agua clara,
pedacitos de cristal,
de verde luz que iluminó tu cara.

Naufragué en el verde mar
luminoso de tus ojos,
pero al fin pude alcanzar
la playa ardiente de tus labios rojos.

Verde mirar en mi vivir,
verde mirar en mi esperanza.

Son tus ojos verde mar. . .

## VETE DE AQUÍ

*Héctor Meneses*

Vete de aquí,
no sé qué ganas con herirme,
aunque la vida fuera eterna
y tus palabras fueran ciertas,
nunca podría ser como antes.

Que soy en ti
un pasatiempo al encontrarme,
el amor nace del amor,
la pena nace del dolor
y tú naciste de una pena.

La pena que lleva
tu alma lleva condena,
condena que no se acaba con regresar,
regreso que no demuestra
tu amor sincero.

Sincero fue tu cariño
cariño te di primero,
primero te digo adiós
que volver amor.

Vete de aquí. . .

## UN CONSEJO

*Bolero*

*José M. Mateo*

Te voy a dar un consejo
y tú me lo agradecerás
no me quieras así corazón
que te hace daño
quiéreme un poquito, como yo a ti.

No ves que a lo mejor, dulce bien
soy un sueño en tu vida
y que tal vez mañana puedas arrepentirte.

Oye mi consejo corazón
y tú verás que un día
sonarán las campanas de la felicidad.

## SOY FELIZ

*Bolero*

*J. Bruno Tarraza*

No es aventura ni capricho,
ni dulce sueño de ilusión,
si ya por fin unimos
dos almas en un solo corazón

Es que estoy tan enamorada
como nunca lo había estado;
en mi corazón hay fiesta,
soy dichosa, soy feliz.

Tus miradas me parecen
dos luceros que se acercan,
que se acercan y me besan
con un beso nada más.

Es que al fin la vida quiso
que pudiera yo tener,
un amor tan verdadero
que es mi dicha y mi ilusión.

Pero es que estoy tan enamorada
como nunca lo había estado;
en mi corazón hay fiesta,
soy dichosa, soy feliz.

## SOMOS NOVIOS

*Armando Manzanero*

Somos novios
pues los dos sentimos
mutuo amor profundo
y con eso ya ganamos
lo más grande de este mundo.

Nos amamos,
nos besamos como novios,
nos deseamos
y hasta a veces sin motivo,
sin razón nos enojamos.

Somos novios,
mantenemos un cariño
limpio y puro,
como todos procuramos
el momento más obscuro
para hablarnos, para darnos
el más puro de los besos. . .
recordar de qué color
son los cerezos,
sin hacer más comentarios
somos novios. . . sólo novios. . .
siempre novios. . . somos novios.

## VERDAD AMARGA

*Bolero*
*Consuelo Velázquez*

Yo tengo que decirte la verdad,
aunque me duela el alma,
no quiero que después me juzgues mal
por pretender callarla.

Yo sé que es imposible nuestro amor
porque el destino manda,
y tú sabrás un día perdonar
esta verdad amarga.

Te juro por los dos
que me cuesta la vida,
que sangrará la herida
por una eternidad.

Tal vez mañana sepas comprender
que siempre fui sincero,
tal vez por alguien llegues a saber
que todavía te quiero.

## EL VICIO

*Bolero*
*G. Ruiz y J. A. Zorrilla*

El vicio, el vicio, el vicio
de quererte me domina,
tus manos, tus manos me matan
cada vez que me acarician.

Te juro que a veces quisiera
yo borrarte para siempre
y siempre regreso, regreso
aunque no quiera regresar.

Camino de mis angustias,
razón de mi sinrazón,
te llevo en mi pensamiento,
muy dentro de mi obsesión.

El vicio, el vicio, el vicio
de quererte me domina,
me gustas, me gustas, me gustas
y a tu lado soy feliz.

Te quiero, te quiero
sin remedio y sin medida,
te quiero para el resto de mi vida,
no importa lo que tenga que sufrir.

El vicio, el vicio, el vicio.

## ESCARCHA

*Bolero*
*Agustín Lara*

Mira, corta esos males,
la doliente ansiedad que me fatiga.
Mira, yo te idolatro,
aun cuando tu desprecio, me castiga.

Cuando la escarcha pinte tu dolor,
cuando ya estés cansada de sufrir,
yo tengo un corazón para quererte
que es nido donde tú puedes vivir.

Blando diván de tul aguardará,
tu exquisito abandono de mujer;
yo te sabré querer,
yo te sabré besar,
yo haré palpitar todo tu ser.

## SOMOS DIFERENTES

*L. y M. de Pablo Beltrán Ruiz*

Ya me convencí
que seguir los dos es imposible,
qué le voy a hacer
si al buscar tu amor me equivoqué.

Debes de saber
que ni tú ni yo nos comprendemos
y este es el error que ahora con dolor
pagamos los dos.

Tenemos que olvidarnos de este amor
porque un amor así no puede ser,
si somos diferentes, ya lo ves,
y esta verdad destroza el corazón.

Hoy te digo adiós,
me alejo de ti serenamente,
todo es por demás, no lo quiso Dios,
somos diferentes.

## ETERNAMENTE

*Bolero*
*Carlos González*

Por buena suerte te encontré
en mi camino
y desde entonces yo soñé
que fueras mía.

Mi cielo, siempre te querré,
tú bien lo sabes,
y yo jamás te olvidaré,
bien de mi vida.

Eternamente te amaré,
yo te lo juro,
eres la dueña de mi amor,
la vida mía.

Cuando te beso siento yo
que soy dichoso;
por eso siempre te diré
que nuestro amor ha de durar
eternamente.

## TRIUNFAMOS

*L. de Rafael Cárdenas*
*M. de Federico Baena*

Une tu voz a mi voz
para gritar que triunfamos,
que el mundo ya se cansó,
aquí seguimos los dos,
sin renunciar ni ocultarnos.

Porque ocultar nuestro amor
será tapar con un dedo
la luz inmensa del sol,
negar la gracia de Dios,
negar que lo blanco es negro.

Amor, nada nos pudo separar,
luchamos contra toda incomprensión,
del cuento ya no hay nada qué contar,
triunfamos por la fuerza del amor.

Une tu voz a mi voz
para gritar que vencimos
y si es pecado el amor
que el cielo dé explicación
porque es mandato divino.

## SOMBRA VERDE

*L. de Mario Molina Montes*
*M. de Luis Arcaraz*

En mi vida hay una eterna sombra verde
que dejara tu mirada verde mar;
esa sombra ni se aleja, ni se pierde,
marca el ritmo de mi paso al caminar.

Es motivo de consuelo en mi tristeza
y en mis noches sin estrellas es mi luz
es arrullo de canción y caricia y redención,
y aligera lo pesado de mi cruz.

Así, mientras que Dios no quiera
darme el calor que dan tus besos rojos,
será siempre mi compañera
la sombra verde de tus verdes ojos.

Matizaste con tu verde mi existencia
y su sombra ya jamás me buscará,
y si no regreso más o si vengo y tú no estás,
esa sombra de tus ojos queda igual.

## DIME

*L. y M. de Gonzalo Curiel*

Quiero robarle a mis recuerdos
la amargura que tu amor en mí dejó
pienso que la dicha de quererte en mí dejó
flores que el sol marchitó.

Dime, si tus ojazos negros
que tanto me miraron lloran por mí
dime, si tu boca bonita
que tanto yo he besado, suspira por mí.

Dime, si en tus manitas se quedaron
todos los dulces sueños de mi amor
porque mi alma, que robaste
en las noches tristes y solas
lloran por ti.

## CUANDO TÚ ME QUIERAS

*Bolero*
*Raúl Shaw Moreno*

Noche a noche, sueño contigo,
siento tu vida en la mía
cual sombra divina
cual eco distante
que apenas puedo oír.

Cuando tú me quieras,
cuando te vea sonreír,
vibrarán las campanas
de alegres mariposas
lucirán su color
en suave vaivén.

Cuando tú me quieras,
cuando me digas que sí,
bajaré las estrellas
para ofrecerte un día
y rendirme a tus pies.

Subirán por tu balcón
las flores que en rubor
reflejarán el día
el brillo de tus ojos,
cuando tú me quieras.

Cuando tú me quieras
cuando me digas que sí. . .

## CUANDO YA NO ME QUIERAS

*Bolero*
*Cuates Castilla*

Cuando ya no me quieras
no me finjas cariño,
no me tengas piedad,
ni atención, ni temor.

Si me diste tu olvido
no te culpo ni riño,
ni te doy el disgusto
de mirar mi dolor.

Partiré canturreando
mi poema más triste,
le diré a todo el mundo
lo que tú me quisiste.

Y cuando nadie escuche
mis canciones ya viejas, ¡ay!,
detendré mi camino
en un pueblo lejano
y ahí moriré.

Sé que ya no me quieres,
me lo han dicho tus ojos,
seguiré por la ruta
que no tiene final.

Seguiré siempre, siempre,
partiré sin enojos
y mis labios sin penas
cantarán un madrigal.

Partiré canturreando
mi poema más triste
y diré a todo el mundo
lo que tú me quisiste.

Y cuando nadie escuche
mis canciones ya viejas, ¡ay!,
detendré mi camino
en un pueblo lejano
y ahí moriré.

## CUANDO ME VAYA

*María Grever*

Fuimos tontos los dos,
yo en adorarte,
y tú en recompensarme,
con traición.

Si me alejo de ti,
es por complacerte,
mas nunca dejaré,
de quererte.

Cuando me vaya,
por mí llorarás,
y estando a solas,
quizás pensarás:
¡qué injustamente,
la hice sufrir,
si por mis celos,
sentía morir!

Cuando me vaya,
tal vez pensarás,
que a otros amores,
sabré conquistar;
dentro de tu alma,
quizás sentirás,
los mismos celos,
que me hiciste pasar;
¡cuando me vaya,
sé que por mí llorarás!

## ENCADENADOS

*Bolero*

*Carlos A. Briz*

Tal vez sería mejor
que no volvieras
quizás fuera mejor
que me olvidaras.

Volver es empezar
a atormentarnos;
a querernos para odiarnos,
sin principio ni final.

Nos hemos hecho tanto,
tanto daño;
que amor entre nosotros
es martirio,
jamás quiso llegar
el desengaño,
ni el olvido, ni el delirio,
seguiremos siempre igual.

Cariño como el nuestro
es un castigo,
que se lleva en el alma
hasta la muerte.
Mi suerte necesita
de tu suerte,
y tú me necesitas mucho más.

Por eso no habrá nunca despedida
ni paz alguna habrá de consolarnos,
el paso del dolor
ha de encontrarnos,
de rodillas en la vida,
frente a frente y nada más.

## NI QUE SÍ, NI QUIZÁ, NI QUE NO

*Alfredo Gil*

Hace tanto tiempo
que te estoy rogando,
hace tanto tiempo
que te estoy pidiendo
que me des un poco
de tu dulce aliento
y tú no me dices
ni que sí, ni quizá, ni que no.

Cómo he de poder seguir
ahogando el llanto
que tú me ocasionas
por quererte tanto;
sigue sin piedad,
sin compasión callando
y tú no me dices
ni que sí, ni quizá, ni que no.

Si me dijeras que sí,
calmarías esta pena por ti;
si acaso dices que no,
seguiré con amargo dolor.

Hace tanto tiempo
que estoy divagando
con la fiebre intensa
de este cruel tormento,
sigue sin piedad,
sin compasión callando
y tú no me dices
ni que sí, ni quizá, ni que no.
ni que sí, ni quizá, ni que no.

## EN QUÉ QUEDAMOS

*Bolero*
*Federico Baena*

En qué quedamos por fin
me quieres o no me quieres,
si estás cansado de mí
más vale que no lo niegues.

Por qué ocultar la verdad
mintiendo no ganas nada,
si te quedas o te vas
mi amor no te pide nada.

La verdad en el amor
es mejor aunque nos duela,
a engañar al corazón
y vivir de una quimera.

En qué quedamos por fin
me quieres o no me quieres,
para qué tanto firgir
si al fin de amor nadie muere.

## DESGRACIA

*Hermanos Martínez Gil*

Arrastrando mi desgracia
he rodado por el mundo
como un ciego sin cariño,
¡no me importa ya sufrir!

Y si vivo por quererte
más y más he de vivir.
Si el destino me lo pide
nuevamente vuelvo a ti.

Desgracia, desgracia mía,
tragedia en mi corazón
¡maldita, siempre maldita,
la hora en que te conocí!

He de arrastrar esta cadena fatal
hasta romper los eslabones del mal
desgracia, desgracia mía,
tragedia en mi corazón.

## SUSPENSO INFERNAL

*Bolero*
*Tomás Méndez*

Sentí cuando se fue,
un beso me dejó
creyendo que dormía,
sentí cuando se fue
y aunque me ahogaba el llanto
no quise detenerla.

Qué cosa puede hacer
un pobre corazón
cuando ya no lo quieren;
al menos rescatar
el grito de piedad
que implora el corazón.

Sentí cuando se fue,. . .

Dejé que se marchara,
que la noche se llevara
lo que era ya imposible,
suspenso infernal,
sentencia a olvidar
dictó mi corazón.

## DESTINO

*Bolero*

*Armando Domínguez*

Leyeron en la palma de mi mano
la línea de mis bienes y mis males,
y nunca, nunca me dijeron
mi destino de amor.

¡Ay! vida,
¡ay! qué negro destino,
qué difícil camino
y lo tengo que andar.

Destino,
si ella supo olvidarme,
has que vuelva a adorarme,
no la puedo olvidar.

Queriéndola yo
me la supiste robar,
destino tan cruel,
daga mortal.

Destino,
has que vuelva a mi lado,
ya que tanto he llorado
por ese ingrato amor.

## COSAS DEL AYER

*Chucho Rodríguez*

Ahí donde guardan sus cantos
las olas del mar,
ahí donde nace la aurora
formé un madrigal.

Caricias y besos truncados
por tu falsedad,
luz en mi agonía,
vida de mi vida,
calma mi penar.

Las horas felices se fueron
para no volver;
la dicha de ser ha pasado,
cosas del ayer.

Quisiera tenerte,
volver a quererte,
sentirme muy cerca,
muy cerca de ti.

## MUJER

*Bolero*
*Agustín Lara*

Mujer, mujer divina,
tienes el veneno que fascina
en tu mirar.

Mujer alabastrina,
tienes vibración de sonatina
pasional.

Tienes el perfume de un naranjo en flor
el altivo porte de una majestad.
Sabes de los filtros que hay en el amor;
tienes el hechizo de la liviandad.

La divina magia de un atardecer
y la maravilla de la inspiración.
Tienes en el ritmo de tu ser.
todo el palpitar de una canción. . .
Eres la razón de mi existir. . . mujer.

## DESPECHO

*L. de E. Cortázar*
*M. de Luis Arcaraz*

De nada me ha servido
fingir que no te quiero,
decirle a todo el mundo
que no me importas ya.

De nada me ha valido
hacer por olvidarte,
con fáciles amores
que llegan y se van.

Olvida lo pasado,
perdona lo que te hice,
porque a pesar de todo
es tuyo mi querer.

No creas que lo que digo
lo siento aquí en mi pecho,
tan sólo es el despecho
de no saber perder.

## ETERNAMENTE

*Alberto Domínguez*

Pensar que todo tengo
y nada puedo yo tener;
la vida me da flores
el sol me da su luz.

Pensar que todo tengo
y nada puedo yo tener;
porque lo tengo todo
pero me faltas tú.

Dime vida
si tú sufres por mi amor,
si una duda llega a tu alma
a atormentar, recuerda
que como a nadie yo te quiero,
que tú vivirás en mi corazón
una eternidad.

Tú bien sabes que los años pasarán
pero nunca que yo
te olvide lograrán,
pues tuyo será
mi amor eternamente
y para los dos la felicidad
tendrá que brillar.

## SIN REMEDIO

*Chucho Navarro*

Sin remedio,
que ya no tengo remedio
pues ni arrancándome el alma
podré borrar tu pasión.

Sin remedio,
que ya no podré olvidarte
pues te llevo aquí en la sangre
que mueve mi corazón.

Sin remedio,
sin ti no tengo remedio
y aunque es vergüenza rogarte
a que calmes mi dolor.

Sin remedio,
he venido a suplicarte
y a decirte que estoy loco,
sin remedio, por tu amor.

## CUATRO PALABRAS

*Bolero*
*Federico Baena*

Escucha mi bien
no quiero que algún día
puedas decir que yo te sorprendí
como un ladrón que entró por tu ventana,
para robarte la felicidad.

Voy a decirte la verdad desnuda
aunque comprendo que vas a sufrir,
pero más vale que sepas ahora
lo que mañana te puedan decir.

En el amor suceden tantas cosas
que nos parecen sin explicación,
como el otoño que deshoja el árbol
así mi amor también se deshojó.

Mírame bien y escucha de mis labios
cuatro palabras que son mi razón:
ya no te quiero,
ya no te quiero,
perdóname y adiós.

## TE FUISTE

*Bolero*
*Alfredo Gil*

Te fuiste
como la noche cuando llega el día,
como un suspiro que se va y no vuelve.
Te fuiste cuando pensaba que eras toda mía,
mía nada más, nada más mía.

Amor, por qué has herido así
mi corazón tan tuyo;
amor, porque sangraste así
la vida que te di,
no ves que mi dolor
puede volverse orgullo
y tú no vuelvas a saber de mí.

Yo sé que mi pecado
fue quererte mucho
y no esperaba de la vida este dolor,
dentro de mí tu dulce voz escucho
como un eco que me rompe el corazón.

## TRAICIONERA

*Gonzalo Curiel*

¡Ay! tienes alma de quimera,
lo que más me desespera
es saber que no me quieres
y me dejas que te quiera.

¡Ay! eres mala y traicionera,
tienes corazón de piedra
porque sabes que me muero
y me dejas que me muera.

Me miras y tu mirada
se mete dentro, dentro del alma.
Te miro y en mi mirada
te está implorando mi corazón. . .

¡Ay!, eres mala y traicionera,
tienes corazón de piedra
porque sabes que me muero
y me dejas que me muera.

## SERENATA TROPICAL

*L. y M. de Arturo Núñez*

He querido olvidar la ilusión del ayer,
de mi mente he querido borrar
el recuerdo de tu querer.

He querido cantar con inmenso placer,
mas dejaste en mi alma
al marchar, nostálgico padecer.

No podré jamás olvidarte,
sueño con la dicha
de verte otra vez junto a mí.

Y en mi hondo penar sin poderte olvidar,
te he querido ofrendar
la canción nacida del corazón.

## SENTENCIA

*Bolero*
*Pablo Valdez Hernández*

Te acordarás de mí
mientras yo viva,
te acordarás de mí
toda la vida.

Te acordarás de mí
porque en la vida,
la sentencia de amor,
nunca se olvida.

No pensaste ni un momento
vida mía,
que la vida sin ti
no la quería.

Te entregué la ilusión
y mi agonía,
y te llevaste también,
y te llevaste también,
toda mi vida.

## CUANDO VUELVA A TU LADO

*María Grever*

Recuerdas aquel beso
que en broma me negaste,
se escapó de tus labios sin querer;
asustado por ello buscó abrigo
en la misma amargura
de mi ser.

Cuando vuelva a tu lado
no me niegues tus besos,
que el amor que te he dado
no podrás olvidar.

No me preguntes nada
que nada he de explicarte,
que el beso que negaste
ya no lo podrás dar.

Cuando vuelva a tu lado
y esté sola contigo,
las cosas que te diga
no repitas jamás,
por compasión.

Une tu labio al mío
y estréchame en tus brazos,
y cuenta los latidos
de nuestro corazón.

## DESESPERANZA

*Bolero*
*Gonzalo Curiel*

Te llegué a querer mucho
insospechadamente,
ni yo mismo me explico
tal modo de adorar.

Y queriéndote tanto
te me vas de repente.
Te me vas sin que pueda
tus besos alcanzar.

¡Cuánta desesperanza. . .!
¡Que vacío tan profundo!
Repicar de campanas
en mi tarde mortal.

Y todo el desconsuelo
regado por el mundo
parece que en mi alma
se vino a congelar.

## DESPIERTA

*Gabriel Ruiz, Luna de la Fuente y Jaime López*

Despierta,
dulce amor de mi vida,
despierta,
si te encuentras dormida.

Escucha mi voz
vibrar bajo tu ventana,
en esta canción
te vengo a entregar
el alma.

Perdona,
que interrumpa tu sueño,
pero no pude más
y esta noche te vine
a decir: te quiero.

Te quiero,
te quiero,
te quiero.

## ESO

*Álvaro Carrillo*

Eso que tú me dijiste
la última vez,
eso que asesina,
eso, vida mía, no lo olvidaré.

Eso, mi canción nocturna
nunca lo cantó,
porque duele mucho
soportar la pena
de perder tu amor.

Si ya no me quieres
al menos no mientas
ni manches tu vida,
es mejor que dejes
cicatrices buenas
sobre mis heridas.

Y pensar que tuve
tan cerca otros labios
y los desprecié,
pero no me quejo,
fue maravilloso
lo que te robé.

## OJOS CAFÉS

*Carlos A. González*

Café de un café obscuro
son tus ojos,
con tintes luminosos de pasión;
rubíes son tus labiecitos rojos,
rojos y ardientes como el corazón.

Me miré en el fondo de tus lindos ojos,
en ellos vi mi adoración, mi fe;
éste es mi camino
sembrado de abrojos,
como linda estrella lo iluminas tú.

Al sentir tus labios cerca de los míos,
la emoción me llega hasta el corazón,
y al contemplarte postrado de hinojos,
me miré en tus ojos de color café.

Me miré en el fondo de tus lindos ojos. . .

## EL ORGANILLERO

*Agustín Lara*

Cantando por el barrio del amor
se cansa mi organillo de llorar,
se mete en las orejas su rumor
y se oye por todita la ciudad.

Ya se va el organillero
con su tema juguetón,
que es olvido y es amor;
y se aturde todo el barrio
y se salta el corazón
cuando canta su canción.

En sus quejas dolorosas
cuántas cosas me contó,
sonecito callejero
lastimero y juguetón.

Ya se va el organillero
nadie sabe adonde va;
dónde guarda su canción,
pobrecito organillero
si el manubrio te cansó,
dale vuelta al corazón.

## DESAMPARADA

*Hermanos Martínez Gil*

A solas caminando,
caminando por la vida
sin saber a dónde vas.

Te consume la tristeza,
vas llorando,
sin saber dónde tu vida
terminar.

Desamparada,
vas caminando por el mundo
con la esperanza de librarte
de tu dolor que es tan profundo.

Desamparada,
vas con el alma hecha pedazos
y con un niño en brazos
único fruto de tu amor.

Desamparada,
desamparada del amor.

## SIN UN AMOR

*Alfredo Gil y Chucho Navarro*

Sin un amor,
la vida no se llama vida,
sin un amor,
le falta fuerza al corazón.

Sin un amor,
el alma muere destrozada,
desesperada en el dolor,
sacrificada sin razón
sin un amor, no hay salvación.

No me dejes de querer te pido
no te vayas a ganar
mi olvido.

Sin un amor,
el alma muere destrozada,
desesperada en el dolor,
sacrificada sin razón
sin un amor, no hay salvación.

## MALDITO CORAZÓN

*Chucho Navarro*

¡Maldito corazón!,
si yo pudiera
arrancar de tus fibras
esta loca pasión.

Renacería mi vida,
tendría nueva ilusión,
pero tú eres esclavo,
¡maldito corazón!

Si pudiera arrancar este amor
que es gloria y maldición,
si pudiera volver a ser mío
mi propio corazón.

Renacería mi vida,
tendría nueva ilusión,
pero tú eres su esclavo,
¡maldito corazón!

## MUCHO CORAZÓN

*Bolero*

*Emma Elena Valdelamar*

Di si encontraste en mi pasado
una razón para olvidarme
o para quererme.

Pides cariño, pides olvido
si te conviene, no llames corazón
lo que tú tienes.

De mi pasado, preguntas todo
que cómo fue, si antes de amar
debe tenerse fe.

Dar por un querer la vida
misma sin morir
eso es cariño
no lo que hay en ti.

Yo para querer
no necesito
una razón
me sobra mucho
pero mucho corazón.

De mi pasado preguntas todo. . .

## NUESTRO JURAMENTO

*Olimpo Cárdenas*

No puedo verte triste porque me mata
tu carita de pena, mi dulce amor,
me duele tanto el llanto que tú derramas
que se llena de angustia mi corazón.

Yo sufro lo indecible si tú entristeces,
no quiero que la duda te haga llorar
hemos jurado amarnos hasta la muerte
y si los muertos aman, después de muertos
amarnos más.

Si yo muero primero, es tu promesa
sobre de mi cadáver, dejar caer,
todo el llanto que brote de tu tristeza,
y que todos se enteren de tu querer.

Si tú mueres primero, yo te prometo,
escribiré la historia de nuestro amor,
con toda el alma llena de sentimiento,
la escribiré con sangre,
con tinta sangre, del corazón. . .

## ME CASTIGA DIOS

*Alfredo Gil*

Me castiga Dios
porque aún te quiero,
sabiendo que engañas a mi corazón.

Te sigo queriendo, me sigues mintiendo,
y vivo engañado
sabiéndolo yo. . .

Muchas veces en silencio estoy llorando
y bebiendo la amargura
de mi llanto.

Me da pena de mí mismo
por cobarde, al callarme la vergüenza
de tu engaño.

Me castiga Dios porque aún te quiero
sabiendo que engañas a mi corazón,
sabiendo que tú no mereces que nadie
te mire un momento ni por compasión.

Me castiga Dios, me castiga Dios.

## CANCIÓN SIN NOMBRE

*L. y M. de los Hermanos Martínez Gil*

Quiero arrancar a tus ojos
aunque sea una mirada,
a tu boca un suspiro,
un suspiro de amor.

Quiero robar a tus manos
aunque sea una caricia,
y quedarme en tus brazos
rendido de amor.

Tanto he deseado tenerte
besarte en la boca, hasta verla sangrar;
mucho he soñado quererte
y saber que me quieres de verdad.

Quiero fundirme en tu vida
y llevarte prendida,
aunque se abra una herida
que sangre por ti.

## ENAMORADA

*L. y M. de Consuelo Velázquez*

Así. . . enamorada,
entrégame tú
la caricia suprema de amor,
con luz en la mirada
que ahuyente esa lágrima tuya
y olvide el dolor.

Así. . . enamorada
escucha esta canción,
que es para ti
y deja que esta noche apasionada
el mundo juzgue locos a los dos.

## MORENA LINDA

*Gonzalo Curiel*

De lejos vengo, morena
a tejer entre tus rejas mi pena;
perfumaré tus pasiones
con mis mejores canciones. . . ¡ay!
Te quiero morena linda.

Sellar quisiera tus ojos
y que a nadie más miraran, morena,
por eso vengo a tu reja,
para que alivies mi queja. . . ¡ay!
Te quiero, morena linda.

El sol requema la arena
y tu amor me quema el alma, morena,
ser un clavel yo quisiera
que entre tus labios muriera. . . ¡ay!
Te quiero, morena linda.

## ME GUSTAS MUCHO

*Bolero*
*Miguel A. Pazos*

Me gustas mucho,
mucho, pero mucho;
me gustas tanto,
tanto que no sé
si decirte que estoy enamorada,
o decirte que estoy loca por tu amor.

Y te juro que algo tengo que decirte,
sólo temo no sabértelo decir,
y es tan fácil como todo en esta vida,
como todas esas cosas del querer.

Me gustas mucho. . .

## SOLAMENTE UNA VEZ

*Bolero*
*Agustín Lara*

Solamente una vez amé en la vida,
solamente una vez y nada más,
una vez nada más en mi huerto
brilló la esperanza, la esperanza
que alumbra el camino de mi soledad.

Una vez nada más se entrega el alma,
con la dulce y total renunciación,
y cuando ese milagro
realiza el prodigio de amarse,
hay campanas de fiesta
que cantan en el corazón.

## ÓYELO BIEN

*Abel Domínguez*

Rodando por el mundo me enseñaron
que es imposible amar sin el olvido,
pero antes que lo hubiera yo aprendido
mis ojos se nublaron de llorar.

Por eso en mi vivir,
cansado de sufrir
ya puedo en el amor aconsejar.

No le debes tú nunca decir a una mujer
lo que la quieres,
pues es muy difícil conocer
el corazón de las mujeres.

Y por más que tu amor se desespere
no se debe asomar porque se muere.
Si le tienes tú veneración
a una mujer no se lo digas.

Ni jamás le formes un altar
en tu querer porque te olvida.
Mientras más vea que la desprecias
más te querrá y nunca ya te olvidará.

## DE CORAZÓN A CORAZÓN

*L. de Ricardo López Méndez*
*M. de Gabriel Ruiz*

De corazón a corazón,
con la mayor sinceridad,
oye mi confesión de amor
que sólo tú sabrás.

Para adorarte sólo yo,
para quererme sólo tú,
qué locura querer así
tú en mí. . . yo en ti
muriendo de amor.

Con mi dolor hecho verdad
con tu verdad hecha dolor,
hoy que habré de partir
sin que pueda llorar.

En donde quiera he de pensar en ti,
con la esperanza de tornar,
de corazón a corazón
te digo. . . que te quiero.

## SOBERBIA

*L. de R. Sandoval*
*M. de Gabriel Ruiz*

Yo vivo en tu pensamiento
y no lo puedo negar,
lo digo porque lo siento
y si lo siento es verdad.

Tu amor será siempre mío
quién me lo puede quitar,
ni un ángel sobre la tierra,
ni un genio bajo la mar.

Es inútil que tú trates
de buscar otro querer,
de tu amor estoy seguro
y eso me hace envanecer.

Soberbia de que me adores
sin poderlo remediar
que me implores, que me ruegues,
y verte a mis pies llorar.

## TE QUIERO, DIJISTE

*María Grever*

Te quiero, dijiste,
tomando mis manos
entre tus manitas
de blanco marfil.

Y sentí en mi pecho
un fuerte latido,
después un suspiro,
y luego el chasquido
de un beso febril.

Muñequita linda,
de cabellos de oro,
de dientes de perlas,
labios de rubí.

Dime si me quieres
como yo te adoro,
si de mí te acuerdas
como yo de ti.

A veces escucho
un eco divino
que envuelto en la brisa
parece decir:

"Sí, te quiero mucho,
mucho, mucho, mucho,
tanto como entonces,
siempre, hasta morir".

## SEÑORA TENTACIÓN

*Bolero*
*Agustín Lara*

Debo a la luna
el encanto de tu fantasía,
y a tu mirada
el dolor y la melancolía.

Quiero decirte
mi trivial canción,
quiero cantarte
Señora Tentación.

Señora Tentación,
de frívolo mirar,
de boca deliciosa
ansiosa de besar.

Mujer hecha de miel
y rosas en botón,
mujer encantadora
Señora Tentación.

Romántica mujer
si fueras mi expiación,
quisiera tu sonrisa,
ceniza de ilusión.

Quisiera el sortilegio,
de tus verdes ojazos
y el nudo de tus brazos,
Señora Tentación.

## TOTAL

*Ricardo G. Perdomo*

Pretendiendo humillarme, pregonaste
el haber despreciado mi cariño
y fingiendo una pena honda imaginaste
que moriría de desesperación.

Total, si me hubieras querido
ya me hubiera olvidado de tu querer;
ya ves que fue tiempo perdido
el que tú has meditado
para ahora decirme que no puede ser.

Pensar que llegar a quererte
es creer que la muerte
se pudiera evitar.

Total, si no tengo tus besos
no me muero por eso,
yo ya estoy cansado de tanto besar.

Viví sin conocerte
puedo vivir sin ti.

## TORMENTO

*L. y M. de Abel Domínguez*

Si alguna vez pudieras saber
que eres tú mi tormento,
lo que tú me haces a mí
ya no tiene perdón.

Pues si te quiero besar
me envenenan tus besos,
porque tú siembras el mal
sobre mi corazón.

Quisiera que no fueras así,
que tuvieras otra alma,
que no me hicieras sufrir,
pero no puede ser.

Y yo no te he de olvidar
porque no puedo,
mejor me muero
que dejarte de amar.

## NO ME PLATIQUES

*Bolero*
*Vicente Garrido*

No me platiques más
lo que debió pasar,
antes de conocernos,
sé que has tenido
horas felices
aun sin estar conmigo. . .

No quiero ya saber
qué pudo suceder en esos años
que tú has vivido
con otras gentes,
lejos de mi cariño.

Te quiero tanto, que me encelo
hasta de lo que pudo ser;
y me figuro que por eso
es que yo vivo tan intranquilo.

No me platiques más,
déjame imaginar
que no existe el pasado
y que nacimos
el mismo instante
en que nos conocimos.

## TIPITIPITÍN

*Vals*
*María Grever*

Ladrón de amores me llaman
por robarme tu cariño,
como juguete que a un niño
se le antojara al pasar.

Con él me robé tus besos
y un rizo de tus cabellos,
pero me he enredado en ellos
y no me puedo escapar.

Tipitipitín, tipitín,
tipitipitón, tipitón,
todas las mañanas
bajo su ventana
canto esta canción.

Tipitipitín, tipitón,
tipitípitón, tipitón,
éste es el sonido
de un fuerte latido
de mi corazón. . .

Con mi guitarra en la mano
y en ella un ramo de flores,
por las mañanas temprano
voy cantando mis amores.

Y en mi cantar voy diciendo
que nunca te he de olvidar,
que aunque la vida me cueste
de cantar no he de dejar.

Tipitipitín, tipitín,. . .

## NOCHE DE RONDA

*Vals*

*Agustín Lara*

Noche de ronda, qué triste pasas,
qué triste cruzas por mi balcón.
Noche de ronda, cómo me hieres,
cómo lastimas mi corazón.

Luna que se quiebra
sobre la tiniebla de mi soledad,
¿a dónde vas?
Dime si esta noche
tú te vas de ronda como ella se fue.
¿Con quién estás?

Dile que la quiero,
dile que me muero de tanto esperar,
que vuelva ya;
que las rondas no son buenas,
que hacen daño, que dan penas,
que se acaba por llorar.

## NOCHE DE LUNA

*L. y M. de Gonzalo Curiel*

Soñar en noche de luna,
oyendo que el mar canta, canta. . .
y que, pintada en la noche,
la luna se ve blanca, blanca. . .

Así, en pleno derroche
de luna y de mar, sufro, sufro. . .
¡qué me importa el canto del mar
si estoy solo con mi penar,
tan lejos. . . lejos de ti!

## PIÉNSALO BIEN

*Bolero*
*Agustín Lara*

Piénsalo bien, mulata, piénsalo bien;
mira que mi alma se atormenta sin tu amor,
mira cómo sufro, mira cómo lloro,
que solamente Dios sabe lo que paso yo.

Sé que tus rosales florecieron para mí;
dame la sonrisa que dibuja la esperanza,
dime que no te perdí,
dame el consuelo del alma.

Ven, que mi cabaña con la luna pintaré,
contando las horas de la noche esperaré;
piensa, mujer, que te quiero deveras,
¡piénsalo, piénsalo bien!

## TE TRAIGO SERENATA

*L. y M. de Ignacio Jaime*

La noche ya dormida
despierta con mi canto,
y en su negro manto
recoge mi voz.

Con ecos de mi lira
la dejo en tu regazo
junto con pedazos,
junto con pedazos de mi corazón.

Te traigo serenata
amor de mi vida,
te traigo a tu ventana
canciones bonitas.

Te traigo en esas notas
suspiros del alma,
las penas amargas
se alejan de mí.

Escucha las guitarras
que bajan con ellas,
las luces que engalanan
el cielo de estrellas.

No dejes que me vaya
sin darte un besito,
y muy despacito
me digas que sí.

## SOLO

*Alfredo Gil*

Sé muy bien que te vas
y sufro tanto,
solo me dejarás
por otro amor.

Pero ¿qué voy a hacer?
Si así lo quieres
sacrifico mi amor,
te dejaré partir
con tu nueva ilusión.

Solo me dejarás,
solo muy solo,
sé que no volverás
nunca jamás.

Solo, siempre solo
sin tu dulce calor
solo quedó mi amor.

## ORACIÓN CARIBE

*Agustín Lara*

Oración caribe
que sabe implorar,
salmo de los negros,
oración del mar.

Piedad, piedad para el que sufre,
piedad, piedad para el que llora,
un poco de calor en nuestras vidas
y una poca de luz en nuestra aurora.

Piedad, piedad para el que sufre,
piedad, piedad para el que llora,
un poco de calor en nuestras vidas
y una poca de luz en nuestra aurora.

## SÉ MUY BIEN QUE VENDRÁS

*Bolero*
*Antonio Núñez M.*

Nuevamente vendrás hacia mí,
yo lo aseguro,
cuando nadie se acuerde de ti
tú volverás.

Y otra vez hallarás en mi ser
el consuelo para tu dolor,
y otra vez volverá a renacer
nuestra felicidad.

Nuevamente vendrás hacia mí.
yo lo aseguro,
cuando nadie se acuerde de ti
tú volverás.

Cuando estés convencida
que nadie en el mundo,
te puede querer como yo
tú vendrás a buscarme,
sé muy bien que vendrás.

## TE VENGO A DECIR ADIÓS

*Bolero*

*A. Domínguez*

Te vengo a decir adiós
porque tú no me comprendes,
me voy a alejar de ti
para ver si así me entiendes.

Me duele el corazón,
yo no me explico este llanto,
pues queriéndote yo tanto
vengo a decirte adiós.

Yo te adoré
y tú nunca me quisiste,
vive feliz
aunque yo me quede triste.

No me vayas a olvidar,
por tu madre te lo pido,
nunca me eches al olvido,
porque tú eres mi Dios.

Yo te adoré
y tú nunca me quisiste,
vive feliz
aunque yo me quede triste.

No me vayas a olvidar,
por tu madre te lo pido,
nunca me eches al olvido,
porque tú eres mi Dios.

## DUERME

*L. de Gabriel Luna de la Fuente*
*M. de Miguel Prado*

Sueña,
sueña mientras yo te arrullaré
con el hechizo de esta canción
que para ti forjé.

Duerme,
duerme tranquila, mi dulce bien,
que contemplándote con pasión
la noche pasaré.

Yo bien quisiera
que nada apartarnos pudiera jamás;
porque mi amor y mi vida y mi todo
eres tú, mujercita ideal.

Duerme,
duerme mientras yo te arrullaré
con el hechizo de esta canción
que para ti canté.

## NOCHE NO TE VAYAS

*Bolero*
*Roberto Cantoral*

Noche, no te vayas,
quédate con nosotros para siempre,
tú que sabes que somos dos amantes,
que vivimos dos vidas diferentes.

Noche, no te vayas,
míranos qué felices nos sentimos
en un mundo de amor incomparable,
en un mundo que nunca conocimos.

Si la gente la espalda nos da
por las leyes haber quebrantado,
quebrantado,
que nos diga quienquiera que juzgue
si en su vida jamás ha pecado.

Noche, no te vayas,
déjanos en tu manto eternizarnos,
no queremos vivir el nuevo día,
preferimos morir que separarnos.

Si la gente la espalda nos da. . .

## NUBE GRIS

*Vals*
*E. Márquez*

Si me alejo de ti
es porque he comprendido
que soy la nube gris
que nubla tu camino.

Me voy para dejar
que cambie tu destino,
que seas muy feliz
mientras yo busco olvido.

Otra vez volveré a ser
el errante trovador
que anda en busca del amor,
del amor de esa mujer.

Se perdió el celaje azul
donde brillaba mi ilusión,
vuelve la desolación,
vivo sin luz.

## PENSANDO EN TI

*Alfonso Torres*

Pensé que este nuevo cariño
podría de mi mente alejarte
calmando mi dolor,
pero estas caricias extrañas me matan,
no son tus labios, no son tus besos.

Me estrechan dos brazos ajenos
y cierro los ojos pensando en ti. . .
nomás en ti.

Y siento tu alma muy junto a la mía.
Vivo pensando en ti. . . nomás en ti.

## NO TRATES DE MENTIR

*Bolero*
*Alfredo Gil*

No trates de mentir
diciendo que es a mí
a quien amas con pasión;
no trates de mentir
que nunca engañarás
tu propio corazón.

Si tienes duda de volver
debes pensarlo bien,
así después no pasarás
por otro cruel desdén.

No trates de engañar
y por temor a herir
ocultes tu maldad;
si bien no he de reír
tampoco he de llorar,
no trates de mentir.

## MUCHACHITA

*Mario Ruiz Armengol*

Lindos ojos en tu cara
y mirar de tentación. . .
reina mía, si me miras
se me sale el corazón.

Muchachita primorosa,
qué alegría es tenerte para mí nomás;
muchachita que supiste de mis penas
y cambiaste mi dolor en cosas buenas;
muchachita primorosa,
mi existir y mi amor eres tú. . .

Sólo tú.

## PALMERA

*Bolero*

*Agustín Lara*

Hay en tus ojos
el verde esmeralda
que brota del mar,
y en tu boquita,
la sangre marchita
que tiene el coral.

En la cadencia
de tu voz divina,
la rima de amor.

Y en tus ojeras,
se ven las palmeras,
borrachas de sol.

## NOSOTROS

*L. y M. de Pedro Junco*

Atiéndeme, quiero decirte algo
que quizá no esperes,
doloroso tal vez.

Escúchame que, aunque me duela el alma,
yo necesito hablarte y así lo haré.

Nosotros, que fuimos tan sinceros,
que desde que nos vimos
amándonos estamos.

Nosotros, que del amor hicimos
un sol maravilloso,
romance tan divino.

Nosotros, que nos queremos tanto,
debemos separarnos,
no me preguntes más.

No es falta de cariño,
te quiero con el alma,
te juro que te adoro,
y en nombre de este amor
y por tu bien te digo adiós.

## EL CIELO, EL MAR Y TÚ

*Agustín Lara*

El cielo, el mar y tú,
un cuadro encantador;
remanso de mis sueños,
nido de palomas, nido del amor.

En esta noche azul
que invita a enamorar,
la brisa desde Nápoles
te viene a acariciar.

Amor, asómate al balcón,
tus ojos quiero contemplar,
comprende que sin ti no vivo
piensa que la noche se hizo para amar.

Permíteme turbar
de tu alma la quietud,
recuerda que mi vida son:
el cielo, el mar y tú.

## NAUFRAGIO

*Bolero*
*Agustín Lara*

De aquel sombrío misterio
de tus ojos
no queda ni un destello
para mí;
y de tu amor de ayer
sólo despojos
naufragan en el mar
de mi vivir.

No te debía querer
pero te quise;
no te debía olvidar
y te olvidé.

Me debes perdonar
el mal que te hice,
que yo de corazón
te perdoné.

## NUESTRA CITA

*L. y M. de Arturo Núñez*

Hoy, mi vida, faltaste a la cita
y yo espera y espera por ti,
qué te pasa, has estado malita
o es que ya no te acuerdas de mí.

Hoy han sido más fuertes las ganas,
las ganas de verte y no pudo ser,
y tendré que esperar a mañana
porque hoy no es posible
que yo te pueda ver.

Hoy no te vi, te estuve esperando,
faltaste a la cita y no sé por qué,
hoy no te vi, te estuve esperando,
y estuve sufriendo al verme sin ti.

Te estuve esperando,
pasaron las horas y tú sin venir,
mañana te espero a la misma hora,
no dejes de ir.

## NEGRURA

*Bolero*
*Güicho Cisneros*

Tengo una pena en el alma,
tengo una pena de amor,
desde que no puedo verte
mucho he llorado porque yo
tengo una pena en el alma,
tengo una pena de amor,
cuando más pude quererte
sin detenerte te dije adiós.

Hay una cosa muy negra en tu vivir
que roba lo que ya fue mío
tu amor, tu dicha, tus besos,
tu encendido corazón.

Esa negrura que ronda por tu ser
tal vez sea un gran querer lejano
que ya te pidió tu mano
y tú acudes sin volver.

Para mí tú eres negra ya
y en tinieblas vivo sin ti,
para mí tú eres negra ya
y en las sombras ya te perdí.

## MI PLEGARIA

*Pérez Rodas*

Si en la noche azul
oyes el eco enamorado de mi voz,
escúchalo mi bien, escúchalo mi bien,
que es para ti.

Piensa, corazón,
que lo nuestro es como un claro manantial,
en donde brotan gotas de cristal
que nacen de mi triste inspiración,
ven a mi corazón
de mi triste inspiración.

Oye, mi bien, la plegaria
que nace de mi
dulce amor.

Ven, con el fin de decirte lo que te amo yo,
dulce amor.

Si en la noche azul. . .

## MI MAGDALENA

*Chucho Martínez Gil*

Con el fulgor de una estrella
iluminaron tu cara,
por eso tú eres tan bella,
tan adorable como una reina.

Tus ojos son dos luceros,
tu boca es una manzana
y tus cabellos reflejan
el sol brillante de la mañana.

Te quiero tanto, te quiero
y mi guitarra lo sabe,
y llevo dentro del pecho
amor tan grande que ya no cabe.

Te quiero tanto, te quiero,
porque conmigo eres buena,
porque también tú me quieres,
mi Magdalena, mi Magdalena.

Te quiero tanto, te quiero. . .

## MISERIA

*Miguel A. Valladares*

Caminé
con los brazos abiertos,
por hallar un cariño,
una sola amistad. . .

Y qué es lo que tengo
y tú que me diste,
tan sólo mentiras,
cansancio. . ., miseria.

Miseria que llevo en la vida
hace mucho tiempo,
como una tragedia escondida
en mi sufrimiento;
migaja de besos,
limosna de todo
es lo que me has dado
como un ser malvado,
como a un criminal.

Miseria que llena de espanto
porque no me quieres,
miseria que es odio y es llanto
porque sé quién eres. . .

Quién sabe hasta cuándo
seguiré esperando
que cambie mi suerte
o venga la muerte
como bendición.

## LIMOSNA

*Agustín Lara*

Dame un poquito de tu amor siquiera,
dame un poquito de tu amor nomás,
dale a tu boca la ilusión primera
en un beso que nunca olvidarás.

Porque deja la huella insensata
del primer olvido,
porque así como yo te he querido
no querré jamás.

Dame un poquito de tu amor siquiera,
dame un poquito de tu amor nomás.

# MARÍA BONITA

*Vals*
*Agustín Lara*

Acuérdate de Acapulco,
de aquella noche,
María Bonita, María del alma;
acuérdate que en la playa,
con tus manitas las estrellitas
las enjuagabas.

Tu cuerpo, del mar juguete, nave al garete,
venían las olas, lo columpiaban,
y mientras yo te miraba,
lo digo con sentimiento,
mi pensamiento me traicionaba.

Te dije muchas palabras, de esas bonitas
con que se arrullan los corazones,
pidiendo que me quisieras,
que convirtieras
en realidades mi ilusiones.

La luna que nos miraba
ya hacía ratito
se hizo un poquito desentendida,
y cuando la vi escondida
me arrodillé pa' besarte
y así entregarte toda mi vida.

Amores habrás tenido, muchos amores,
María Bonita, María del alma;
pero ninguno tan bueno ni tan honrado
como el que hiciste que en mí brotara.

Lo traigo lleno de flores
como una ofrenda,
para dejarla bajo tus plantas;
recíbelo emocionada
y júrame que no mientes,
porque te sientes idolatrada.

## MORENITA MÍA

*L. y M. de Armando Villarreal*

Conocí a una linda morenita
y la quise mucho,
por las tardes iba enamorado
y cariñoso a verla,
y al contemplar sus ojos
mi pasión crecía;
¡ay! morena, morenita mía,
no te olvidaré.

Hay un amor muy grande
que existe entre los dos,
ilusiones blancas
y rosas como la flor.

Un cariño y un corazón
que siente y que ama.
Si no me olvidas
siempre felices
seremos los dos.

Yo le dije que de ella tan sólo
estaba enamorado
que sus ojos como dos luceros
me habían fascinado.

Cuando solo pienso en ella
mucho más la quiero,
¡ay! morena, morenita mía,
no te olvidaré.

Hay un amor muy grande. . .

## MAR

*L. de Ricardo López Méndez*
*M. de Gabriel Ruiz*

Mar, se me fue,
dijo adiós en tu azul lejanía;
mar, sabes bien
cómo duele perder un amor.

Siento que llevan tus olas
vago rumor de su voz,
pero me quedo en las sombras
con mi desesperación.

Mar, se me fue,. . .

## NOCHE CRIOLLA

*Bolero*
*Agustín Lara*

Noche tibia y callada de Veracruz,
canto de pescadores que arrulla el mar,
vibración de cocuyos que con su luz
bordan de lentejuelas la obscuridad,
bordan de lentejuelas la obscuridad.

Noche tropical
pálida y sensual,
noche que se desmaya sobre la arena,
mientras la playa canta su inútil pena.

Noche tropical,
cielo de tisú,
tienes la sombra de una mirada criolla,
noche de Veracruz,
noche de Veracruz. . .

## PALABRAS DE MUJER

*Bolero*

*Agustín Lara*

Palabras de mujer
que yo escuché
cerca de ti,
junto de ti, muy quedo,
tan quedo como nunca.

Las quiero repetir
para que tú,
igual que ayer,
las digas sollozando,
palabras de mujer. . .

Aunque no quieras tú,
ni quiera yo, lo quiso Dios,
hasta la eternidad
te seguirá mi amor.

Como una sombra iré,
perfumaré
tu inspiración,
y junto a ti estaré
también en el dolor.

Aunque no quieras tú,
ni quiera yo, lo quiso Dios,
hasta la eternidad
te seguirá mi amor.

Hasta en tus besos
me hallarás,
hasta en el agua
y en el sol,
aunque no quieras tú,
aunque no quiera yo.

## PERDIDA

*Bolero*
*Chucho Navarro*

Perdida,
te ha llamado la gente,
sin saber que has sufrido
con desesperación.

Vencida,
quedaste tú en la vida
por no tener cariño
que te diera ilusión.

Perdida,
porque al fango rodaste
después que destrozaron
tu virtud y tu honor.

No importa
que te llamen perdida,
yo le daré a tu vida,
que destrozó el engaño,
la verdad de mi amor.

## NEGRA CONSENTIDA

*L. y M. de Joaquín Pardavé*

Noche. . . noche. . .
te llama el amor.
Noche. . . noche. . .
tú eres una flor.

En la noche su amor
te canta el trovador.
Noche. . . noche. . .
te llama el amor.

Noche. . . noche. . .
tú eres una flor.
Que en la noche su amor
te canta el trovador.

Negra, negra consentida,
negra de mi vida
¿quién te quiere a ti?,
mira, mi alma dolorida,
negra consentida,
y todo por ti.

Negra, negra consentida,
negra de mi vida
deja de llorar,
mira que mi pecho amante
está rebosante
de felicidad.

## MIL NOCHES

*Bolero*
*Cuauhtémoc Ávila*

Después de tantas noches
de amargos sufrimientos,
por no saber de ti,
ya ves, no te he olvidado,
tampoco traicionado,
te sigo siendo fiel.

Y pasará una noche,
y pasarán mil noches,
y tú jamás vendrás,
pero yo que te sigo adorando
seguiré con mi amor esperando
aunque sufra más.

Después de tantas noches. . .

## LUNA DE OCTUBRE

*L. y M. de José A. Michel*

De las lunas la de octubre es más hermosa,
porque en ella se refleja la quietud,
de dos almas que han querido ser dichosas,
al arrullo de su plena juventud.

Corazón, que has sentido el calor
de una linda mujer en las noches de octubre,
corazón, que has sabido sufrir
y has sabido querer desafiando al dolor.

Hoy que empieza la vida tan sólo al pensar
que tu amor se descubre,
el castigo de ayer que me diste tan cruel
parece que murió.

Si me voy, no perturbes jamás
la risueña ilusión de mis sueños dorados,
si me voy, nunca pienses jamás
que es con único fin de estar lejos de ti.

Viviré con la eterna pasión que sentí
desde el día en que te vi,
desde el día en que soñé
que serías para mí.

## PERDÓNAME MI VIDA

*L. de J.A. Zorrilla*
*M. de Gabriel Ruiz*

Si acaso te ofendí, perdón,
si en algo te engañé, perdón,
si no te comprendí, perdón,
perdóname mi vida.

Por ser como yo soy, perdón,
por este amor sin fin, perdón,
por todo tu dolor, perdón,
perdóname mi vida.

Se me desborda el corazón
con sólo oír tu voz,
con sólo pensar en ti,
con sólo pasar nomás.

Y aunque el orgullo
me aconseja no buscarte más,
tengo el valor de repetir
con ansiedad:

Si acaso te ofendí, perdón. . .

## PECADORA

*Bolero*
*Agustín Lara*

Divina claridad
la de tus ojos,
diáfanos como gotas de cristal,
uvas que se humedecen con sollozos,
sangre y sonrisas juntas al mirar,
sangre y sonrisas juntas al mirar.

¿Por qué te hizo el destino pecadora,
si no sabes vender el corazón?,
¿por qué pretende odiarte quien te adora?,
¿por qué vuelve a quererte quien te odió?

Si cada noche tuya es una aurora,
si cada nueva lágrima es el sol,
¿por qué te hizo el destino pecadora,
si no sabes vender el corazón?

## MIL BESOS

*Bolero*
*Emma Elena Valdelamar*

He encontrado en tu amor
la fe perdida,
y ahora tiene mi vida
una razón.

Yo no sé
si fue el embrujo de tus ojos
quien le dijo a tus labios:
"quítenle el corazón".

Yo sé que en los mil besos
que te he dado en la boca
se me fue el corazón;
si dicen que es pecado
querer como te quiero,
quizá tengan razón.

Pero qué ha de importarme
todo lo que me digan
si no te he de olvidar;
que si es pecado amarte
yo he de vivir pecando,
¿por qué lo he de negar?

Te he de seguir amando,
te seguiré besando
aunque me vuelva loca;
hasta que me devuelvas
el corazón que en besos
yo te dejé en la boca.

## NO DEJES DE QUERERME

*Ramón Inclán*

No dejes de quererme,
no dejes de besarme,
que yo sin tus besos
no puedo vivir.

No dejes de quererme,
no dejes de mirarme,
que sin tus miradas
no hay ilusión.

Porqué. . .
sin tu amor
todo es tristeza
en mi corazón.

No dejes de quererme,
no dejes de besarme,
que yo sin tus besos
no puedo vivir.

No dejes de quererme,
no dejes de mirarme,
que sin tus miradas
no hay ilusión.

Porqué. . .
sin tu amor
todo es tristeza
en mi corazón.

## NUNCA JAMÁS

*Bolero*
*Lalo Guerrero*

Nunca jamás
pensé llegar a quererte tanto.

Nunca jamás
pensé derramar mi llanto
por un amor
que había de pagarme así.

Sé que te vas,
te vas porque tú ya no me quieres,
piénsalo bien
porque me matarás.

Mírame, miénteme,
pégame, mátame si quieres,
pero no me dejes,
no me dejes nunca jamás.

Mírame, miénteme,
pégame, mátame si quieres,
pero no me dejes,
no me dejes nunca jamás.

## LLEGASTE TARDE

*L. y M. de Wello Rivas*

Llegaste tarde,
en el ocaso de tu vida breve,
a mis palabras tiernas confundiste
y por primera vez quisiste amar. . .

Pero era tarde,
y en la locura del placer humano
no comprendiste que un querer lejano
iba a arrancarme de tu amor tenaz.

En vano quise
hacerte ver las penas de la vida,
porque sabía
que nuestro amor, era un amor fugaz. . .

Llegaste tarde,
pero quisiste conocer mi vida
y ahora te dejo con mi amor la herida
que de tu alma no podrás borrar.

## LLORAREMOS LOS DOS

*Fernando Z. Maldonado*

Sucedió lo que nunca pensé,
que después de querer con locura
ya nada quedó;
ya me voy para nunca volver,
buscaremos olvido en la ausencia
sin vernos jamás.

Qué dolor es perder un amor,
y es terrible que llegue de golpe
la desilusión,
y después, lloraremos los dos
porque siempre así pasa
cuando no hay remedio,
tener que llorar.

Qué dolor es perder un amor. . .

## LINDA BOCA

*Bolero*
*Alfredo M. Gil y Enrique Nery*

Linda boca loca de amor,
de aquellos besos que yo le di;
linda boca loca de amor,
de aquellos besos que yo le di.

Para aturdirla de los sentidos
le daba besos en los oídos,
para aturdirla de los sentidos
le daba besos en los oídos,
la vi tan linda, la vi tan loca,
que un beso ardiente le di en la boca.

Linda boca loca de amor,
de aquellos besos que yo le di,
linda boca loca de amor,
de aquellos besos que yo le di.

Pero quemaban sus labios rojos
y quise entonces besar sus ojos,
pero quemaban sus labios rojos
y quise entonces besar sus ojos,
ella me dijo con dulce calma
dame otro beso, pero en el alma.

## NO HAGAS LLORAR A ESA MUJER

*Bolero*
*Joaquín Pardavé*

No hagas llorar a esa mujer
tú que no sabes amar;
si ella te dio su querer
tú se lo debes pagar.

No hagas que pierda la fe
quien puso en ti su querer,
piensa en tu madre que fue
también mujer.

La vida pronto pasará,
la vida que hace envejecer,
y entonces tu alma llorará
lo que ha llorado esa mujer.

No digas nunca que olvidé
el recordarte un deber,
piensa en tu madre que fue
también mujer.

## MIENTES

*Balada*
*Daniel Pérez Arcaraz*

Mientes, si juras que nunca te besó el amor,
mientes, si dices que nunca yo te hablé de amor,
no sabes que con la mirada
mil veces te he besado yo.

Supe cómo sollozabas,
cómo suspirabas loca de pasión;
en mi mente te miraba ardiente
repetir mi nombre con adoración. . .

Mientes, si juras que nunca te besó el amor,
ciega que niegas
la luz que mi ilusión te dio;
pobre que ignoras
la flama que tu piel besó,
mil veces te sentí en mi boca,
mil veces que soñé con tu amor.

## DIEZ MINUTOS MÁS

*L. de J.A. Zorrilla*
*M. de Gabriel Ruiz*

Mira, no te vayas, quédate un momento,
quédate conmigo, tú no te me vas;
pase lo que pase, digan lo que digan
tú me perteneces, esa es la verdad.

Quédate un ratito, deja que te mire,
deja que mis manos se llenen de ti,
quiero que me beses y que me acaricies,
quiero lo que quieras,
pero quédate aquí.

Quédate un ratito, quédate en mis brazos,
deja que te quiera, déjate besar,
quédate en mis ojos,
quédate en mis manos,
quédate un ratito. . . diez minutos más.

## LUZ DE LUNA

*Vals peruano*
*Álvaro Carrillo*

Yo quiero luz de luna
para mi noche triste,
para sentir divina
la ilusión que me trajiste.

Para sentirte mía,
mía tú como ninguna,
pues desde que te fuiste
no he tenido luz de luna,
pues desde que te fuiste
no he tenido luz de luna.

Yo siento tus amarras
como garfios, como garras
que me ahogan en la playa
de la farra y del dolor.

Si llevo tus cadenas a rastras
en mi noche callada,
que sea plenilunada,
azul como ninguna.

Pues desde que te fuiste
no he tenido luz de luna,
pues desde que te fuiste
no he tenido luz de luna.

Si ya no vuelves nunca
provincianita mía,
a mi selva querida
que está triste y está fría.

Al menos tu recuerdo
ponga luz sobre mi bruma,
pues desde que te fuiste
no he tenido luz de luna,
pues desde que te fuiste
no he tenido luz de luna.

## TÚ

*Gonzalo Curiel*

Tú que te ligaste a mi tristeza
con tu risa traviesa
que vistiera de blanco mi pena. . .
di, si eres una promesa
que a mi dolor nunca serás ajena.

Tú, la de la boca tempranera,
debes ser la primera
en saber de mi amargo quebranto. . .
Yo, que odio la vida entera,
dime por qué
a ti te quiero tanto.

## LA NÚMERO CIEN

*Canción bolero*
*E. Cortázar y Manuel Sabre Marroquín*

Yo sé que andas diciendo
que nunca me has querido,
que sólo fui en tu vida
un rato de placer.

Que al verme te recuerdo
un raro parecido
con otro que hace tiempo
dejaste de querer.

Y sé que estás mintiendo,
porque sé que me quieres,
me lo han dicho tus ojos
y tus labios también.

Perdono tus ofensas
porque sé lo que eres:
la mujer que en mi vida
fue la número cien.

## NOCTURNAL

*L. José Mojica*
*M. José Sabre Marroquín*

A través de las palmas
que duermen tranquilas
la luna de plata
se arrulla en el mar tropical
y mis brazos se tienden hambrientos
en busca de ti.

En la noche un perfume de flores
evoca tu aliento embriagante
y el dulce besar de tu boca
y mis labios esperan sedientos
un beso de ti.

Siento que estás junto a mí
pero es mentira, es ilusión.
¡Ay!

Y así paso las horas
y paso las noches,
pidiendo a la vida
el milagro de estar junto a ti
y tal vez ni siquiera en tus sueños
te acuerdes de mí.

## CAMINOS DE AYER

*L. y M. de Gonzalo Curiel*

Caminos de ayer,
pasado de un romance que fue,
caminos donde sangrara mi corazón.

Para qué la quiero,
para qué la espero,
si nomás se me hace
pedazos el alma
de esperar.

Caminos de ayer,
pasado de un romance que fue,
caminos donde sangrara mi corazón.

Recordar su amor
es volver a vivir,
las horas que ya se fueron no volverán
jamás.

## CASUALIDAD

*Gonzalo Curiel*

Para encontrar otra vez tu dulzura
ya no creo ni en la casualidad,
me dejaste tan honda desventura
que me estoy muriendo en mi soledad.

¡Ay!, que triste es no tener ya nada,
ni siquiera esperanza de olvidar,
fue tan fugaz la dicha soñada
que no hay casualidad
para volverte a amar.

## FELICIDAD

*Armando Manzanero*

Felicidad,
hoy te vuelvo a encontrar,
cuanto tiempo huiste de mí.

Felicidad,
no, no te vuelvo a dejar,
no podría vivir ya sin ti.

Hoy amanece y el sol
tiene un raro esplendor,
escucho al viento pasar,
veo la luna brillar;
al mismo cielo lo miro
con otro color,
nada es nuevo,
sólo que te conocí.

Felicidad. . .

## MUY QUEDITO

*Gonzalo Curiel*

Muy quedito
va mi canción,
va brotando del corazón,
viene a entregarte
las palabras del amor.

Óyeme y calla
muy solita junto a mí,
es como lluvia de sol
sobre tu altar,
es como lenta oración
para ti.

## TU PARTIDA

*Canción fox*
*L. de Ricardo López Méndez*
*M. de María Elisa Curiel*

¡Ay!, qué amargura dejaste en mi vida.
¡Ay!, qué fatiga de angustia y dolor,
cómo me duele, mujer, tu partida
hacia no sé qué otro puerto lejano de amor.

¿Quién borrará de tus labios mis besos?
¿Quién mis caricias te hará olvidar?
Yo sólo sé que te quiero en secreto,
tú si me olvidas tendrás que llorar.

## NOCHE

*Canción blues*
*L. de Ricardo López Méndez*
*M. de Gabriel Ruiz*

Noche. . .
que murió entre mis labios,
que se sigue muriendo,
con ansia de aventura.

Noche. . .
que se quema en mi sangre,
y entre sombra y recuerdo
envuelve el pensamiento.

Noche. . .
en que tuve tus besos,
míos, como tuyos los míos.
Vida. . .
detenerte quisiera
dentro de mí.

Noche. . .
que no llegue el olvido,
que haya siempre un latido
de amor en tu corazón.

Noche. . .
tu perfume se queda
envuelto en la seda
de una canción.

## HUMANIDAD

*Canción Bolero*
*Alberto Domínguez*

Oye lo que yo te canto,
perlas de mi llanto
para tu collar.
Sabes que te quiero mucho
y quien nos separa es la humanidad.

Humanidad, hasta dónde nos vas a llevar;
por tu trágico sino
¿cuál será mi destino?
Humanidad, yo de sangre te he visto teñir,
pobrecito del mundo,
pobrecito de mí.

Si rodando los dos por el mundo
un encuentro nos diera el ocaso,
sólo un beso, tal vez un abrazo,
te daré, nada más te daré.

Humanidad, hoy de ti me separa el deber,
quiera Dios que mañana
nos volvamos a ver.

## GEMA

*Canción Bolero*
*Güicho Cisneros*

Tú, como piedra preciosa,
como divina joya,
valiosa de verdad;
si mis ojos no me mienten,
si mis ojos no me engañan,
tu belleza es sin igual.

Tuve una vez la ilusión
de tener un amor
que me hiciera valer,
luego que te vi, mujer,
yo te pude querer
con toditita mi alma.

Eres la gema que Dios
convirtiera en mujer
para bien de mi vida;
por eso quiero cantar
y gritar que te quiero,
mujer consentida.

Por eso elevo mi voz
bendiciendo tu nombre
y pidiéndote amor.

## COMO DOS PUÑALES

*Agustín Lara*

Como dos puñales de hoja damasquina,
tus ojazos negros —ojos de acerina—
clavaron en mi alma su mirar de hielo,
regaron mi vida con su desconsuelo.

Tus ojos bonitos, tus ojos sensuales,
tus lindos ojitos, como dos puñales.

Quiero ver en tus ojos el atardecer
y calmar la tristeza que hay en tu mirar
quiero sentirte mía, inmensamente mía,
que asesinen tus ojos sensuales,
como dos puñales, mi melancolía.

## HASTÍO

*Agustín Lara*

Como un abanicar de pavos reales
en el jardín azul de tu extravío,
con trémulas angustias musicales
se asoma en tus pupilas el hastío.

¿Es que quieren volver
tus amores de ayer a inquietarte,
y me pueden robar
el divino penar de adorarte?

¿Es que quieres sufrir
y volver a vivir tus desvelos?
¿O es que matan tu amor
poco a poco el dolor y los celos?

Tú has perdido la fe
y te has vuelto medrosa y cobarde.
El hastío es pavo real
que se aburre de luz en la tarde.

Si una vez asomó,
que no vuelva a tener la osadía
de manchar la esmeralda de tus ojos,
vida mía.

## GRANADA

*Agustín Lara*

Granada, tierra soñada por mí,
mi cantar se vuelve gitano cuando es para ti,
mi cantar, hecho de fantasía,
mi cantar, flor de melancolía
que yo te vengo a dar.

Granada, tierra ensangrentada
en tardes de toros,
mujer que conserva el hechizo
de los ojos moros.

Te sueño rebelde y gitana
cubierta de flores,
y beso tu boca de grana,
jugosa manzana
que me habla de amores.

Granada, manola cantada
en coplas preciosas,
no tengo otra cosa que darte
que un ramo de rosas,
de rosas de suave fragancia
que le dieran marco
a la Virgen Morena.
¡Granada, tu tierra está llena
de lindas mujeres, de sangre y de sol!

## IMPOSIBLE

*Agustín Lara*

Yo sé que es imposible que me quieras,
que tu amor para mí fue pasajero
y que cambias tus besos por dinero
envenenando así mi corazón.

No creas que tus desdenes de perjura
incitan mi rencor para olvidarte:
te quiero más y más en vez de odiarte,
y tu castigo se lo dejo a Dios.

## SUEÑO

*L. y M. de Gonzalo Curiel y Sergio Guerrero*

Yo te soñé anoche
con tu belleza rara;
junto a ti adiviné
una sombra,
no era yo,
no era yo.

Que te besó las manos
y te miró muy hondo,
y tu amor musitó
la ofrenda,
al murmurar
"soy tuya".

Al despertar yo viví en el tormento
de mi sueño,
me dolió el corazón
muy dentro,
al pensar en aquella sombra,
al oírte decir
"soy tuya".

Cuando después la mañana te trajo
junto a mí,
y tus manos besé
temblando,
comprendí que era yo la sombra,
al oírte decir,
"soy tuya", "soy tuya", "soy tuya".

## AMADA MÍA

*L. de Fernando Fernández*
*M. de Mario Ruiz Armengol*

Nunca, nunca sospeché
que fuera tanto
lo que así te quisiera,
amada mía.

Todo, todo te entregué
en un solo beso,
fuiste mi tormento, mi alegría,
oh, reina mía.

Nunca, nunca imaginé
que terminara
esta tentación que nos unía,
amada mía.

Siempre, siempre
viviré para quererte,
tu recuerdo está en el alma,
amada mía.

## ADIÓS

*L. y M. de Gonzalo Curiel*

Adiós,
me voy para olvidar,
me voy
cansado de soñar.

Jamás
te volveré a decir
que tú
llenaste mi existir.

Quizá
me llegues a esperar,
quizá
comprendas mi sufrir.

Jamás, jamás
habré de volver.
Adiós,
me voy para olvidar.

## FATALIDAD

*L. y M. de Gonzalo Curiel*

Soy soñador que persigue una inútil promesa,
soy forjador de ilusiones de rara belleza,
pero mis sueños la fatalidad desvanece,
como una tarde de lluvia en que el sol se adormece.

Tus ojos, tu boca,
tus manos, sensual ramillete,
son dardos sutiles que hieren
cual fino florete.

Ternuras y afanes,
nostalgias de plata,
romance bañado de luz
escarlata.

Yo llevo en mi ser una herencia fatal de tristeza,
que puede manchar de amargura tu blanca nobleza;

Por eso me alejo,
por eso te pido
que me finjan tus ojos
la crueldad del olvido.

Tus ojos, tu boca,. . .

## TE QUIERO

*Canción Bolero*
*Agustín Lara*

Me preguntas si te quiero,
no sabré qué contestar,
sólo sé que nada espero,
que me muero de tanto soñar.

Te quiero como a nadie quiero,
como nunca pude soñar en querer,
te adoro si adorar se llama
a ser todo entero para una mujer.

Tus ojos se duermen en mi alma,
tus labios perfuman mi ser;
te quiero, como a nadie quiero,
como no esperaba llegar a querer.

## DESESPERADAMENTE

*L. de Ricardo López Méndez*
*M. de Gabriel Ruiz*

Ven, mi corazón te llama.
¡Ay! ¡Desesperadamente!
Ven, mi vida te reclama,
ven, que necesito verte.

Sé que volverás mañana
con la cruz de tu dolor. . .
¡Ay! Mira. . . qué forma de quererte.
¡Ven, que necesito verte. . .!

## CELOS DE LUNA

*Luis Vázquez*

Luna, que velas su ventana,
no sé si enamorada
también de ella estás.

No, con tu luz no ilumines
su faz, que los celos
matándome están.

Quiero ser un rayito
de luz y entrar
a través del cristal.

Y quedar prendido
de sus labios por
toda una eternidad.

## FAROLITO

*Canción vals*
*Agustín Lara*

Farolito que alumbras apenas
mi calle desierta,
cuántas veces me viste llorando
llamar a su puerta
sin llevarle más que una canción,
un pedazo de mi corazón,
sin llevarle más nada que un beso
friolento, travieso,
amargo y dulzón.

Farolito que alumbras apenas. . .

## UN SUEÑO DE TANTOS

*Abelardo Pulido*

Sueño que en noches calladas
te tengo en mis brazos muy cerca del mar
y que tus ojos me miran,
me miran llorando de felicidad.

Sueño que tus labios rojos
murmuran y dicen: te quiero besar,
acércate, bésame,
que con tus caricias se acaban mis penas
y me haces gozar.

Sólo la luna y estrellas,
olas y palmeras nos pueden mirar.
Y tus cabellos dorados
saludan fragantes la brisa del mar.

Así yo vivo en mis noches,
y muero en el día al despertar el sol,
y las gaviotas se alejan,
se llevan mis sueños, tú mi corazón.

## EL RELOJ

*Roberto Cantoral*

Reloj no marques las horas
porque voy a enloquecer,
ella se irá para siempre
cuando amanezca otra vez.

Nomás nos queda esta noche
para vivir nuestro amor
y tu tic-tac me recuerda
mi irremediable dolor.

Reloj detén tu camino
porque mi vida se apaga,
ella es la estrella que alumbra mi ser,
yo sin su amor no soy nada.

Detén el tiempo en tus manos,
haz esta noche perpetua,
para que nunca se vaya de mí,
para que nunca amanezca.

## VAGABUNDO

*Federico Baena*

Soy un pobre vagabundo
sin hogar y sin fortuna
y no conozco ninguna
de las dichas de este mundo.

Voy sin rumbo por la vida,
el dolor es mi condena,
y en licor calmo mi pena
porque el amor es mentira.

No me importa lo que digan
de mi corazón bohemio,
me emborracho porque llevo
en el alma una tragedia.

Y así voy por el camino
que el destino me condena,
porque al fin seré en la vida
vagabundo hasta que muera.

No me importa lo que digan. . .

## TU VOLVERÁS

*Bolero*
*Agustín Lara*

No sé por qué te fuiste. . .
¡qué triste me dejaste!
Si vieras qué difícil es
vivir sin ti. . .

No puedo consolarme,
¡qué negro es mi destino!
No volveré a encontrarte más
en mi camino.

Tú volverás y volverás
porque te quiero;
has de volver y has de volver
porque te espero.

El nido aquel
quedó sin tu calor,
y falta en él
lo que no quiso Dios.

Tú volverás y volverás
porque me quieres,
has de volver
porque sin mí te mueres.

Tu volverás, regresarás,
has de volver, tiene que ser,
lo juro yo, que al fin
eres mujer.

## CANTA EL SON

*Rumba*
*Gonzalo Curiel*

Mi dolor lo canta el son,
son quejas, ¡ay!, del corazón;
mi sufrir envuelto va
en el sentir de mi cantar.

Sueños que ya se fueron
para nunca tornar,
y en el cantar del son
no queda más
que la angustiosa soledad
del corazón.

## NADIE

*Bolero*
*Agustín Lara*

Abriste los ojos con el suave ritmo
que hay en tus pestañas
y aunque de tus labios
escuché un "te quiero"
sé que tú me engañas.

No temas que rompa la leyenda frágil
de tus amoríos,
que al fin tus pesares y tus sinsabores
también fueron míos.

Nadie puede inspirar lo que tú inspiras,
nadie puede expresar lo que tú expresas,
nadie puede mirar como tú miras
ni nadie besará como tú besas.

Nadie puede inspirar lo que tú inspiras,. . .

## NO PIDAS MÁS PERDÓN

*Paul Márquez y Blas Hernández*

Sabía que ibas a volver
a postrarte a mis pies arrepentida,
implorando perdón, palabra vana,
si ya tienes el alma corrompida.

Creíste que yo era uno de tantos
que el mundo corre en busca de placeres,
me juzgaste mal, qué bien conoces
al creer que otros son como tú eres.

Levántate, no pidas más perdón,
olvida que un día me conociste,
no sé perdonar, qué quieres que te diga
si yo nunca te he dicho una mentira.

No sé perdonar, que te perdone Dios,
olvídame, que yo ya te olvidé.
No sé perdonar, que te perdone Dios,
olvídame, que yo ya te olvidé.

## ALBRICIAS

*Bolero*
*Claudio Estrada*

No me pidas que te quiera
porque te estoy adorando
y sólo vivo pensando
en tu amor, a mi manera.

Todo lo que había soñado
son tus divinas caricias,
tuve que pagar albricias
por ser tan afortunado.

Toda la felicidad
que ha quedado aquí en mi ser
ahora sé lo que es querer
sin rencores ni maldad.

No me pidas que te quiera
porque te estoy adorando
y sólo vivo pensando
que tu amor es primavera.

## SOMBRAS

*Carlos Brito y Rosario Sansores*

Cuando tú te hayas ido
me envolverán las sombras,
cuando tú te hayas ido
con mi dolor a solas.

Evocaré ese idilio
de las azules horas;
cuando tú te hayas ido,
me envolverán las sombras.

En la penumbra vaga
de la pequeña alcoba
donde en aquellas tardes
te acariciaba toda.

Te buscarán mis ojos,
te buscará mi boca,
y sentiré en el aire
un tibio olor a rosas.

Cuando tú te hayas ido,
me envolverán las sombras.

## CUANDO VUELVAS

*Agustín Lara*

Te me vas. . . te me vas de la vida,
como van las arenas al mar. . .

Te me vas. . . sabe Dios si es mentira,
¡sabe Dios si otra vez volverás!. . .

Cuando vuelvas, nuestro huerto tendrá rosas,
estará la primavera,
floreciendo para ti.

Cuando vuelvas, hallarás todas tus cosas
en el sitio en que quedaron
cuando quisiste partir.

Cuando vuelvas, virgencita del recuerdo,
pedacito de mi vida,
reina de mi soledad.

Cuando vuelvas, arderán los pebeteros
y una lluvia de luceros
a tus pies se tenderá.

## UNA VOZ

*Chucho Navarro y H. Harris*

Es una voz que dice
el despertar de un amor
en algo dulce así
como yo te quiero a ti.

Es una voz perfumada
en romance que invita a soñar.

Es una voz del corazón,
es la plegaria del querer,
por eso en mi canción
te doy mi corazón.

Es una voz convertida en caricia
que lleva mi amor.

Es una voz del corazón
es la plegaria del querer,
por eso en mi canción
te doy mi corazón.

Es una voz convertida en caricia
que lleva mi amor.

## MUÑEQUITA DE SQUIRE

*L. de Mario Molina Montes*
*M. de Luis Arcaraz*

Muñequita de Squire
que tanto quiero,
te conocí
dentro de un magazine.

Te saliste de ahí,
tomaste vida
y hoy es tu amor
mi principio y mi fin.

Alumbran mi existencia
tus lindos ojos
y borras mi tristeza
con tu boca sensual.

Hoy, mañana y después,
en vida y muerte
te adoraré,
muñequita de Squire.

## MUSMÉ

*E. de Nicolás*

Como un loto desmayado
era pálida Musmé;
era su semblante pálido
como un lirio reflejado
en una taza de té.

En el triste Yoshiwara
se escuchaba su canción:
He perdido la esperanza,
y como una porcelana
se me rompe el corazón.

Ojos de claro de luna,
rostro de seda y marfil;
en el pesar de su angustia
se quejaba igual que una
prematura flor de abril. . .

Y una tarde de repente,
tronchada por el dolor.
Como un suspiro que muere
apacible y dulcemente
Musmé se murió de amor.

## DEVUÉLVEME EL CORAZÓN

*Emma Elena Valdelamar*

Pensarás que a qué he venido,
si ya todo ha terminado;
piensas que cariño pido,
pero te has equivocado.

Dirás quizá que estoy loco
y que me falta un sentido,
pero por besar tu boca
el corazón he perdido.

Yo no vengo a que me quieras
ni a cantarte una canción,
sólo vengo a reclamarte
que me des mi corazón.

El corazón que una noche
muy confiado te entregué,
y sin ver que me engañabas
en tus manos lo dejé.

Ya veo que me lo devuelves,
pero yo te lo di entero,
en pedazos no lo quiero,
te puedes quedar con él.

## AMOR, AMOR

*L. de Ricardo López Méndez*
*M. de Gabriel Ruiz*

Amor, amor, amor, nació de ti,
nació de mí, de la esperanza.
Amor, amor, amor, nació de Dios
para los dos, nació del alma.

Sentir que tus besos anidaron en mí
igual que palomas mensajeras de luz.
Saber que mis besos se quedaron en ti
haciendo en tus labios la señal de la cruz.

Amor, amor, amor, nació de ti,
nació de mí, de la esperanza.
Amor, amor, amor, nació de Dios
para los dos, nació del alma.

## SABOR A MÍ

*Álvaro Carrillo*

Tanto tiempo disfrutamos este amor,
nuestras almas se acercaron tanto así,
que yo guardo tu sabor,
pero tú llevas también sabor a mí.

Si negaras mi presencia en tu vivir,
bastaría con abrazarme y conversar,
tanta vida yo te di
que por fuerza tienes ya sabor a mí.

No pretendo ser tu dueño,
no soy nada, yo no tengo vanidad;
de mi vida doy lo bueno,
soy tan pobre, qué otra cosa puedo dar.

Pasarán más de mil años, muchos más,
yo no sé si tenga amor la eternidad,
pero allá tal como aquí
en tu boca llevarás sabor a mí.

## CUERDAS DE MI GUITARRA

*Paso doble*
*Agustín Lara*

Cuerdas de mi guitarra
que en dulces ayes sonando van,
lloren que cuando lloran
también mis ojos llorando están.

Canta, guitarrita de mi vida,
que al oír tus dulces notas
muero de alegría.

Luz de mi cielo andaluz
es la copla que canto yo,
sol de mi cielo español,
sangre brava en mi corazón.

Canta guitarra por mí,
por mi raza cañí, canta tú,
tú, tú que sabes cantar,
tú sí sabes llorar por mí.

## CANTAR DEL REGIMIENTO

*Agustín Lara*

Una musa trágica hizo
de una lágrima un cantar,
el Cantar del regimiento
de los hombres que se van.

Una musa trágica hizo. . .

Cantar del regimiento
envuelto en mi bandera estás,
con ella vas al viento
hablándole de libertad.

Cantar del regimiento,
mil vidas que se apartarán;
que me cuide la Virgen morena,
que me cuide y me deje pelear.

Ya se va mi regimiento,
va cantando, ¡sabe Dios si volverá!

Ya se va mi regimiento,. . .

## ANSIEDAD

*J. Sarabia*

Ansiedad de tenerte en mis brazos
musitando palabras de amor;
ansiedad de tener tus encantos
y en la boca volverte a besar.

Ansiedad, de tenerte en mis brazos...

A veces vas llorando
mis pensamientos,
mis lágrimas son perlas
que caen al mar
y el eco adormecido
de este lamento
hace que estés presente
en mi soñar.

A veces voy llorando,
al recordarte
estrecho tu retrato
con frenesí
y hasta tu oído llegue
la melodía salvaje
y el eco de la pena
de estar sin ti.

## ADIVINANZA

*Bolero*
*Hermanos Martínez Gil*

Yo quiero que tú
me adivines quién es la mujer
que mata al mirar,
su boca parece un clavel.

Adivina tú
esta mi adivinanza de amor,
dime quién puede ser la mujer
por quien suspiro yo.

Boquita de flor
y sus ojos pedazos de sol,
mirada fatal,
cada ceja es un arco triunfal.

Se parece a ti,
sus cabellos son oro de mies,
como tú se ha metido ya en mí,
adivina quién es.

## AMOR DE MIS AMORES

*Bolero*
*Agustín Lara*

Poniendo la mano sobre el corazón
quisiera decirte al compás de un son,
que tú eres mi vida,
que no quiero a nadie,
que respiro el aire,
que respiro el aire,
que respiras tú.

Amor de mis amores,
sangre de mi alma,
regálame las flores
de la esperanza.

Permite que ponga
toda la dulce verdad
que tienen mis dolores,
para decirte que tú eres
el amor de mis amores.

## BESOS DE FUEGO

*Chucho Rodríguez*

Eres como una canción
que llegaste a mi vida,
eres como una obsesión
en mi noche perdida.

Tú le diste calor
con tus besos de fuego,
tú pusiste final
a mi infierno fatal.

La razón de vivir
es tan sólo quererte,
y yo te he de adorar
aunque venga la muerte.

Si tú me quieres
como yo te estoy queriendo,
por qué no has de llevarte
sin piedad mi corazón.

## CABELLERA BLANCA

*L. y M. de Agustín Lara*

Junto a la chimenea
donde hay feria de lumbre,
reza la viejecita
sus cosas de costumbre.

Escarcha de leyenda
que brilla en mis pesares,
incienso del recuerdo
quemado en mis altares,

Y surge de la hoguera
entre rojos destellos,
la cadena de duendes
que peina sus cabellos.

Cabellera de plata,
cabellera de nieve;
ovillo de ternuras
donde un rizo se atrave.

Cabellera bendita
bañada de tristeza,
invierno hecho de llanto
cuajado en tu cabeza.

Cabellera nevada,
madeja de oraciones,
para ti es la más blanca
de todas mis canciones.

## CALLA

*Bolero*
*Gonzalo Curiel*

Calla. . . no me digas nada,
calla. . . si ya no me quieres. . .
¡Para qué pronunciar
la palabra final
si la entiende fácilmente el corazón!

Calla. . . no me digas nada,
calla. . . si ya no me quieres. . .
¡Para qué haces más negro
el luto de mi amor!
¿Para qué quieres matarme de dolor?

## AUNQUE TÚ NO ME QUIERAS

*L. de Fernando Fernández*
*M. de Mario Ruiz Armengol*

Yo muchas veces te juré
que había olvidado
todos los besos
que por bien o mal te di,
juré muchas veces
que jamás lloraría
que jamás yo te habría de rogar.

Pero es mentira
ya lo ves, hoy te he buscado
para decirte
que no puedo estar sin ti,
me importa quererte
aunque tú no me quieras
si vivo sólo para ti.

## ASÍ

*Bolero*
*María Grever*

Por qué al mirarme en tus ojos
sueños tan bellos me forjaría;
mira, mira.
Después de besar tus labios,
vivir sin ellos nunca podría;
besa, besa, bésame a mí nada más.

Porque un beso como el que me diste
y el sentirme estrechada en tus brazos
nunca lo soñé.

Una noche de luna en la playa
nunca había pasado
despertándome cantos de amores
al amanecer.

Como esperan las rosas
sedientas al rocío,
con esas mismas ansias
te espero yo a ti, sólo a ti.

Porque amor como el tuyo y el mío
no existe en la vida,
en el mundo ya no quedan seres
que quieran así,
así, siempre así,
siempre te amaré, así. . .

## ANOCHE

*Blues*
*Gonzalo Curiel*

Anoche tuvieron tus manos
fragancias del viejo romance
que se deshojó. . .
Anoche volvieron tus besos
a ser tan humanos
que otra vez la herida
de amor se me abrió.

Anoche tuviste piedades de ensueño
que hace mucho tiempo
supo el corazón;
fue inútil la queja,
fue vano el empeño
porque aquel romance,
porque aquel romance
se volvió canción.

## AMOR DE LA CALLE

*Bolero*
*Fernando Z. Maldonado*

Amor de la calle,
que vendes tus besos
a cambio de amor,
aunque tú le quieras,
aunque tú le esperes,
él tarda en llegar.

Tú olvidas tu pena
bailando y tomando,
fingiendo reír,
y el frío de la noche
castiga tu alma y pierdes la fe.

Amor de la calle
que buscando vas cariño
con tu carita pintada,
con tu carita pintada
y tu corazón herido.

Si tuvieras un cariño,
un cariño verdadero,
tú serías tal vez distinta
como igual a otras mujeres,
pero te han mentido tanto.

Cuando ya has bebido mucho
vas llorando por la calle;
si el mundo te comprendiera,
pero no saben tu pena.

## ALMA, CORAZÓN Y VIDA

*Vals peruano*
*Adrián Flores*

Recuerdo aquella vez
que yo te conocí,
recuerdo aquella tarde
pero no me acuerdo
ni como te vi.

Pero sí te diré
que yo me enamoré
de esos tus lindos ojos
y tus labios rojos
que no olvidaré.

Oye esta canción que lleva
alma, corazón y vida,
estas tres cositas
nada más te doy.

Porque no tengo fortuna
esas tres cositas te ofrezco.
alma, corazón y vida,
y nada más.

Alma para conquistarte,
corazón para quererte
y vida para vivirla
junto a ti.

Alma para conquistarte,
corazón para quererte
y vida para vivirla
junto a ti.

## AMARGURA

*Gonzalo Curiel*

Voy cargando en mi vida una cruz,
voy cruzando estos mares sin luz,
soy inconforme y rebelde
a todo lo que da el destino
y se me mete en el alma
este negro desatino. . . ¡Ay!

Voy buscando una huella de amor,
persiguiendo un perfume de flor.
Era mujer y mintió
igual que todas las mujeres.
¡Qué amargura, Señor. . .!,
me dejó. . .

## CONOZCO A LOS DOS

*Pablo V. Hernández*

Tuve ganas de verte muy cerca
y te vine a buscar;
yo sé bien que perdí la partida
y sé bien que humillaste mi amor,
pero tuve ganas de verte muy cerca
y te vine a buscar.

Que vuelvas,
que vuelvas tan sólo una vez,
pero que vuelvas,
mi cielo, yo vengo a pedirte perdón,
para que vuelvas.
Si quieres mi vida, mi vida te doy,
que más da que la gente nos diga
conozco a los dos.

## DÉJAME EN PAZ

*Luciano Miral*

Cuando, cuando llegaste,
sólo encontraste alegría en mi
corazón,
cuando tú me besaste
cuántas malvadas caricias pudiste
fingir.

Ahora que te arrepientes
dejas mi vida deshecha, sin Dios y
sin ley;
vete mujer, vete y no vuelvas jamás,
no quiero volverte a mirar, déjame
en paz.

Ahora que te arrepientes,. . .

## BÉSAME MUCHO

*Bolero*
*Consuelo Velázquez*

Bésame, bésame mucho,
como si fuera esta noche
la última vez;
bésame, bésame mucho,
que tengo miedo perderte,
perderte después.

Quiero tenerte muy cerca,
mirarme en tus ojos,
verte junto a mí.
Piensa que tal vez mañana
yo ya estaré lejos,
muy lejos de ti.

Bésame, bésame mucho. . .

## LUNA AMIGA

*Estilo conga*
*Gonzalo Curiel*

Ya se va la tarde,
ya se muere el sol,
ya se fue la vida
de mi corazón. . .

Vieja luna amiga,
vuelve otra vez más
junto a mi fatiga
de tanto esperar.

Supiste de nuestras tristezas,
supiste de nuestra alegría,
creíste también sus ternezas,
creímos tú y yo que era mía.

Vieja luna amiga,
vuélvete a marchar,
ya ves qué tragedia
la del corazón.

## CONTIGO

*Claudio Estrada*

Tus besos se llegaron a recrear
aquí en mi boca
llenando de ilusión y de pasión
mi vida loca,
las horas más felices de mi amor
fueron contigo,
por eso es que mi alma siempre extraña
el dulce alivio.

Te puedo yo jurar ante un altar
mi amor sincero,
a todo el mundo le puedes contar
que sí te quiero:
tus labios me enseñaron a sentir
lo que es ternura
y no me cansaré de bendecir
tanta dulzura.

## ANGELITOS NEGROS

*Andrés Eloy Blanco*
*y Manuel Álvarez "Maciste"*

Pintor nacido en mi tierra
con el pincel extranjero,
pintor que sigues el rumbo
de tantos pintores viejos.

Aunque la Virgen sea blanca
píntale angelitos negros,
que también se van al cielo
todos los negritos buenos.

Pintor si pintas con amor,
¿por qué desprecias su color?,
si sabes que en el cielo
también los quiere Dios.

Pintor de santos de alcoba
si tienes alma en el cuerpo,
por qué al pintar en tus cuadros
te olvidaste de los negros.

Siempre que pintas iglesias
pintas angelitos bellos,
pero nunca te acordaste
de pintar un ángel negro.

## NO VUELVO CONTIGO

*Canción bolero*
*Mario Fernández P.*

Aunque retornes pidiéndome olvido,
por todo el martirio que diste a mi vida.
Aunque me digas que ha sido el destino
quien tuvo la culpa, no vuelvo contigo.

Para qué quiero volver a tu lado,
si estando contigo mi vida no es vida.
Si sé que nunca seremos felices,
aunque tú me quieras, aunque yo te quiera.

Por eso quiero que entiendas mi canto,
contigo no vuelvo, no vuelvo contigo.
Aunque yo sé que tú sufres mi ausencia
igual que yo sufro, no vuelvo contigo.

Para qué quiero volver. . .

No vuelvo contigo, no vuelvo jamás.

## CAMINEMOS

*H. de Oliveira y Alfredo Gil*

No, ya no debo pensar que te amé,
es preferible olvidar que sufrir,
no, no concibo que todo acabó,
que este sueño de amor terminó,
que la vida nos separó sin querer,
caminemos, tal vez nos veremos después.

Esta es la ruta que estaba marcada,
sigo insistiendo en tu amor
que se quedó en la nada,
sigo caminando sin saber dónde llegar,
tal vez caminando
la vida nos vuelva a juntar.

No, no, no, no, ya no debo pensar que te amé. . .

## SANTA

*Agustín Lara*

En la eterna noche
de mi desconsuelo
tú has sido la estrella
que alumbró mi cielo;
y yo he adivinado,
tu rara hermosura
y has iluminado
toda mi negrura.

Santa, Santa mía,
mujer que brilla en mi existencia;
Santa, sé mi guía
en el triste calvario del vivir.

Aparta de mi senda todas las espinas,
alienta con tus besos mi desilusión.
Santa, Santa mía,
alumbra con tu luz mi corazón.

## BESAR

*Bolero*
*Juan Bruno Tarraza*

¿Quién no lo sabe,
que nada sabe
como el besar?
¿Quién me lo niega,
si es de la vida
punto inicial?

Te besaré las manos
como el rocío
besa los lirios.
Te besaré la frente
con tibio besar
del corazón.

Y bajaré mi labios
hasta los tuyos
donde me espera
el beso más ardiente,
el beso intenso
de la pasión.

Te besaré con ansias,
con fiebre loca
que da tu boca,
no contaré los besos
porque no hay cifras
en el besar.

Y así seguir viviendo,
seguir amando,
seguir besando,
hasta que el sueño venga,
y luego en sueños
besarnos más.

## MIS NOCHES SIN TI

*Balada*
*Ortiz y Márquez*

Sufro al pensar que el destino
logró separarnos,
guardo tan gratos recuerdos
que no olvidaré.

Sueños que juntos forjamos
en tu alma y la mía,
y las horas de dicha infinita
que añoro en mi canto
y no han de volver.

Mi corazón en tinieblas
te busca con ansias,
rezo tu nombre pidiendo
que vuelvas a mí.

Porque sin ti ya ni el sol
ilumina mis días;
y al llegar la aurora
me encuentro llorando
mis noches sin ti.

Hoy que mi vida tan sólo
tiene tus recuerdos,
siento en mis labios tus besos
que saben a miel.

Tu cabellera sedosa
acaricio en mis sueños
y me besan tus labios amantes
al arrullo suave
del amor de ayer.

## UN SIGLO DE AUSENCIA

*Alfredo Gil*

Un siglo de ausencia
voy sufriendo por ti,
y una amarga impaciencia
me ocasiona vivir.

Tan separado de ti,
pensar que no he de verte otra vez,
fingir que soy feliz sin tu amor,
llorar con mi dolor.

La vida inclemente
te separa de mí,
y un siglo de ausencia
voy sufriendo por ti.

En la multitud busco los ojos
que me hicieron tan feliz,
y no logro hallar en otros labios
la ilusión que ya perdí.

La vida inclemente. . .

En la multitud busco los ojos
que me hicieron tan feliz,
y no logro hallar en otros labios
la ilusión que ya perdí.

La vida inclemente. . .

## AHORA Y SIEMPRE

*Balada*
*José de Jesús Morales*

A mi vida
cansada y marchita
llegaste una vez,
y cambiaste
dolor y tristeza
por algo mejor.

Es por eso
que quiero decirte
que tú eres mi todo,
es por eso
que quiero que sepas
que sin ti me muero.

Ahora y siempre
serás en mi vida
eterna ilusión;
y tu imagen
será en mi existencia
como una obsesión.

Tus miradas,
tus besos, tus ansias
son cosas que llevo
ahora y siempre
dentro, muy adentro
de mi corazón.

## POR TU AMOR

*L. y M. de los Hermanos García Segura*

Por tu amor
mira lo que digo,
por tu amor
soy como un mendigo.

Dame una limosna
de felicidad
y no me respondas
otra vez será.

No te extrañe que te quiera,
que te quiera mientras viva,
pues quererte es cuesta abajo
y olvidarte es cuesta arriba,
no te extrañe que te quiera
que te quiera mientras viva.

Por tu amor tengo el alma llena,
por tu amor, de cositas buenas,
deja que te mire
ya no puedo más,
deja que suspire de felicidad.

No te extrañe que te quiera,. . .

## PÁGINA BLANCA

*L. de Guillermo Lepe*
*M. de Mario Kuri*

Te quiero. . . ¡ay!, mi linda muñequita,
yo sé que tú comprendes
las penas que hay en mí. . .

Te adoro. . . ¡ay!, mi linda muñequita,
yo se que tú comprendes
mi amor sentimental.

Página blanca fue mi corazón,
donde escribimos una página de amor. . .
tu nombre fue dulce alivio para mi dolor,
y yo sé que ya nunca jamás te olvidaré.

Tú me dijiste, te adoro yo a ti,
porque te alejas y te vas de mí,
vuelve, ¡ven!, ven a darme los besos de amor,
que sin ellos no puede vivir mi corazón.

## TEMERIDAD

*Raúl Shaw Moreno*

Ayer era tu amante enternecido,
hoy sólo soy tu amigo de ocasión,
y esperas a que vuelva arrepentido,
y yo jamás te iré a pedir perdón.

Yo sé que tú también dirás lo mismo
aunque se te destroce el corazón,
por eso aunque fingiendo ese cariño
debemos confesar que terminó.

Si te decides a volver un día
he de quererte como antes lo hacía,
si por temeridad no quieres regresar,
yo mi querer guardado he de callar.

Los dos estamos ahora frente a frente,
los dos sabemos lo que el alma siente,
y te he de confesar la triste realidad:
si tú no vuelves, yo no iré jamás.

## VENDAVAL SIN RUMBO

*Bolero*
*José Dolores Quiñones*

Vendaval sin rumbo que te llevas
tantas cosas de este mundo,
llévate la angustia
que produce mi dolor
que es tan profundo.

Llévate de mí las inquietudes
que me causan el desvelo
por vivir soñando con un imposible
para el corazón.

Vendaval sin rumbo, cuando vuelvas
tráeme aromas de su huerto
para perfumar el corazón
que por su amor casi, casi está muerto;
dile que no vivo desde el día
en que de mí apartó sus ojos.

Llévate un recuerdo
envuelto en los antojos
de mi corazón.

## BUENAS NOCHES MI AMOR

*Canción serenata*
*Gabriel Ruiz*

Buenas noches mi amor,
me despido de ti,
que en el sueño tú pienses
que estás cerca de mí.

Buenas noches mi amor,. . .

Ya mañana en la cita
te hablaré de mi amor,
y asomado a tu mirar
serás, mi bien, la vida mía.
Buenas noches mi amor,
me despido de ti,
que al mirarnos mañana
me quieras mucho más.

Ya mañana en la cita. ..

## UNA COPA MÁS

*Chucho Navarro*

Una copa más
te brindo al despedirnos,
una copa más,
que nos hará olvidar.

Una copa más,
tal vez un poco amarga,
por nuestro gran cariño
que nunca volverá:
una copa más.

Es la ley de la vida,
el nacer y morir,
nuestro amor fue tan grande
y dejó de existir.

Una copa más,
tal vez un poco amarga,
por nuestro gran cariño
que nunca volverá;
una copa más.

## TEMOR

*Gonzalo Curiel*

Temor de ser feliz a tu lado,
miedo de acostumbrarme a tu calor,
temor de fantasía, temor de enamorado
que no me deja saborear tu amor.

La medrosa emoción de comprenderte
despertó mi temor de acariciarte;
un angustiado miedo de quererte
y de no ser capaz de olvidarte.

Se impregnó mi romance con tu risa,
mi inspiración se fue cuando te fuiste,
te llevaste mi vida con tu prisa
y me dejaste inmensamente triste.

## ALMA DE CRISTAL

*Bolero*
*Güicho Cisneros*

Tuve una duda nunca sentida,
vino a mi vida cruel amargura
y rogué que fueras mía.
Todos mis sueños, mis ilusiones,
tantos recuerdos, mis ambiciones,
morirían con mi desdicha.

Desde lo lejos vino una amenaza
y lloré, pero en tu alma
venció mi esperanza y se fue,
se fue, se fue todo el mal.

Vivan tus labios que mencionaron
ya sin temores nuestros amores,
eres mía, alma de cristal.

Desde lo lejos vino una amenaza. . .

## ARREPENTIDA

*Bolero*

*Julio C. Villafuerte*

No sé por qué, no sé por qué
me enamoré de ti,
sin conocerte siquiera,
sin saber lo que eras.

O fue tu voz, tu dulce voz
que tantas veces oí
en expresivas palabras de amores,
palabras que aún viven en mi frenesí.

Mas hoy sé que has jugado conmigo,
satisfecha quizá ya estarás.
Ríete nomás,
ríe te digo,
pero no olvides
que algún día sufrirás.

Cuando la vida te trate indiferente
y mires tardíamente
lo que ya no tendrás,
arrepentida buscarás alivio a tu alma,
y entre lágrimas amargas
sola y triste llorarás.

Mas hoy sé que has jugado conmigo. . .

## SINCERIDAD

*Bolero*
*Gastón Pérez*

Ven a mi vida con amor
que no pienso nunca en nadie
más que en ti.
Ven, te lo ruego por favor,
te adoraré.

¡Cómo me falta tu calor!,
si un instante separado estoy de ti;
ven, te lo ruego por favor
que esperándote estoy.

Sólo una vez,
platicamos tú y yo
y enamorados quedamos,
nunca creímos
amarnos al fin,
con tanta sinceridad.

No tardes mucho por favor
que la vida es de minutos
nada más
y la esperanza de los dos
es la sinceridad.

## POR TI

*Óscar Chávez*

Por ti yo dejé de pensar en el mar,
por ti yo dejé de fijarme en el cielo,
por ti me ha dado por llorar como el mar,
me he puesto a sollozar como el cielo,
me ha dado por llorar.

Por ti la ternura se niega conmigo,
por ti la amargura me sigue y la sigo,
por ti me estoy volviendo loco de celos,
se vuelven contra mí mis anhelos,
se vuelven contra mí.

Por ti la vida se me ha vuelto un infierno,
por ti estoy muerto de amor, tan enfermo,
por ti se ha vuelto llaga el sol y el dolor,
se ha vuelto mal la flor y el amor,
se ha vuelto mal la flor.

Por ti el mar es la locura del cielo,
por ti el llanto es una llaga de celo,
por ti el dolor es el sol sin la flor,
el infierno es amor tan eterno,
el infierno es amor.

Por ti, por ti, por ti.

## POR SI ACASO ME RECUERDAS

*Marcelo Pancardo*

Volveré algún día, volveré
porque yo sin tu amor no viviré;
quiera Dios que muy pronto dé la vuelta,
que mi alma está cansada,
muy cansada de vagar.

Y si acaso me recuerdas algún día
y que creas imposible
olvidarte de este amor,
volveré para que escuches
tus canciones preferidas,
cuando vuelva ya la tarde,
ese día volveré.

## TRES REGALOS

*Güicho Cisneros*

Me espero,
no voy a marcharme,
no voy a dejarte
sin antes decir. . .

Que lloro,
que sufro al mirarte
tan cerca de mis manos
sin poderte asir.

Quiéreme,
porque ya creo merecerte,
porque ya logré ponerte
en mi alma tu más grande altar.

Ay, pero quiéreme,
sólo basta una sonrisa
para hacerte tres regalos,
son el cielo, la luna y el mar.

Yo que soñé
con tener una reina
que mandara en mis adentros,
ya no tengo que buscarla
porque en ti todo lo encuentro,
ya nomás dime que sí.

Yo que soñé
con tener una reina
que mandara en mis adentros,
ya no tengo que buscarla
porque en ti todo lo encuentro,
ya nomás dime que sí.

Sólo basta una sonrisa
para hacerte tres regalos,
son el cielo, la luna y el mar.

## QUE TE VAYA BIEN

*Federico Baena*

No me importa que quieras a otro
y a mí me desprecies,
no me importa que solo me dejes
llorando tu amor.

Eres libre de amar en la vida
y yo no te culpo
si tu alma no supo quererme
como te quiero yo.

Sé muy bien que es vano
pedirte que vuelvas conmigo,
porque sé que tú siempre has mentido
jurándome amor.

Y yo en cambio no quiero engañarte
ni dañar tu vida,
soy sincero y sabré perdonarte
sin guardar rencor.

No creas que siento desprecio
al ver que te alejas,
si me dejas por un nuevo amor,
te dejo también.

Que al fin con el tiempo, el olvido
curará mis penas;
sigue feliz tu camino,
que te vaya bien,
que te vaya bien.

## TE VENDES

*Bolero*
*Agustín Lara*

Te vendes,
quién pudiera comprarte,
quién pudiera pagarte
un minuto de amor.

Los hombres
no saben apreciarte,
ni siquiera besarte
como te beso yo.

La vida,
la caprichosa vida,
convirtió en un mercado
tu frágil corazón.

Y tú te vendes,
yo no puedo comprarte,
yo no puedo pagarte
ni un minuto de amor.

## AMORCITO CORAZÓN

*Bolero*
*Esperón y Urdimalas*

Amorcito corazón,
yo tengo tentación de un beso
que se prenda en el calor
de nuestro gran amor, mi amor;
yo quiero ser
un solo ser y estar contigo,
te quiero ver
en el querer para soñar.

En la dulce sensación
de un beso mordelón quisiera,
amorcito corazón,
decirte mi pasión por ti;
compañeros en el bien y el mal,
ni los años nos podrán pesar.
Amorcito corazón, serás mi amor,
Amorcito corazón, serás mi amor.

## A UNA OLA

*María Grever*

En una noche de luna
nos encontramos tú y yo,
con el mar como testigo
de nuestra inmensa pasión.

Y en el rumor de una ola
depositamos los dos
nuestro secreto de amores
que en el mar se sepultó.

Ola que con tu blanca espuma
sin precaución ninguna
bañaste sus pies.

Ola que su cuerpo tocaste
y sus labios besaste,
vuelve otra vez.

Ven a morir a esta playa
antes de que me vaya
para nunca volver.

Ola, a la luz de la luna,
entre tu blanca espuma
la quiero ver.

## TÚ ERES MI DESTINO

*Carlos Gómez Barrera*

Tú eres mi destino
y no te imaginas
lo que yo bendigo a Dios
porque quiso disponerlo así.

Tú eres mi destino
y no tengo miedo
de afrontar contigo
las adversidades en el porvenir.

Tú eres mi destino,
bendito destino,
y si me ofrecieran
riquezas y gloria
renunciando a ti.

Sin vacilaciones
yo respondería:
prefiero la muerte
a la gloria inútil
de vivir sin ti.

Tú eres mi destino
bendito destino
y si me ofrecieran
riquezas y gloria
renunciando a ti.

Sin vacilaciones
yo respondería:
prefiero la muerte
a la gloria inútil
de vivir sin ti.

## CHACHA LINDA

*Hermanos Martínez Gil*

Chacha, mi Chacha linda,
cómo te adoro mi linda muchacha;
no sé si pueda vivir sin mirarte,
no sé si pueda dejarte de amar.

Chacha, mi Chacha linda,. . .

Toda mi vida se funde en tu vida,
toda mi alma nació para tu alma.
Y hasta mi sangre daría
por no perderte, mujer.
Mujer de mi alma,
nací para quererte.

Toda mi vida se funde en tu vida,.

## LAMENTO GITANO

*María Grever*

Yo no sé por qué he nacido
ni crecido junto al llanto,
ni por qué te he conocido
ni por qué te quiero tanto.

Hasta en mis sueños de niño
soñaba mi mente loca
que tu cariño era mío,
y los besos de tu boca.

Gitana, mujer extraña,
de mala entraña, que se me fue,
sin su amor me moriré,
gitana, gitana.

## LA CITA

*Gabriel Ruiz*

No hay nada más hermoso
que una cita de amor,
y alumbrarla de besos
a escondidas del sol,
una cita en la noche,
una cita de amor,
y alumbrarla de besos
a escondidas los dos.

Qué lejos ha quedado aquella cita
que nos juntara por primera vez,
parece una violeta ya marchita
en mi libro de recuerdos del ayer.

La sombra de tu amor y mis antojos,
la copa de cristal que se rompió,
en ella bebí el llanto de tus ojos
y aquel minuto que nunca más volvió.

## ADIÓS MI VIDA

*Bolero*
*Gabriel Ruiz*

Hoy, que al frente tengo que partir,
de ti me quiero despedir.
Decirte adiós. . . adiós, mi vida.

Y con el temblor de la emoción,
abrirte a ti mi corazón
cuando te dé la despedida.

No hay ningún dolor que sea mayor
que abandonar un santo amor
cuando se está queriendo tanto.

Voy a defender la libertad
y alumbraré tu soledad
con la esperanza de volver.

¡Ay!, qué doloroso es el adiós,
¡Ay!, si hasta dan ganas de llorar.

Ya se escucha el bélico clarín
que con su acento de metal
tocando está su alegre diana.

Ya cargando llevo mi fusil
porque la guerra quiso al fin
teñir de rojo la mañana.

Adiós, adiós mi vida.
Adiós, adiós, adiós.

## PERLA NEGRA

*Renán J. Carrillo*

Sola, llorando sin fe,
rodando por el mundo te encontré;
yo quise curar tu desconsuelo
brindándote mi amor.

Rara, maligna y fatal,
como una perla negra eres tú,
no puedo vivir sin tu cariño,
sin tu mirar.

La vida es un tormento
si tus labios me niegan esos besos
que me matan, me enloquecen.
La vida es un calvario
si tus ojos me niegan su mirar.

Rara, maligna y fatal,. . .

## DOS PALABRAS

*Bolero*
*Humberto "Chicuco" Palomo*

No hay sonido más lindo al oído
que estas dos palabras que dicen te quiero,
cuando todas las cosas bonitas,
y que me repitan te quiero, te quiero.

Los poetas hablan de mil cosas,
de noches azules, de estrellas y de rosas,
pero yo en vez de eso prefiero
que me des un beso y me digas te quiero.

De todas las palabras del mundo
esas dos palabras son las preferidas,
aunque sé, corazón, que me quieres,
yo quiero oír siempre que tú me las digas.

En el mundo hay tantas tentaciones,
y para gozarlas no hay como el dinero,
pero yo en vez de eso prefiero
que me des un beso y me digas te quiero.

Quisiera pasarme la vida,
todita la vida de noche y de día,
escuchando a tu boca bonita
decirme cerquita que siempre eres mía.

Hay a quien le agrada la idea
de ser presidente, Don Juan o torero,
pero yo en vez de eso prefiero
que me des un beso y me digas te quiero.

## ARREPENTIDA

*L. y M. de los Hermanos Martínez Gil*

Arrepentida estarás
por haberme abandonado,
las penas que he pasado
muy pronto las pagarás.

Arrepentida estarás,
y el amor que tú has dejado
con tristeza llorarás,
ahora que te he olvidado.

Has de recordar
esos momentos de amor,
mucho pensarás
que todavía te quiero.

Pero el mundo siempre traidor
nos enseña que el amor
nunca, nunca debe ser
del corazón sincero.

Si hoy, arrepentida vas
en busca del amor,
nunca encontrarás
quién te ame como yo.

Si quieres olvidar,
tendrás que recordar
que ya no quiero nada
de tu amor.

## TE ODIO Y TE QUIERO

*E. Alesio y R. Yiso*

Me muerdo los labios
para no llamarte,
me queman tus besos,
me sigue tu voz;
pensando en que haya otro
que pueda besarte
se llena mi pecho
de rabia y rencor.

Prendida en la fiebre
brutal de mi sangre
te llevo muy dentro,
muy dentro de mí,
te niego. . . te busco,
te odio y te quiero,
y tengo en el pecho
un infierno por ti.

Te odio y te quiero,
porque a ti te debo
mis horas amargas,
mis horas de miel;
te odio y te quiero,
tú fuiste el milagro,
la espina que duele
y el beso de amor.

Por eso te odio,
por eso te quiero
con todas las fuerzas
de mi corazón.

No quiero nombrarte,
y busco en las copas
el vino de olvido
que nunca se da;
pensando arrancarte
busco en otras bocas
el fuego que borre
tu beso inmortal.

Y todo es inútil,
ni copas ni besos
pueden separarte,
separarte de mí;
te llevo en la sangre,
te odio y te quiero,
y tengo en el pecho
un infierno por ti.

Te odio y te quiero. . .

## AVENTURERA

*Agustín Lara*

Vende caro tu amor
aventurera,
da el precio del dolor
a tu pasado;
y aquel que de tus labios
la miel quiera,
que pague con brillantes
tu pecado,
que pague con brillantes
tu pecado.

Ya que la infamia de tu cruel destino
marchitó tu admirable primavera,
haz menos escabroso tu camino:
vende caro tu amor, aventurera.

## AMOR Y OLVIDO

*L. de Gabriel Luna de la Fuente*
*M. de Salvador Rangel*

Te fuiste sin dejar
un beso ni un adiós
siquiera,
pensando que alguien más
quererte como yo pudiera.

Nada gané con sufrir y llorar
y beberme aquel llanto,
cómo pudiste partir después
que te amaba yo tanto.

Hoy vuelves hacia mí
pidiéndome perdón
y olvido,
pero a mi corazón
no importa ya tu amor
prohibido.

Yo tu infamia lloré
cuando tu amor me dejó;
hoy sufre como yo
sufrí cuando de mí
te fuiste.

## BONITA

*L. de J. A. Zorrilla*
*M. de Luis Arcaraz*

Bonita, como aquellos juguetes
que yo tuve en los días
infantiles de ayer.

Bonita, como el beso robado,
como el llanto llorado
por un hondo placer.

La sinceridad de tu espejo fiel
puso vanidad en ti;
sabes mi ansiedad y haces un placer
de las penas que tu orgullo
forja para mí.

Bonita, haz pedazos tu espejo,
para ver si así dejo
de sufrir tu altivez.

## SABRÁ DIOS

*Álvaro Carrillo*

Sabrá Dios,
si tú me quieres o me engañas,
como no adivino seguiré pensando
que me quieres solamente a mí.

No tengo derecho en realidad
para dudar de ti
y para no vivir feliz.

Pero yo presiento
que no estás conmigo,
aunque estés aquí.

Sabrá Dios,
uno no sabe nunca nada,
me dará vergüenza si este amor fracasa
nada más por mi equivocación.

Y debo estar loco
para atormentarme
sin haber razón,
pero voy a luchar
hasta arrancar
esta ingrata mentira
de mi corazón.

No tengo derecho en realidad. . .

## AUNQUE TENGAS RAZÓN

*Consuelo Velázquez*

Qué saco del orgullo,
qué saco del rencor,
qué saco de la vida
si me falta tu amor.

Pensando eso he venido
a pedirte perdón,
a pedirte que vuelvas
aunque tengas razón.

Yo sé que tú has llorado
aunque digas que no,
y sé que hasta has deseado
que te venga a rogar.

Y yo que estoy sufriendo
te vengo a demostrar
que la vida sin verte
no la puedo aguantar,
que me amargo la vida
si te dejo de amar.

## TIEMPO

*R. Fuentes y Renato Leduc*

Sabia virtud de conocer el tiempo,
a tiempo amar y desatarse a tiempo.
Como dice el refrán: "dar tiempo al tiempo",
que de amor y dolor alivia el tiempo.

Aquel amor, a quien amé a destiempo,
martirizóme tanto y tanto tiempo,
que no sentí jamás correr el tiempo
tan acremente, como en ese tiempo.

Amar, queriendo como en otro tiempo,
ignoraba yo aún que el tiempo es oro.
Cuanto tiempo perdí, ¡ay!, cuánto tiempo.

Y hoy que de amores ya no tengo tiempo;
amor de aquellos tiempos, cuánto añoro
la dicha inicua de perder el tiempo.

Sabia virtud de conocer el tiempo.

## AS DE CORAZONES

*Bolero*
*Luis Arcaraz*

As de corazones rojos,
boquita de una mujer,
por jugar con mis antojos
me tocó la de perder.

As de corazones rojos,
en tus labios carmesí;
dos de trébol en tus ojos,
con esas cartas perdí.

Tu boquita palpitante
es un as de corazón;
la creía de diamante,
así las barajas son.

En el juego de mi antojo
me gustó para perder
el corazoncito rojo
de una boca de mujer.

## MI CIUDAD

*L. de Eduardo Salumonovitz*
*M. de Guadalupe Trigo*

Mi ciudad es chinampa
de un lago escondido,
es cenzontle que busca
en dónde hacer nido.

Rehilete que engaña
la vista al girar,
baila al son del tequila
y de su valentía,
es jinete que arriesga la vida
en un lienzo de fiesta y color.

Mi ciudad es la cuna
de un niño dormido,
es un bosque de espejos
que cuida un castillo.

Monumentos de gloria
que velan su andar,
es un son con penacho
y sarape veteado
que en las noches se viste de charro
y se pone a cantarle al amor.

En las tardes con la lluvia
se baña su piel morena,
y al desatarse las trenzas
sus ojos tristes se cierran.

Mi ciudad es chinampa
en un lago escondido,
es cenzontle que busca
en dónde hacer nido.

Rehilete que engaña
la vista al girar,
baila al son del tequila
y de su valentía,
es jinete que arriesga la vida
en un lienzo de fiesta y color.

Es un son con penacho
y sarape veteado
que en las noches
se viste de charro
y se pone a cantarle al amor.

## CADA NOCHE UN AMOR

*Agustín Lara*

Cada noche un amor,
distinto amanecer,
diferente visión,
cada noche un amor;
pero dentro de mí,
sólo tu amor quedó.

Oye, te digo en secreto
que te amo de veras,
que sigo de cerca tus pasos
aunque tú no quieras.

Que siento tu vida
por más que te alejes de mí,
que nada ni nadie
hará que mi pecho
se olvide de ti.

Hará que mi pecho
se olvide de ti.

## MI RAZÓN

*Homero Aguilar*

He perdido para siempre
lo que fuera de mi vida un gran amor;
he perdido por cobarde
lo que tanto veneró mi corazón.

Yo no quise hacerle daño
ni llevarla por caminos de dolor,
y hoy me alejo como extraño
dando paso a la razón.

Aquí estoy entre botellas
apagando con el vino mi dolor,
celebrando a mi manera
la derrota de mi pobre corazón.

Y si a caso ya inconsciente,
agobiado por los humos del alcohol,
no se burlen si le grito,
si entre lágrimas le llamo,
todo tiene su razón.

## QUÉ DIVINO

*Consuelo Velázquez*

¡Ay!, qué divino,
qué divino es quererte
y tener yo la suerte
de verte otra vez junto a mí.

¡Ay! ¡Ay!, viva el destino
que retando a la gente
te puso en mi camino,
volviendo divino
lo que era mi cruz.

Muchas veces me pregunto
por qué hay en la vida
dolor y tristeza;
yo me siento en otro mundo
si tú me acaricias
y si tú me besas.

¡Ay! ¡Ay! ¡Ay!, qué divino,
qué divino es besarte
y poder entregarte
este amor tan vehemente
que siento por ti. . . por ti.

## EL ANDARIEGO

*Álvaro Carrillo*

Yo que fui del amor ave de paso,
yo que fui mariposa de mil flores,
hoy siento la nostalgia de tus besos,
de aquellos tus ojazos, de aquellos tus amores.

Ni cadenas ni lágrimas me ataron,
mas hoy siento la calma y el sosiego,
perdona mi tardanza, te lo ruego,
perdona al andariego que hoy te roba el corazón.

Hay ausencias que triunfan
y la nuestra triunfó,
amémonos ahora con la paz
que en otros tiempos nos faltó.

Y cuando yo me muera
ni luz ni llanto ni luto ni nada más
ahí, junto a mi cruz
yo sólo quiero paz.

Sólo tú, corazón, si recuerdas mi amor,
una lágrima llévame por última vez;
y en silencio dirás una plegaria
y por Dios olvídame después.

## CARIÑO

*Bolero*
*Arturo Neri*

Cariño,
por qué no vienes a mis brazos,
si tengo el alma hecha pedazos
por la crueldad de tu desdén.

Bien sabes
que necesito tus caricias
y de tus labios las delicias
que apaguen con tu amor mi sed.

Si vienes
mi triste noche tendrá estrellas,
tus ojos
pondrán la luz en mis tinieblas.

Cariño,
por qué no vienes a mis brazos,
si tengo el alma hecha pedazos
por la crueldad de tu desdén.

## ALBUR

*L. de J. A. Zorrilla*
*M. de Paco Treviño*

La juventud se va
y se va de prisa como el viento,
hay que gozarla más
y después vivir de su recuerdo.

Hay que tener valor
y darnos una vez sin miedo;
amor es un placer
que esconde la felicidad.

Los juramentos son en amor
tan falsos como ciertos,
tener una ilusión
qué más da si luego la perdemos.

Podemos fracasar,
lo mismo que encontrar un cielo;
juguemos un albur,
juventud hay una y nada más.

## ARRÁNCAME LA VIDA

*Tango*
*Agustín Lara*

En estas noches de frío,
de duro cierzo invernal,
llegan hasta el cuarto mío
las quejas del arrabal.

En estas noches de frío,. . .

Arráncame la vida
con el último beso de amor,
arráncala, toma mi corazón;

arráncame la vida,
y si acaso te hiere el dolor
ha de ser de no verme
porque al fin tus ojos
me los llevo yo.

La canción que pedías
te la voy a cantar;
la llevaba en el alma,
la llevaba escondida
y te la voy a dar.

Arráncame la vida. . .

## AMOR MÍO

*Canción bolero*
*Álvaro Carrillo*

Amor mío, tu rostro querido
no sabe guardar
secretos de amor,
ya me dijo que estoy en la gloria
de tu intimidad.

No hace falta decir que me quieres,
no me vuelvas loco con esa verdad.
No lo digas, no me hagas que llore
de felicidad.

Cuánta envidia se va a despertar;
cuántos ojos nos van a mirar. . .
La alegría de todas mis horas,
prefiero pasarlas en la intimidad.

Olvidaba decir que te amo
con todas las fuerzas
que el alma me da;
quien no ha amado
que no diga nunca
que vivió jamás.

## CONFIDENCIAS DE AMOR

*Genaro Labastida*

Yo ya te iba a querer
pero me arrepentí,
la luna me miró
y yo la comprendí,
me dijo que tu amor
no me iba a hacer feliz,
que me ibas a olvidar
porque tú eras así.

Ya los claros fulgores de luna
matizando estaban tu pálida faz,
y al mirarlos sentí que la luna
musitando estaba un reproche tenaz.

Por eso ya te iba a querer
pero me arrepentí. . .

## ADORO

*Armando Manzanero*

Adoro la calle en que nos vimos,
la noche cuando nos conocimos,
adoro las cosas que me dices,
nuestros ratos felices
los adoro, vida mía.

Adoro la forma en que sonríes,
el modo en que a veces me riñes,
adoro la seda de tus manos,
los besos que nos damos
los adoro, vida mía.

Y me muero por tenerte junto a mí,
cerca, muy cerca de mí,
no separarme de ti.
y es que eres mi existencia, mi sentir,
eres mi luna, eres mi sol,
eres mi noche de amor.

Adoro el brillo de tus ojos,
lo dulce que hay en tus labios rojos,
adoro la forma en que suspiras,
y hasta cuando caminas
yo te adoro, vida mía;
yo, yo te adoro, vida mía,
yo, yo te adoro, vida, vida mía.

## CANCIONERO

*Álvaro Carrillo*

Yo soy un humilde cancionero
y cantarte quiero
una historia humana
pues sé que te ama
quien pidió ese duelo.

Si la ves,
cancionero, dile tú que soy feliz,
que por ella muchas veces te pedí
una canción para brindar por su alegría.

Si la ves,
cancionero, dile claro en tu canción
que en mis ojos amanece su ilusión
como una nueva primavera, cada día.

No le digas,
que me viste muy triste y muy cansado,
no le digas
que sin ella me siento destrozado.

Si la ves
cancionero vuelve pronto a mi rincón,
y aunque mientas haz feliz mi corazón,
vuelve a decirme que me quiere todavía.

## ESTA TARDE VI LLOVER

*Armando Manzanero*

Esta tarde vi llover,
vi gente correr
y no estabas tú;
la otra noche vi brillar
un lucero azul
y no estabas tú.

La otra tarde
vi que un ave enamorada
daba besos
a su amor ilusionada,
y no estabas tú.

Esta tarde vi llover,
vi gente correr
y no estabas tú;
el otoño vi llegar,
al mar oí cantar
y no estabas tú.

Yo no sé cuánto me quieres,
si me extrañas o me engañas,
sólo sé que vi llover,
vi gente correr
y no estabas tú.

## HASTA QUE VUELVAS

*L. y M. de Felipe Gil*
*y Mario Arturo*

Andaré tu risa que dejó tibio mi lecho,
buscaré tu llanto que perdieras en la noche,
guardaré tu cuerpo que llenó mis alegrías
hasta que vuelvas, amor.

Andaré el camino que corrías a mi lado,
buscaré el silencio que olvidarás en mis manos,
guardaré la espera que pintaron mis poemas
hasta que vuelvas, amor.

Hasta que vuelvas detengo el tiempo,
que nadie pise tu recuerdo;
hasta que vuelvas junto a mis ojos
hilando sueños te esperaré.

Hasta que vuelvas detengo el tiempo,
que nadie pise tu recuerdo,
hasta que vuelvas junto a mis ojos
hilando sueños te esperaré.

Andaré el camino que corrías a mi lado,. . .

TROVA
YUCATECA

# Trova Yucateca

La herencia de la música española, así como la influencia que ha ejercido tanto la música cubana como la colombiana, unidas éstas a las tradiciones musicales de los mayas, han dado como resultado una forma de canto popular que se cristalizó en el curso del último cuarto del siglo XIX en la península de Yucatán, y en la voz de trovadores populares como Cirilo Baqueiro Preve y Fermín Pastrana.

Ya en nuestro siglo surgen una pléyade de compositores y letristas, o cantilenistas, como ellos les llaman; así, tenemos entre los primeros a Ricardo Palmerín, Guty Cárdenas, Pepe Domínguez, Domingo Casanova y Manuel López Barbeito, y entre los segundos a Luis Rosado Vega, Ricardo López Méndez, Ermilo A. Padrón, Antonio Mediz Bolio, por señalar únicamente los más notables.

Las formas musicales empleadas por la trova yucateca son variadas, destacándose el bolero, la clave, la jarana, la danza de influencia habanera y el bambuco; este último género se dice que provino de dos inmigrantes colombianos pero de cualquier manera es lógico pensar que los marinos influyeron en su difusión.

Un parte considerable, por no decir la mayoría, de las canciones yucatecas las han realizado los compositores basándose en textos poéticos de mucha calidad, a veces extranjeros, por lo que desde el punto de vista literario están muy bien estructuradas y se puede observar tendencia hacia la poesía amorosa, también conocida como canción serenata, que se caracteriza por su delicada manera, prácticamente sin giros ofensivos hacia la mujer, ya que cuando se da la necesidad de reclamos, éstos se hacen de manera muy sutil.

Es claro que la trova fue un foro de expresión para los poetas yucatecos, ya que su obra estuvo o ha estado en boca de varias generaciones.

Otra característica de la trova es la utilización de la guitarra, en la cual se realizan introducciones e interludios, u otros efectos usuales en el bambuco; en fin, para ejecutar o escuchar una buena canción yucateca, nada mejor que acompañada con guitarra.

Finalmente podemos afirmar que la sencillez melódica, rítmica y armónica de la trova yucateca, así como la delicadeza de su letra han hecho que hasta nuestros días esta expresión musical popular ocupe un relevante lugar en el gusto de nuestro pueblo.

## PARA OLVIDARTE

*L. de Ermilo A. Padrón*
*M. de Guty Cárdenas*

Para olvidarte a ti que no supiste
comprender las ternuras de mi alma,
es necesario recobrar la calma
que el corazón perdió
cuando te fuiste.

Para olvidarte a ti, que no supiste. . .

Para olvidarte a ti que aún me quieres
a pesar de tu orgullo y tus agravios,
me embriagaré sediento de placeres
en la pagana copa de otros labios.

Para olvidarte a ti.

## LÁGRIMAS

*Luis Martínez Serrano*

¿Por qué en tus ojos llenos de encanto
veo una lágrima de pesar?,
si tú bien sabes que te amo tanto,
que sufro mucho al verte llorar.

¿Cuál es la causa de tus enojos
que hace tu llanto raudo brotar?;
ven a mis brazos, seca tus ojos,
me pones triste, no llores más.

Cuando en tus ojos se transparentan
dos lagrimitas como cristal,
siento al besarlas sabor de mieles,
sabor de acíbar, por Dios no llores más.

## GOLONDRINAS YUCATECAS

*L. Luis Rosado Vega*
*M. de Ricardo Palmerín*

Vinieron en tardes serenas de estío,
cruzando los aires con vuelo veloz,
en tibios aleros formaron sus nidos,
sus nidos formaron piando de amor.

¡Qué blancos sus pechos!, sus alas qué inquietas,
¡qué inquietas y leves!, y abriéndose en cruz,
y cómo alegraban las tardes aquellas,
las tardes aquellas bañadas en luz.

Así en la mañana jovial de mi vida
llegaron en alas de la juventud
amores y ensueños como golondrinas,
como golondrinas bañadas de luz.

Mas trajo el invierno su niebla sombría,
la rubia mañana, llorosa se fue,
se fueron los sueños y las golondrinas,
y las golondrinas se fueron también.

## QUISIERA

*L. Ricardo López Méndez*
*M. de Guty Cárdenas*

Quisiera preguntarle a la distancia
si tienes para mí un pensamiento,
si mi nombre se envuelve en la fragancia
inolvidable y dulce de tu aliento.

Quisiera preguntarle a los ocasos
si aún es tu corazón nido vacío,
para poder soñarte entre mis brazos
y allá en tu corazón dejar el mío.

Quisiera preguntarle a los ocasos
si no fue tu ternura una falsía
para tornar a ti y entre mis brazos
sentir ebrio de amor, que ya eres mía.

## PRESENTIMIENTO

*J. Pacheco*

Sin saber que existías te deseaba,
antes de conocerte te adiviné;
llegaste en el momento
que te esperaba,
no hubo sorpresa alguna
cuando te vi.

El día que cruzaste
por mi camino,
tuve el presentimiento
de algo fatal;
esos ojos, me dije,
son mi destino,
esos brazos morenos
son mi dogal.

## ELLA

*L. de Osvaldo Bazil*
*M. de Domingo Casanova*

Ella, la que hubiera amado tanto,
la que hechizó con música mi alma,
me pide con ternura que la olvide
que la olvide, sin odios y sin llanto.

Yo que llevo enterrados tantos sueños,
yo que guardo tantas tumbas en el alma:
no sé por qué sollozo y tiemblo
al cavar una más, una más en mis entrañas.

## OJOS TRISTES

*L. de Alfredo Aguilar Alfaro*
*M. de Guty Cárdenas*

Tienen tus ojos un raro encanto,
tus ojos tristes, como de niño
que no han sentido ningún cariño,
tus ojos tristes como de santo.

¡Ay!, si no fuera pedirte tanto,
yo te pidiera vivir de hinojos,
mirando siempre tus tristes ojos.
¡Ojos que tienen, ojos que tienen
sabor de llanto!

## DILE A TUS OJOS

*Guty Cárdenas*

Dile a tus ojos que no miren,
porque al mirarme me hacen sufrir,
que no me miren porque me hieren,
diles que tengan piedad de mí.

Ojos perversos de mil encantos,
ojos que hieren mirando así,
ojos que matan y que dan vida,
¡tened clemencia, y piedad de mí!

## PÁJARO AZUL

*L. de Manuel Díaz Massa*
*M. de Pepe Domínguez*

Tengo un pájaro azul dentro del alma,
un pájaro que canta y que solloza,
y que en mis noches de infinita calma
es como una esperanza milagrosa.

Ese pájaro azul es el cariño.

Ese pájaro azul es el cariño
que yo siento por ti, que yo siento por ti,
mas no te asombre,
fue mi anhelo más grande cuando niño
y se ha vuelto dolor, hoy que soy hombre.

Ese pájaro azul es el cariño.

## LOS ARRAYANES

*D.A.R.*

Ella me dijo que sería mía
cuando florearan los arrayanes,
y ya florearon todas las flores,
y no han florecido los arrayanes,
y no han florecido los arrayanes.

Los blancos nardos ya florecieron,
las margaritas, las madreselvas,
los arrayanes no han florecido
y han aumentado mis tristes penas.
y han aumentado mis tristes penas.

Pasó un domingo que iba por agua,
me dijo quedo, prietito lindo,
ya florecieron los arrayanes,
ora te cumplo lo que ya sabes.
ora te cumplo lo que ya sabes.

Salió un domingo en su caja blanca,
iba cubierta toda de azahares,
y desde entonces todos los años
siguen floreando los arrayanes,
siguen floreando los arrayanes.

## NUNCA

*L. de R. López Méndez*
*M. de Guty Cárdenas*

Yo sé que nunca
besaré tu boca,
tu boca de púrpura encendida;
yo sé que nunca
llegaré a la loca
y apasionada fuente de tu vida.

Yo sé que inútilmente te venero
e inútilmente el corazón te evoca,
pero a pesar de todo yo te quiero,
pero a pesar de todo yo te adoro
aunque nunca besar pueda tu boca.

## CAMINANTE DEL MAYAB

*L. de A. Mediz Bolio*
*M. de Guty Cárdenas*

Caminante. . . caminante. . .
que vas por los caminos,
por lo viejos caminos
del Mayab. . .
Que ves arder de tarde
las alas del Xtacay,
que ves brillar de noche
los ojos del cocay.

Caminante. . . caminante. . .
que oyes el canto triste
de la paloma azul
y el grito tembloroso
del pájaro pujuy.

Caminante. . . caminante. . .
que vas por los caminos,
me has de decir
si viste aparecer
como una nube blanca
que vino y que se fue,
y si escuchaste un canto
como voz de mujer.

Caminante. . . caminante. . .,
también en mi camino
la nube blanca vi,
también escuché el canto,
pobrecito de mí.

Caminante. . . caminante.

## MAÑANITA GENTIL

*Pepe Domínguez*

Mañanita, gentil mañanita
que despiertas sonriendo entre albores,
como acaso despierta la novia
a quien vengo a cantar mi amores.

Yo quisiera, gentil mañanita,
que adornada de suaves fulgores
te acercaras también a ofrendarle
los arrullos de tus ruiseñores.
Mañanita, gentil mañanita.

Y si acaso la encuentras dormida
toda llena de gracia y sonriente,
no la inquietes, que sueña conmigo,
dale un beso de amor en la frente.

Y murmura muy quedo a su oído
que por ella me muero de amores,
como mueren, gentil mañanita,
tus arrullos, perfumes y flores.

## LOS MIRLOS

*Ángela Rubio y Pasos Peniche*

Cantan los mirlos de mil colores
cantan alegres los ruiseñores
y te despiertan, amada mía,
su alegre canto al rayar el día,
cantan alegres los ruiseñores
y te despiertan, amada mía.

¡Ay! ¡Quién pudiera robarte un beso!
Cuando parece que estás dormida.
¡Ay! ¡Quién pudiera robarte un beso!
¡Ay! ¡Quién pudiera robarte un beso!
¡Sin despertarte, mujer querida!
¡Sin despertarte, mujer querida!

## PEREGRINA

*L. de Luis Rosado Vega*
*M. de Ricardo Palmerín*

Peregrina de ojos claros y divinos
y mejillas encendidas de arrebol,
mujercita de los labios purpurinos
y radiante cabellera como el sol.

Peregrina que dejaste tus lugares,
los abetos y la nieve, y la nieve virginal,
y viniste a refugiarte en mis palmares
bajo el cielo de mi tierra, de mi tierra tropical.

Las canoras avecillas de mis prados,
por cantarte dan sus trinos si te ven,
y las flores de nectarios perfumados
te acarician y te besan
en los labios y en la sien.

Cuando dejes mis palmares y mi tierra,
peregrina del semblante encantador.
no te olvides, no te olvides de mi tierra,
no te olvides, no te olvides de mi amor.

## UN RAYITO DE SOL

*L. de Ermilo A. Padrón*
*M. de Guty Cárdenas*

Un rayito de sol por la mañana
filtra sus oros por la enredadera,
se quiebra en el cristal de tu ventana
y matiza tu hermosa cabellera,
un rayito de sol por la mañana.

Mi alma que vive errante y soñadora,
viviendo en pos de una visión lejana,
quiere llegar a ti, como la aurora,
como un rayo de sol por la mañana,
como un rayo de sol por tu ventana.

## PEREGRINO DE AMOR

*Guty Cárdenas*

Peregrino de amor, vagaba triste
por sendas obscuras y de abrojos,
una gloria buscaba, y sé que existe,
la vi en el fondo de tus lindos ojos,
la vi en el fondo de tus lindos ojos.

Es esa gloria el dulce amor soñado
que tantas veces me robó la calma,
y aunque siempre por él fui desdeñado
seré feliz porque lo hallé en tu alma,
seré feliz porque lo hallé, lo hallé en tu alma.

## MUJER PERJURA

*M. Matamoros*

Si quieres conocer, mujer perjura,
los tormentos que tu infamia me causó,
eleva el pensamiento a las alturas
y allá en el cielo pregúntaselo a Dios,
pregúntaselo a Dios.

Tal parece que estás arrepentida
y que buscas nuevamente mis amores,
mas recuerda que tú llevas en la vida
una senda cubierta de dolor,
cubierta de dolor.

No quisiera recordar tus procederes,
ni tampoco tu amor y juramentos,
mas recuerda que tus culpas y locuras
y si es justo maldecirte, pregúntaselo a Dios,
pregúntaselo a Dios.

Yo prefiero no estar arrepentido
de alejarme por siempre de tu lado
dejándote, perjura despreciable,
sumergida por siempre en el dolor.

## CLAVELES

*Ricardo Palmerín*

Tan rojos son tus claveles
cual hondas heridas crueles;
claveles de hojas suaves,
claveles de tus vergeles. . .
que huelen como tú sabes
y saben como tú hueles.

Tan rojos son tus claveles,. . .

Prender te he visto en el velo
claveles de terciopelo
cual ensangrentado broche,
y en mis horas de desvelo,
como hogueras en la noche,
los miré arder tu pelo.

Claveles de Andalucía,
yo sé morenita mía
que entre tu pecho deshecho
muere un clavel cada día,
quien logrará la agonía
de morir sobre tu pecho.

## LABIOS MENTIROSOS

*Benigno Lara Foster*

Si has mentido
al decirme que me quieres,
no te importe mi amor,
sigue mintiendo.

Tus mentiras de amor
son tan hermosas,
que hasta Dios
las perdona desde el cielo.

Acércate mi bien
pon en tu boca,
el veneno sutil
de tus mentiras.

Dame a probar
tus labios mentirosos
y engáñame mujer,
pero sé mía.

## YUKALPETÉN

*L. de Antonio Mediz Bolio*
*M. de Guty Cárdenas*

Yukalpetén,
Yukalpetén,
todo se fue,
todo pasó.

Ya se fue Chichén,
ya se fue Zací,
ya se fue también
Ichcancihó.

El indio llora
llanto de hiel,
el indio llora,
Yukalpetén.

Corre su llanto
por los cenotes,
corre su llanto
y no se ve.

Porque ya vino
el tiempo malo,
el tiempo negro
de Multundzec.

Multundzec,
Multundzec,
el tiempo negro
de Multundzec

Se fue la abeja
de Cuzamil,
se fue el venado
de Mutulmut.

Se fue en el viento
que la deshizo,
la flor quemada
de xtabentun.

Luna de sangre
muerta en la tierra,
la santa tierra
de Itzamatul,

Itzamatul,
Itzamatul,
la santa tierra
de Itzamatul.

Yukalpetén,
Yukalpetén,
todo pasó,
todo se fue.

## FLORES DE MAYO

*R. Palmerín y R. Vega*

Flores de mayo llevó la niña
para ofrendarlas ante el altar;
iba vestida toda de lino,
de lino blanco como el azahar.

Flores de mayo llevó la niña
que cortó al punto de amanecer,
flores cuajadas aún de rocío
que a la Virgen le fue a ofrecer.

Yo quiero flores, flores de mayo,
dijo la niña cuando enfermó;
y entre esas flores su lindo cuerpo
pusieron luego cuando murió.

Desde eso tiene la flor de mayo
tan suave aroma, tan dulce olor
es porque el alma de aquella niña
quedó volando de flor en flor.

## AIRES DEL MAYAB

*Pepe Domínguez y Carlos Duarte*

Rebozo, rebozo de Santa María;
mestizas que bailan,
llenas de alboroto,
entre los encantos mil de mi vaquería.

Rebozo, rebozo de Santa María;. . .

Alborada blanca troca de los pozos,
casitas de paja de la sierra mía.
Alborada blanca troca de los pozos,
casitas de paja de la sierra mía.

Muchacha bonita,
zapatos de raso bordados de seda
te voy a comprar,
será más gracioso, más vivo tu paso
y serás más ágil para guachapear

Vámonos pa' la jarana,
vamos a ganar lugar,
que hoy en la noche y mañana
tenemos que zapatear.

Saca tu terno bonito
y tu cinta colorada,
quiero que te vean peinada
cuando bailes el torito.

¡Saque al toro!

Muchacha bonita,. . .

## A QUÉ NEGAR

*Guty Cárdenas*

A qué negar que me quisiste un día,
por qué quieres borrar lo que ha pasado,
si yo sé que me quieres todavía,
aunque jures que todo se ha olvidado.

Son tan tristes y breves nuestras vidas,
es tan dulce soñar con las quimeras,
y aunque tú me asegures que me olvidas,
yo sé que es mío tu amor, aunque no quieras.

## LAS DOS ROSAS

*L. de José Esquivel Pren*
*M. de Ricardo Palmerín*

Flor en que su amor palpita,
soberana rosa bella;
dime quién es más bonita,
tú o ella.

Si es ella entre las mujeres
la que tu aroma soñó,
dime, ¿acaso tú la quieres como yo?,
dime, ¿acaso tú la quieres como yo?

Fragante y sedeña rosa,
esbelta como el bambú,
dime, ¿quién es más hermosa, ella, o tú?,
dime, ¿quién es más hermosa, ella, o tú?

Y al ver la distancia inmensa
entre la rosa y mi amor,
enrojeció de vergüenza la pobre flor,
enrojeció de vergüenza la pobre flor.

## ROSALINDA

*R. Palmerín y E. Padrón*

Rosalinda que perfumas
con tu fragancia el jardín,
si supieras de mi pena,
mi pena no tiene fin.
Rosalinda que perfumas
con tu fragancia el jardín.

Rosalinda que perfumas. . .

¡Ah, qué bella está la luna!,
y a tu lado está mejor,
porque como tú, ninguna
sabe sentir su color.
¡Ah, qué bella está la luna,
y a tu lado está mejor!

Un suspiro lleva al viento
y que no sé a dónde va,
otro suspiro en mi pecho
su dardo clavando está.
Suspiro que lleva al viento
y que no sé a dónde va.

Ave que pasas cantando
una ignorada canción,
así se me fue llorando
mi sangrante corazón.
Ave que pasas cantando
una ignorada canción.

Rosalinda que perfumas. . .

# CRUCIFIJO

*R. Palmerín y R. Vega*

Qué mustia estaba su frente,
qué pálido su semblante,
y qué trabajosamente
pudo hablarme en ese instante.

—Cuando yo muera, me dijo,
cubre de flores mi lecho
y pon aquel crucifijo
de marfil sobre mi pecho.

Qué mustia estaba su frente, . . .

—Cuando yo muera, me dijo, . . .

Desde eso vivo llorando
en la sombra en que me pierdo,
como huérfano llevando
a cuestas aquel recuerdo.

Aunque la pena resisto
voy por mi ruta desierta.
Con mi dolor y aquel Cristo
y aquellas flores ya muertas.

Desde eso vivo llorando. . .

Aunque la pena resisto
voy por mi ruta desierta.
Con mi dolor y aquel Cristo
y aquellas flores ya muertas,
con mi dolor y aquel Cristo
y aquellas flores ya muertas.

## NOVIA ENVIDIADA

*Ricardo Palmerín*

Se estremecen envidiosas
a tu paso las palmeras
y se inclinan respetuosas
por tus lindas primaveras.

Tu esbeltez quisieran ellas,
y la luz de tus miradas,
para hablar con las estrellas
en las noches despejadas.
Para hablar con las estrellas
en las noches despejadas.

No sé qué de aristocracia
tienen tus finos modales
que envidian también tu gracia
en el jardín los rosales.

Por eso, novia envidiada,
aprisionarte quisiera
para tenerte guardada
del rosal y la palmera.
Para tenerte guardada
del rosal y la palmera.

## YA QUE EL DESTINO

*Guty Cárdenas*

Ya que el destino con cruel dureza
de mi terruño me alejará;
cuando esté lejos, en tierra extraña,
de mí siquiera te acordarás.

Ya que el destino con cruel dureza. . .

No dudes nunca de mi cariño
ni nunca pienses que soy feliz;
me iré soñando que tú me quieres
y con los besos que yo te di.

Me iré soñando que tú me quieres
y con los besos que yo te di.

## YO SÉ DE UN AVE

*Ricardo Palmerín*

Yo sé de un ave que mora
en tu jardín, niña amada,
que es eterna enamorada
de los tintes de la aurora.

Escuchas al despertar
entre los ecos dormidos,
aquel que empieza a cantar
llamando a todos los nidos.

Yo sé de un ave que mora. . .

Escuchas al despertar. . .

Y que en la noche callada
se escucha el cantar sonoro
de las aves que hacen coro
a la luz de la alborada.

El por qué tú no lo aciertas,
aunque te cause sonrojo,
porque van sus tintes rojos
al alba tus lindos ojos,
cuando en la noche despiertas,
cuando en la noche despiertas.

## FLOR

*L. de A. Pérez Bonalde y Diego Córdoba*
*M. de Guty Cárdenas*

Flor se llamaba,
flor era ella,
flor de los bosques en una palma,
flor de los cielos en una estrella.

Flor de mi vida,
flor de mi alma.
Flor de mi vida,
flor de mi alma.

Murió de pronto
mi flor querida,
erré el sendero,
perdí la calma.

Y para siempre
quedó mi vida
sin una estrella,
sin una palma.

Y para siempre. . .

## REMINISCENCIAS

*L. de Víctor M. Martínez*
*M. de Manuel López Barbeito*

Estoy viviendo reminiscencias,
reminiscencias de primavera
que se revelan en nuestras almas
como hojas caídas de una quimera.
Estoy viviendo reminiscencias,. . .

No cabe otoño si el sol de junio
fue dicha y beso de adoración
y que en profundo dogal de enlace
borda de lunas el corazón.
Reminiscencias de plenilunio...

## PENSAMIENTO

*Ricardo Palmerín*

Pensamiento,
dile a Fragancia
que yo la quiero,
que no la puedo olvidar.

Que ella vive en mi alma,
anda y dile así,
dile que pienso en ella
aunque no piense en mí,
dile que pienso en ella
aunque no piense en mí.

Vuela, pensamiento mío,
dile que yo la venero,
dile que por ella muero
anda y dile así.

Dile que pienso en ella
aunque no piense en mí,
dile que pienso en ella
aunque no piense en mí.

Vuela, pensamiento mío,...

Dile que pienso en ella...

## BESO ASESINO

*Pepe Domínguez*

En tu boca de fresa quiero besarte
con un beso infinito
que te estremezca y haga soñar;
que sea un beso que apague
mi sed de amarte;
que me entregue tu vida
y te dé mi ansiedad.

Que te deje un recuerdo
que no puedas olvidar,
que sea abeja y que pique
tu boquita de panal,
que te robe la calma
y te deje sin alma;
es un beso asesino
el que te quiero dar.

## DESDÉN

*M. de Licho Buenfil*
*L. de Ermilo A. Padrón*

Cuando sintió mi alma tu desdén,
lloró gotas de sangre el corazón,
y la ilusión querida
que dio aliento a mi vida,
se convirtió en amarga decepción.

Por eso es triste, muy triste el vivir;
por eso es grande, muy grande el dolor;
compadéceme, sí,
con amor ven a mí,
quiero volver a tener corazón.

## MESTIZA

*R. Pasos Peniche y E. Padrón*

Mestiza, joya castiza
del barrio de San Sebastián,
un madrigal se idealiza
cuando asoma la sonrisa
bajo el arco de San Juan,
bajo el arco de San Juan.

Mestiza, joya castiza. . .

En los jardines las rosas,
xailes y mariposas
exhalan perfumes mil,
porque anhelan pretenciosas
ser bordadas en tu huipil.

En los jardines las rosas,. . .

Mestiza, joya castiza,
emblema de Yucatán,
un madrigal se idealiza
cuando asoma tu sonrisa
bajo el arco de San Juan,
bajo el arco de San Juan.

## SEMEJANZAS

*Ricardo Palmerín*

Entre las almas y entre las rosas
hay semejanzas maravillosas;
las almas puras son rosas blancas
y las que sangran. . . son rosas rojas.

Y si sus sueños a un alma arrancas
es una rosa, que cruel deshojas. . .
Entre las almas y entre las rosas
hay semejanzas maravillosas.

Entre las almas y entre las rosas. . .

Y si sus sueños a un alma arrancas. . .

Almas que hieren con sus inquinas,
almas que a un fuego de amor consumo,
rosas que punzan con sus espinas,
rosas que pesan con su perfume.

Almas enfermas de amargas cuitas,
rosas ajadas, mustias, marchitas.
Entre las almas y entre las rosas
hay semejanzas maravillosas.

VALS
EDITOR
A. VANEGAS ARROYO.
MEXICO.
POSADA

# Vals

El auge del vals fue un resultado de ese anhelo de verdad, de simplicidad, de acercamiento a la naturaleza y primitivismo que llenaron los dos últimos tercios del siglo XVIII y continuó hasta muy avanzado el siglo XIX, principalmente en Austria.

Carácter, expresión, alma, pasión: todo lo que pedía la nueva era de la danza se encontró en el vals; puede que haya sido muy salvaje Ernst Moritz cuando describe un vals en una aldea cercana a Erlangen: "Los danzarines sostenían las faldas de sus compañeras a una altura suficiente para no arrastrarlas ni pisarlas; se envolvían con ellas, trayendo ambos cuerpos bajo un mismo cobertor, tan próximos como fuera posible, y así seguían girando en las posiciones más impúdicas; la mano que sostenía la falda se apretaba contra los senos, ejerciendo lúbrica presión a cada movimiento del baile; las muchachas entretanto parecían trastornadas y próximas a desvanecerse de placer. Mientras bailaban hacia el ángulo más penumbroso de la sala, los besos y las caricias se tornaban más audaces; es costumbre rural, y no tan mala como algunos dicen, pero ahora entiendo perfectamente porqué se ha prohibido el vals en ciertas regiones de Suabia y de Suiza."

En nuestro país el vals tiene su culminación tardíamente, pero produce bellas y cadenciosas melodías, como "Club verde" y "Sobre las olas", por mencionar sólo dos; la última de ellas de fama mundial, compuesta por un modesto violinista de humilde cuna: Juventino Rosas.

La intoxicación del vals vienés no contamina a nuestra sociedad y pasa fugazmente ante el escándalo de las buenas familias, permaneciendo solamente la forma romántica del vals, que a fines del siglo pasado hace suspirar a las doncellas entre los versos y las flores "desmayadas" de sus enamorados.

El vals en México se bailaba en los salones de la sociedad en la culminación de la época porfiriana, de manera lenta y recatada, y actualmente se le observa sólo en los llamados "Bailes de quince años", mediante los cuales se presentan en sociedad las señoritas en estado de merecer, aunque en el norte del país —Coahuila, Durango— algunos conjuntos de cuerdas se obstinan en recordarlo, y algún viejo compositor todavía acomete con brío la composición de nuevos valses, lo cual nos parece justo y necesario, pues el sentido poético y el oído refinado parecen estar ausentes en los lugares donde ahora se hace la música.

## CUANDO ESCUCHES ESTE VALS

*L. y M. de Ángel Garrido*

Cuando escuches este vals
haz un recuerdo de mí,
piensa en los besos de amor
que me diste y que te di.

Si alguien pretende robar
tu divino corazón
dile que mi alma te di
y la tuya tengo yo.

Cómo quieres, ángel mío,
que te olvide si eres mi ilusión;
si en el cielo, en la tierra, en el mar,
en la tumba estaremos los dos.

Cómo quieres, ángel mío,
que te olvide si eres mi ilusión,
si mi vida es toda tuya
y tuyo es mi corazón.

Dicen que me has de olvidar,
que no te quiera yo a ti
que mi amor has de pagar
con ausentarte de mí.

Que nunca vuelva a jurar
tu doliente corazón
que es mentira tu penar
y es mentira tu pasión.

Sin embargo, yo te quiero
con delirio y magnánimo amor
y mi vida por siempre daré
a la imagen de mi adoración.

Nada importa que me olvides
y me dejes morir de dolor,
si mi vida sólo es tuya
y tuyo es mi corazón.

## MORIR POR TU AMOR

*Belisario de Jesús García*

Morir por tu amor
qué dicha ha de ser,
morir por tus ojos divinos
que son la expresión del placer.
Morir, sí, morir,
canta el ruiseñor,
que todo en la vida
es amor, amor, amor.

Cantar, cantar, cantar, cantar,
que al cabo la vida es muy corta,
reír, reír, reír, reír,
que al cabo la vida está loca.

Amor, amor, amor, amor,
palabra que encierra un destino,
tu nombre es sacrosanto,
porque en ti siempre existe el dolor.

## VIVA MI DESGRACIA

*Francisco Cárdenas*

Viva mi desgracia,
pues ya no me quieres tú
porque estoy ya decepcionado yo
de todas las mujeres.

Cuando yo te conocí
tuve una esperanza en ti,
fue tan sólo una ilusión de amor
y luego te perdí.

En la vida un desengaño
no se olvidará
ni ya nunca más se podrá curar el daño
que nos hizo con su mal.

Viva mi desgracia. . .

Cuando yo te conocí. . .

No puedo decir que tengo corazón,
a ti te lo di con santa devoción.
Tus palabras fueron falsas,
ya mi vida te entregué.

Viva mi desgracia,. . .

## ESPEJITO

*Lorenzo Barcelata*

Espejito compañero,
mírame que triste estoy. . .
Se me fue el hombre que quiero
y me muero por su amor.

¡Cuántas veces me ayudaste
a vestirme para él!
¡Cuántas veces te empañaste
al llorar por su querer!

Pero hoy, ya lo ves,
sólo tengo tristeza y dolor;
¡cuánto lloro desde que se fue
y no puedo vivir sin su amor!

Dime tú, que eres fiel,
si algún día me vendrá a consolar,
pues me mata esta pena tan cruel
y me muero de tanto esperar.

## DIOS NUNCA MUERE

*Macedonio Alcalá*

Muere el sol en los montes
con la luz que agoniza,
pues la vida en su prisa
nos conduce a morir.

Pero no importa saber
que voy a tener el mismo final
porque me queda el consuelo
que Dios nunca morirá.

Voy a dejar las cosas que amé,
la tierra ideal que me vio nacer,
pero sé que después habré de gozar
la dicha y la paz que en Dios hallaré.

Sé que la vida empieza
en donde se piensa
que la realidad termina.

Sé que Dios nunca muere
y que se conmueve
del que busca su beatitud.

Sé que una nueva luz
habrá de alcanzar
nuestra soledad
y que todo aquel
que llega a morir
empieza a vivir
una eternidad.

Muere el sol en los montes. . .

## ÍNTIMO SECRETO

*Alfonso Esparza Oteo*

Secreto de un amor
que no confesaré,
historia del ayer
que pudo ser eternidad;
Pecado en floración,
los ojos que adoré,
los labios que besé
al palpitar de una pasión.

Jamás olvidaré,
lo que en mi vida fue,
aquel divino amor
que pudo ser eternidad y fe,

aquel divino amor
que pudo ser eternidad y fe,
aquel divino amor
que fue sólo ilusión fugaz.

Secreto de un amor que no confesaré. . .

Íntimo secreto, confesión de amor
que en los labios muere como una oración;
nadie robar puede mi tesoro de ilusión,
porque igual sería que arrancarme el corazón.

Llama perdurable de mi adoración,
lámpara votiva de mi devoción;
eres, mi vida, dulce evocación,
íntimo secreto de amor.

## ROSALÍA

*L. y M. de Juan Pantoja*

Voy a cantar a la orilla del mar
para soñar con la dicha que sueñas tú;
quiero libar en tus labios la dulce miel
del amor que le entregué, porque juré serle fiel.

Te adoré y te juro no poderte olvidar,
porque sé que tú nunca me olvidas jamás.
Tú fuiste mi querer. . .
¿por qué me haces llorar?

Sé muy bien que fuiste tú mi sola ilusión,
quiero ser el dueño de tu leal corazón,
y no podré encontrar
otra mujer igual.

Júrame que serás la dueña de mi amor,
porque eres mi ambición, eres mi adoración;
eres la rosa que perfuma mi querer
y no podré encontrar jamás otra mujer.

Si me olvidas yo te juro vengarme,
después de llevar tu maldición;
porque sé que después de olvidarme
me puedes matar sin condición.

Tú bien sabes que mucho te quiero,
bien sé que no muero por tu amor,
yo no puedo vivir sin quererte,
prefiero la muerte, resulta mejor.

## OJOS DE JUVENTUD

*Arturo Tolentino*

Ojos de juventud
puso en tu cara Dios
volviendo a crear la luz,
y eras para mi amor
como un rayo de sol
de eterna plenitud.

Ojos de juventud
la vida a mí me dio
para llorar, para llorar
tu amor que luego
me engañó con tu traición vulgar.

Como va siempre la traición
tuvo el nombre de mujer,
no delinque el corazón
que llora por un querer.

Por eso, de llorar
tu negra ingratitud,
por mis ojos se va
mi juventud.

Voy por la vida sin tu amor,
como nave sin fanal,
pues me rompiste el corazón
con tus manitas de marfil,
como si fueran de cristal.

Y como nunca he de olvidar
tu suprema ingratitud
y tu traición,
digo a mis ojos con afán,
ojos de juventud, llorad.

## NOCHE AZUL

*Carlos Espinosa de los Monteros*

Bella imagen que soñé
en mis noches de dolor,
mensajera del amor,
dulce bien, ven a mí.

Si la senda del vivir
no conduce a donde estás,
óyelo, hermosa,
mi única ilusión será
cantarle así.

Del castillo la tapia escalar,
de la noche en la dulce quietud
tu perfume divino aspirar,
ver tu juventud, tu frente besar.

Blanca faz que extasiado de amor
a la luz de la luna miré,
azucena de abril, tierna flor,
ángel que soñé, mira mi dolor.

Alma que muriendo vas,
cuando lejos de ella estás
vuela y dile que vivir
sin su amor, es morir.

Dile que en la noche azul,
cuando las estrellas van
cintilando de oro y luz,
suspirando por su amor,
estaré yo.

Yo, señora, no quiero turbar
de tus sueños la santa ilusión,
sólo anhelo mi bien contemplar
de ese tu mirar, de ese tu mirar.

Soberana que ves mi dolor,
que iluminas mi vida y mi fe,
de tus labios un beso de amor
rendido de amor, ruego por favor.

## SOBRE LAS OLAS

*Juventino Rosas*

En la inmensidad de las olas flotando te vi
y al irte a salvar, por tu vida la vida perdí.
Tu dulce visión en mi alma indeleble grabó
la tierna pasión que la dicha
y la paz me robó.

Si el eco de mi dolor
tu refugio llegare a turbar
te seguirá mi amor,
no te niegues su pena escuchar,
que el viento te llevará
los gemidos de mi corazón
y siempre repetirá
los acentos de mi canción.

La tempestad en su furia con el mar
y del relámpago el rudo fragor
sólo podrán débilmente calmar
la tempestad que hay aquí por tu amor.

Por doquiera que voy
tu recuerdo es mi guía,
en la noche es mi faro, es mi sol en el día,
mis suspiros, mi aliento, mi acerbo dolor,
mi doliente quebranto es por ti,
por tu amor.

Con mi gemido te envío el corazón
y con mis sollozos te mando mi fe,
mas no, no quiero de ti compasión,
yo quiero amor o por él perecer.

## EL FAISÁN

*Miguel Lerdo de Tejada*

En lugar de remoto país
existió una princesa ideal,
en su faz desmayábase el lis
y su labio encelaba al coral.

Pero así como bella, era cruel,
no sintió dentro del pecho el amor,
y una vez que encontróla un doncel
le expresó en un cantar su dolor:

Ciego de amor vengo a ti,
de la luz vengo en pos,
puesto que eres un sol,
soy ruiseñor y el zafir
te lució cual joyel,
y tu luz me cegó.

Místico olor da el jazmín
y el diamante fulgor,
música el manantial azul.
Sólo, ¡oh dolor!, reina hostil,
sin tener corazón, morir me dejas tú.

## ALEJANDRA

*L. y M. de E. Mora*

Soy feliz desde que te vi,
te entregué mi amor
y la calma perdí.
Contemplé tu hermosura ideal
y sentí por ti
un amor sin igual.

Son tus ojos tan hermosos
y fascinadores al mirar,
tus sonrisas son de almíbar
y tus lindos labios de coral,
con la luz de tu mirar,
con el fuego del querer,
con la dicha del que sabe amar.

Soy feliz desde que te vi,. . .

Qué bonitas horas
paso yo cerca de ti,
van mis ilusiones a mi mente, ya
creo yo ser feliz;
si tú comprendieras
lo que sufro yo por ti,
me dieras la dicha,
me hicieras feliz.

## RECUERDO

*Alberto M. Alvarado*

Es un recuerdo de amor, mujer,
como un aroma sutil de flor
y es como estrella fugaz
de ilusión,
de mi deshojada pasión.

Cuando recuerdo tu voz de amor
que al fin se fue para no tornar,
siento en el alma un temblor
de dolor,
ansias de ponerme a llorar.

Y esa voz es mi vida y mi ser,
por eso, mujer,
recordar de él es sufrir otra vez.

# Biografías

## Luis Arcaraz

Este notable músico llamado el Benjamín de los Compositores, nació el 5 de diciembre de 1910, en la Ciudad de México. Estimulado por su vocación musical y después de haber tomado cursos de solfeo, composición, armonía y dirección orquestal, a partir de 1930 se constituyó, junto con Agustín Lara y Gonzalo Curiel, en un auténtico baluarte de nuestra canción.

La XEW fue una excelente plataforma para darse a conocer, y a través de ella sus temas quedaron para la posteridad. Fue un excelente pianista; durante muchos años dirigió su propia orquesta, con la que llegó a cimentar un sólido prestigio, particularmente en la Unión Americana, donde su grupo estaba considerado entre los mejores del mundo.

Sus más destacadas composiciones son "Viajera", "As de corazones", "Muñequita de Squire", "Quinto patio", "Bonita" y "Prisionero del mar". Murió el 1o. de junio de 1963 en un lamentable accidente automovilístico ocurrido en la carretera de Matehuala a San Luis Potosí.

## Federico Baena

Entre la pléyade de compositores en el firmamento musical de México, Federico Baena ocupa el primerísimo sitio. Nació en esta capital el 2 de marzo de 1917. Romántico por naturaleza, al igual que la mayoría de sus colegas, desde niño sintió una especial vocación por la composición. En 1935, cuando frisaba los 18 años de edad, se inició profesionalmente en la actividad artística. Sus comienzos fueron difíciles y sólo hasta 1942, intentando formar parte del elenco de la XEW, logró ser admitido. Ahí conoció a las Hermanas Águila, quienes le grabaron su primera canción: "Que te vaya bien".

El éxito no se le negó, pues en la propia estación fue asignado para varios programas patrocinados por la Lotería Nacional y algunas empresas jaboneras. Durante una temporada se fue a la XEB y a su regreso a la XEW, permaneció ahí hasta que ésta terminó con sus programas de música viva, en 1960.

El maestro Baena, de quien se dice vino a revolucionar el tradicional estilo del bolero, escribió música para 28 películas aproximadamente. Toca la viola, el piano y es violinista de concierto. En su amplio catálogo incluye música clásica: 12 preludios para piano, un concierto para viola y orquesta y varias piezas para violín. Entre sus más célebres composiciones figuran "¿En qué quedamos?", "Te vas porque quieres", "Por eso te perdono", "Vagabundo", "Yo vivo mi vida", "Cuatro palabras", "Sensación", "El final que sueño", "Ay cariño" y "Cuatro cirios".

## Lorenzo Barcelata

Lorenzo Barcelata fue un hombre franco, alegre y además tenía la simpatía de los veracruzanos, nació en Tlalixcoyan, Veracruz, el 30 de julio de 1898. Sus padres fueron Lorenzo Barcelata y Petrona Castro.

Aprovechando la fama que le dieron sus canciones recorrió la República Mexicana, así como distintos países en los que también gozó de éxito; se acompañaba de su inseparable guitarra, la que dominaba con verdadera

maestría al interpretar sus composiciones, a las que les daba un sabor muy especial.

Formó un grupo popular con elementos de mucha valía artística, como lo eran entonces José Agustín Ramírez, Ernesto Cortázar, Carlos Peña y el propio Lorenzo, el grupo se llamó Los Trovadores Tamaulipecos, quienes recibieron apoyo moral y económico del licenciado Emilio Portes Gil, en esa época gobernador de Tamaulipas.

La mayoría de las canciones que tenían en su repertorio eran producto de su inspiración, ya que, tanto Lorenzo como José Agustín y Ernesto, gozaban de merecida fama como compositores.

Logró una buena mancuerna con Ernesto Cortázar como letrista de melodías que en su mayoría fueron interpretadas en varias películas mexicanas, y algunas de ellas dieron título a varias cintas en aquellos tiempos de la incipiente industria cinematográfica.

En los años treinta fue nombrado director artístico de la radiodifusora XEFO, la cual trabajaba bajo el patrocinio del PNR (Partido Nacional Revolucionario) con artistas de renombre en el medio musical.

La mayoría de sus composiciones se encuentran grabadas por compañías disqueras tanto mexicanas como extranjeras, principalmente de Estados Unidos, algunas de sus canciones son "María Elena", "Por ti aprendí a querer", "La bamba", "El coconito", "El cuerudo", "La palomita", "El toro coquito". Es imposible enumerarlas todas, debido a que Lorenzo fue un prolífico compositor.

## Felipe Bermejo

Nació el 12 de noviembre de 1901, en México, D.F. Luego de cursar la instrucción primaria, estudió dos años de comercio, tres de solfeo y armonía, uno de piano, cinco de guitarra y seis de canto.

Inició sus actividades artísticas en 1932, siendo fundador e integrante del Cuarteto Panamericano, del Dueto Villanueva-Bermejo, del Trío Acapulco y el Cuarteto Metropolitano, con el cual logró sus mayores éxitos, dando a conocer sus canciones en la XEW. La primera de ellas, "Peregrino", la compuso en 1938, en el vapor Orizaba, cuando viajaba de La Habana, Cuba, al puerto de Veracruz.

Realizó canciones para películas. Entre sus intérpretes figuran Jorge Negrete, Lucha Reyes, Pedro Infante, Lola Beltrán, La Torcacita, el Trío Calaveras, el Trío Tariácuri, entre otros. Escribió libretos para radio y actuó en varias películas.

Sus canciones más famosas son "Juan colorado", "La charreada", "Rancho alegre", "Al morir la tarde", "El toro relajo", "El corrido de Chihuahua" (con Pedro de Lille). "Los camiones", "Los inditos", "Arriba el norte", "Mi tierra mexicana", "Ay Uruapan" y "Donde me la pinten brinco".

## Severiano Briseño

Nació el 21 de febrero de 1902, en San José de Canoa, San Luis Potosí. Desde los 9 años radicó en Tampico, donde formó sus primeros conjuntos musicales. Su primera canción la compuso en 1924, a la edad de 22 años. En 1939 llegó al Distrito Federal al frente de un trío formado por él. Tiempo después formó el Trío Tamaulipeco con los Hermanos Samperio.

Entre sus intérpretes destaca Lucha Reyes que popularizó temas de Briseño como "Los Tarzanes" y "Caminito de Contreras". En 1940 compuso "El corrido de Monterrey" dedicado a la capital neolonesa. En 1944, compuso "El sinaloense" que se convirtió en el himno del estado norteño y que Luis Aguilar, "El gallo giro", tomara como tema musical en sus presentaciones.

Entre su producción musical destacaron "Escolleras", "El guayalejo", "Ay Sonora", "Los camperos", y "Paloma azul". También como algunos de sus colegas, fue fundador de la Sociedad de Autores y Compositores de México (SACM).

## Roberto Cantoral

Hijo de don Antonio Cantoral y doña Hermelinda García, nació en el puerto de Tampico, Tamaulipas, el 7 de junio de 1930. Cuando estudiaba en el Colegio Alborada, junto con su hermano Antonio escenificó las coplas de "Allá en el Rancho Grande", que en el cine protagonizaron Tito Guízar y Lorenzo Barcelata.

En Tampico cursó la preparatoria y al terminarla inició sus estudios de solfeo y armonía con el maestro Francisco Argote; aprendió a tocar el piano y la guitarra, la que llegó a dominar con maestría.

A principios de 1952 llegó al Distrito Federal, y sólo unos meses después de su arribo, fundó el grupo "Los Tres Caballeros" con la primera voz de Leonel Gálvez Polanco y el requinto de Benjamín Pérez de León (Chamín Correa). Su primera actuación en radio, fue el 1o. de julio de 1952 en la XEW, a la que le sucedieron una cadena interminable de presentaciones en otros escenarios. A partir de 1953 compuso sus primeras canciones.

Al término de una exitosa gira por Estados Unidos el trío firmó contrato de exclusividad con la compañía Musart, en cuyos estudios realizaron su primer disco sencillo el 15 de septiembre de 1956, con dos temas del propio Cantoral: "El reloj" y "La barca", éxitos rotundos que desde entonces eslabonarían una serie de canciones como "Regálame esta noche", "Al final", "El triste", que gozan de un sólido prestigio nacional e internacional.

A lo largo de su brillante trayectoria artística ha recibido un sinnúmero de reconocimientos, pero tienen un especial significado aquellos cuatro Discos de Oro otorgados por el semanario *Selecciones Musicales* en 1957, por el éxito de "El reloj" y "La barca". Actualmente conduce con atinado acierto los destinos de la Sociedad de Autores y Compositores de México (SACM) de la cual es presidente.

## Guty Cárdenas

Augusto Cárdenas Pinelo, más conocido como Guty Cárdenas, nació en Mérida, Yucatán, el 12 de diciembre de 1905. Hijo del señor Augusto Cárdenas Muñoz y la señora María Pinelo Ituarte, que pertenecieron a familias de buena posición económica en la Ciudad de México.

Estudió en el Colegio Williams de la Ciudad de México la carrera de contador privado, donde años más tarde impartió clases de contabilidad. Su profesión le sirvió para hacerse cargo del negocio contable que regenteaba su padre. Desde muy temprana edad le llamó la atención la música; se propuso y logró aprender a tocar guitarra, piano, saxofón, bajo y otros instrumentos.

El maestro Ignacio Fernández Esperón, "Tata Nacho", que en cierta ocasión se encontraba en Mérida, lo escuchó y quedó tan impresionado de sus dotes artísticas como compositor e intérprete, que lo invitó a visitar la capital de la República para darlo a conocer por medio de la radio y los teatros. En forma rápida y sorpresiva logró alcanzar fama como compositor y trovador, ya que poseía un estilo lleno de ternura y romanticismo. Dueño de una exquisita inspiración dio a conocer infinidad de composiciones que le valieron fama nacional e internacional.

"Flor" es el título de una de sus primeras composiciones, dedicada a su novia, que así se llamaba, y quien se fue a Canadá a estudiar por insistencia de sus padres, ya que se oponían a sus relaciones con el compositor meridano. Su canción "Nunca" resultó premiada con diploma en el Concurso de la Canción Mexicana, convocado por el Teatro Lírico de la ciudad de México el 19 de agosto de 1917. Siguieron sus éxitos con las canciones "Un rayito de sol", "Peregrino de amor", "Yukalpetén", "Para olvidarte a ti", "Caminante del Mayab", "Si yo pudiera", "A qué negar". Todas ellas se siguen escuchando.

Fue tanta la popularidad que adquirió Guty Cárdenas, que la grabadora de discos Columbia, de Nueva York, lo nombró su artista exclusivo, siendo el primer compositor mexicano que gozó de esta distinción. Se consagró en la época que se encontraban en su apogeo los maestros "Tata Nacho", Mario Talavera, Alfonso Esparza Oteo, Luis Martínez Serrano y algunos más.

Murió en forma trágica el 5 de abril de 1932 en el Bar Salón Bach de la avenida Madero, en la capial de la República. Quince años después sus restos fueron exhumados y trasladados a su inolvidable Mérida, en donde se encuentran hasta la fecha, en la Rotonda de Compositores de Yucatán.

## Álvaro Carrillo

Nació el 2 de diciembre de 1921 en Cacahuatepec, Oaxaca. Desde muy pequeño se sintió atraído por la música. A la par de sus estudios de agronomía, realizados en Chapingo donde obtuvo el título de ingeniero, escribió sus primeras composiciones. El tema "Celia", que nunca fue dado a conocer comercialmente, marca el inicio de una prolífica carrera que habría de encontrar su más alto

nivel en "Sabor a mí", tan gustada que se grabó en otros países por artistas famosos, esto dio a su autor renombre internacional.

Ocupó un importante sitio en el medio artístico; como buen bohemio escribió brillantes páginas dentro del panorama musical nacional. Acompañado por su guitarra, que tocaba magistralmente, realizó varias y exitosas grabaciones.

Entre sus canciones más famosas se encuentran: "Eso", "Luz de luna", "Amor mío", "Un poco más", "El andariego", "Cancionero", "Sabrá Dios", "Como un lunar", "Seguiré mi viaje", "Pinotepa", "Puedo fallar", "El amuleto" y "La mentira".

Un infortunado accidente automovilístico cortó la vida de este prolífico compositor que, con un estilo muy personal, inició una nueva etapa para la canción romántica mexicana. Falleció el 3 de abril de 1969 cuando se encontraba en la plenitud de su creatividad artística.

## Cuates Castilla

Miguel y José Mirón y González de Castilla, los "Cuates" Castilla, nacieron en 1912, en Veracruz, Ver. Tenían doce años de edad cuando el 15 de septiembre de 1924 debutaron en el Teatro Principal, con motivo de un festejo escolar del entonces Colegio Josefino, hoy La Paz. El 7 de noviembre se presentaron en plan profesional en el Salón Eslava; a partir de esa fecha, han recorrido el mundo con sus voces, sus guitarras y su inspiración.

Han compuesto 850 canciones, entre ellas destacan "Cuando ya no me quieras", "Flor silvestre", "El pastor", "Plegaria guadalupana", "El aeroplano", "Ausencia", "Mi segundo amor", "El limpiabotas", "Vieja chismosa", "El tamalero", "La negrita Concepción".

Los "Cuates" Castilla fueron pioneros y participantes en la creación de la XEW, de grabación de discos, de la televisión en Francia y en México, de las primeras giras artísticas en el extranjero y en el interior de la República Mexicana, de presentaciones en teatros, centros nocturnos y grandes espectáculos.

También son pioneros del cine mexicano y participaron en el primer corto musical que se hizo en México, alternando con Esther Fernández, María Luisa Zea, Lupita Gallardo y Sofía Álvarez, en la realización de Luis Sánchez Tello. Han actuado en sitios como los clubes Casablanca, de Madrid; el Lido du Palace, de Bruselas; el Alhambra, de París; el Teatro Mason, de Los Ángeles; el Coconut Grove, de Hollywood; el Apolo de Amberes; el Tívoli, de Estocolmo; el Argentina, de Atenas; el Gollescas, de Buenos Aires, el Knicherbocker, de Montecarlo; el Chat Noire, de Oslo; el Recoletos, de Madrid; el Casino Nacional, de La Habana y el Rupe Tarpea, de Roma, entre otros.

## Nicandro Castillo

Nació el 17 de marzo de 1914 en Xochiatipan, Hidalgo. Es sin duda uno de los más vigorosos impulsores del son huasteco. Realizó estudios de instrucción primaria normal rural y trabajó como maestro rural de 1930 a 1932. En 1933, junto con su hermano Roque, el "Viejo" Elpidio Ramírez y Pedro Galindo formaron el grupo Los Trovadores Chinacos. Tuvo el privilegio de ser el primero en cantar con falsete tanto en la XEW, como en grabaciones realizadas en la RCA Víctor con los temas "El caimán" y "La leva".

En 1940 formó el grupo Los Plateados de Nicandro Castillo con su hermano Roque, Elpidio Ramírez y Rodolfo Castillo, permaneciendo activos hasta la desintegración del grupo en 1948. En ese lapso actuaron en la XEW interpretando sones huastecos y canciones rancheras, trabajaron en varias películas al lado de Jorge Negrete y Pedro Infante entre otros. Como compositor se inició en 1940, siendo su primer tema el huapango "Si yo pudiera". Fue socio y fundador de la SACM.

Sus principales obras son "El cantador", "La Cecilia", "El torito", "Sueño", "Las tres huastecas", "El hidalguense", "El caballo cantador".

## Víctor Cordero

Víctor Cordero nació en México, D.F., el 10 de octubre de 1914. Estudió en la escuela Belisario Domínguez en la calle de Héroes.

A los 14 años peleó en tierras huastecas veracruzanas con las fuerzas de Marcial Cavazos. Fue miembro de la brigada de choque al mando del general de división Miguel Z. Martínez, en época de los cristeros. En su juventud vivió en Santa María la Redonda.

El sentimiento y la inspiración de las canciones de Víctor Cordero, hablan del sentir del pueblo y representan su propia existencia por haber sido testigo de diversos sucesos en la Revolución Mexicana.

## Ernesto Cortázar

Ernesto Cortázar nació el 10 de diciembre de 1897, en Tampico, Tamaulipas. Desde su niñez fue atraído por el arte y desde muy joven tuvo la oportunidad de dar forma a sus inquietudes al integrarse al grupo Los Trovadores Tamaulipecos con Lorenzo Barcelata, José Agustín Ramírez y Carlos Peña, recorriendo gran parte del país y la Unión Americana. Durante el gobierno de Emilio Portes Gil y a instancias del propio mandatario, el grupo vino a esta capital para participar en una serie de audiciones.

Poco después se separó de sus compañeros para buscar nuevos horizontes. Conoció a Manuel Esperón y con él formó una inolvidable mancuerna artística, ya que ambos trabajaron incansablemente, Esperón como músico y Cortázar como letrista, surgiendo numerosas canciones de esencia regional y nacionalista que encontraron en Jorge Negrete a su mejor exponente. También colaboró con Manuel Sabre Marroquín y Luis Arcaraz en "La número cien" y "Ruleta", respectivamente. La mayoría de sus canciones fueron utilizadas en el cine, desenvolviéndose en esta industria como argumentista.

A él se deben las letras de canciones tan famosas como "El corrido villista", "Cuando tú me quieras", "La palomita", "Espejito", "Ay Jalisco no te rajes", "No volveré", "Cocula", "Esos Altos de Jalisco", "María Elena", "El queretano", "Qué lindo es Michoacán", "Tampico", "El toro coquito", "Arandas", "Así se quiere en Jalisco", "Que te cuesta", por no mencionar sino algunas.

Siendo presidente de la Sociedad de Autores y Compositores de México, murió en un desafortunado accidente automovilístico el 30 de noviembre de 1953, en Lagos de Moreno, Jalisco, al viajar a Guadalajara para presidir un congreso de su agrupación.

## Gonzalo Curiel

Nació el 10 de enero de 1904 en Guadalajara, Jalisco. Sus padres fueron Juan Nepomuceno Curiel y María de Jesús Barba; tuvo dos hermanos: María Luisa y Juan

Luis. Desde pequeño sintió atracción por la música y aprendió a tocar piano, violín, mandolina y guitarra. De 1917 a 1921 estudió música en Zez Conprey en Los Ángeles, California. En 1927 llegó a la Ciudad de México y se empleó en una casa de música dedicada a la venta de rollos de pianola.

En 1931 el doctor Alfonso Ortiz Tirado lo incluyó como pianista, y dieron un concierto en el Junior College Auditorium de Brownsville, Texas, donde Curiel ejecutó el vals "Capricho" de Ricardo Castro. En ese mismo año, en el Teatro República, en el D.F., él y Ortiz Tirado interpretaron juntos canciones de Agustín Lara, María Grever, Mario Talavera, Jorge del Moral y canciones del mismo Curiel "Atardecer", "Madrid", "Ensoñación", "Pagana" y "Tu beso". Siguieron actuando juntos en diferentes lugares del país, y en 1931 Gonzalo Curiel llegó a la XEW como acompañante de piano, y fue presentado por el locutor Arturo García (Arturo de Córdova).

El 4 de noviembre de 1932 debutó en el cine Alcázar con su conjunto musical Los Caballeros de la Armonía, integrado por Lorenzo Bezavilvazo en el violín; Nicolás Ibarra, trompeta; Lorenzo Ibarra, guitarra; Alfonso Pérez, sax alto, y Jacinto Garnica, sax tenor.

El 17 de enero de 1933 pasó al cine Olimpia para amenizar los intermedios de la película *Cuando la vida empieza*. El 28 de abril de 1934 actuó en el Teatro Politeama, donde fue anunciado como "Orfebre de la melodía"; ahí presentó la revista musical "Ven", dividida en dos actos y 22 cuadros, con libreto y escenografía de Carlos G. Villenave. A este triunfo se sumó "Prisma", revista en dos actos.

En 1937 se repatrió Ignacio Fernández Esperón, "Tata Nacho" y junto con Alfonso Esparza Oteo, Mario Talavera, Gabriel Ruiz, Miguel Prado y otros compositores formó el Sindicato Mexicano de Autores, Compositores y Editores de Música (SMACEM).

Fue un incansable luchador sindical que siempre estuvo la lado de sus compañeros. A su muerte fue velado en el edificio de la SACM, en la calle de Ponciano Arriaga 17, y sepultado en el lote de los Compositores del Panteón Jardín de San Ángel el 4 de julio de 1958.

Sus principales obras son "Brazalete", "Un instante", "He querido olvidar", "Tu partida", "Son tus ojos verde mar", "Concierto núm. 2 para piano y orquesta", "Tu boca y yo", "Tú", "Caminos de ayer", "Desesperanza", "Noche de luna", "Amargura", "Un gran amor", "Traicionera", "Anoche", "Calla", "Vereda tropical", "Temor", "Incertidumbre".

Alberto Domínguez

El incomparable sonido que producen las maderas de la marimba como exponente tradicional de la expresión musical del sureste de México, ha inspirado a un gran número de artistas, cantantes y compositores. Valgan estas reflexiones para referirse al compositor y pianista Alberto Domínguez Borrás, que nació en San Cristóbal de las Casas, Chiapas, el 21 de abril de 1912.

Además de haberse saturado del ambiente de esa tierra privilegiada, forma parte de una dinastía de músicos notables. Como ha sucedido a tantos artistas de provincia que buscan nuevos horizontes y mejores oportunidades, vino a la Ciudad de México, en donde se perfeccionó como pianista.

Fue, sin duda alguna, uno de los artistas más completos, pues como compositor logró magníficas canciones que han dado la vuelta al mundo en labios de los mejores intérpretes de la música romántica, entre ellas: "Frenesí", "Perfidia", "Humanidad", "Mala noche", "Al son de la marimba", "Eternamente", "Hilos de plata" y "Por la cruz". Este notable compositor falleció el día 2 de septiembre de 1975.

## Jesús Elizarrarás

Nació en Guanajuato, Guanajuato, el 26 de junio de 1908. A su faceta de compositor aúna la de productor de radio y televisión y publicista. Realizó sus estudios musicales en el Conservatorio Nacional de Música, en las especialidades de solfeo y piano. Hizo lo propio en la Escuela Superior de Comercio y Administración y estuvo becado en Los Ángeles, Chicago y Nueva York, para lograr un mayor perfeccionamiento como productor de televisión. De sus padres heredó el talento musical. Su padre era un notable violinista y su madre tocaba magistralmente la guitarra.

Entre sus canciones, que alcanzaron una gran difusión, figuran "Tierra de mis amores", "Tengo a quien querer", "Dos corazones", "Nostalgia", "Guanajuato te vengo a cantar", "Serenata a Guanajuato", "Muchacha de Guanajuato". Actualmente trabaja en Radio Educación donde produce diversos programas de radio.

Alfonso Esparza Oteo

Sería imposible enumerar todo su catálogo musical, ya que fue muy productivo como compositor, pero sí conviene mencionar algunas de sus melodías con más arraigo en el público como "Te he de querer", "Colombina", "Dime que sí", "Canción de amor", "Silenciosamente", "La india bonita", "Pajarillo barranqueño", "Déjame llorar", "Golondrina mensajera", "El adolorido", "Adiós golondrinas", "El sacristán", "Íntimo secreto", "Bien sabes tú", "Fracaso", "Mentirosa" y "Juan Colorado".

Los presidentes de la República Álvaro Obregón y Plutarco Elías Calles durante sus regímenes lo nombraron Director de la Orquesta Típica Presidencial, por sus amplios conocimientos musicales.

Con los maestros Mario Talavera, "Tata Nacho" y algunos más fundó el Sindicato Mexicano de Autores, Compositores y Editores de Música, que tiempo después se convirtió en Sociedad de Autores y Compositores de México (SACM).

Ocupó varios cargos tanto en empresas como instituciones oficiales; fungió como jefe de la Sección Folklórica del Departamento de Bellas Artes, como Asesor Artístico del Repertorio de la Casa Wagner, como Director Artístico de la radiodifusora XEB (de la fábrica de cigarros El Buen Tono) y en la XEW formó y dirigió una orquesta. Hizo también infinidad de giras artísticas por toda la República Mexicana, así como también por Cuba, Estados Unidos y Centro y Sudamérica, gozando de mucho prestigio.

En 1939 desempeñó el cargo de Director Artístico del Departamento Latino de la disquera Columbia, con sede en Nueva York.

Un paro cardiaco truncó su vida el 31 de enero de 1950 en la Ciudad de México, siendo Presidente de la SACM; sus restos reposan en el panteón Jardín de esta ciudad. Por iniciativa de la Sociedad de Autores y Compositores de México, fue colocado un busto suyo en la colonia Nápoles, en reconocimiento a su trayectoria artística y su labor en favor de los compositores de México.

## Manuel Esperón

Nació en la Ciudad de México el 3 de agosto de 1911. Estudió en la Academia de San Carlos artes plásticas, dibujo, pintura y escultura. Asimismo estudió en la Escuela Superior de Música del Instituto Nacional de Bellas Artes, terminando su formación musical.

Se inició en el trabajo musical acompañando artistas como Néstor Chaires, Paco Santillana, Maruca Pérez y

Juan Arvizu, viajando hasta Sudamérica; así como musicalizando funciones de cine mudo.

Su primer trabajo cinematográfico consistió en la musicalización de la película *La mujer del puerto*, a partir de la cual continuó por el mismo camino, ya que la mayoría de sus canciones fueron compuestas como parte del fondo musical cinematográfico. Manuel Esperón fue el director musical y compositor "de cabecera", de los más grandes astros de la canción: Jorge Negrete y Pedro Infante.

Compuso una suite sinfónica titulada "México 1910", con temas mexicanos de cuatro décadas, de 1910 a 1950, en desarrollo sinfónico y coral. Algunas de sus canciones más famosas son "Amor con amor se paga", "Esos altos", "Fiesta mexicana", "No volveré", "Nube plateada", "Serenata tapatía", "Traigo un amor", "Yo muy mexicano", "¡Ay, Jalisco, no te rajes!", "Amorcito corazón" y "Mi cariñito", entre muchas otras. Su principal colaborador fue, como letrista, Ernesto Cortázar, pareja valiosísima en la música popular mexicana. Manuel Esperón ocupa actualmente uno de los puestos más destacados dentro del Consejo Directivo de la SACM.

## Claudio Estrada

Indiscutiblemente, fue Claudio Estrada uno de los mejores guitarristas mexicanos, dueño de un estilo inigualable nacido de su propia iniciativa puesto que jamás recibió clases para ejecutar este instrumento.

Nació en 1910, precisamente en los albores de la Revolución Mexicana, en el puerto de Veracruz. Posteriormente sus padres don Tirso Estrada y doña Teresa Báez de Estrada se trasladaron a la Ciudad de México en donde cursó la primaria en la escuela de San Luis Gonzaga; estudió hasta el primer año de Comercio; sin embargo, su vocación era la artística, y hacia allá encaminó su destino.

A los diez años de edad comenzó a tocar la guitarra y de inmediato sobresalió. En 1930 empezó su vida artística en las carpas con el tanguista tabasqueño Ma-

rio del Valle. En 1931 hizo inolvidables migas con Mario Moreno "Cantinflas", y ambos trabajaron en la carpa Ofelia donde jocosamente se decía que "ésta y la otra" eran por un solo boleto.

Las giras artísticas eran constantes, aun cuando frecuentemente eran "hambrísticas" porque no eran muy abundantes los dividendos. En cierta ocasión se quedó en Jalapa por espacio de 15 años, siendo esta la razón por lo que muchos piensan que Claudio Estrada es de la Ciudad de las Flores, pero no, él fue jarocho.

Es autor de múltiples composiciones, tales como "Contigo", "Compasión", "Albricias", "Herida de amor", "Ocaso", "Bendita seas" y "Todavía no me muero", esta última dedicada a la excelente bolerista María Luisa Landín. Cultivó amistad con Mario Talavera, Gonzalo Curiel, Antonio Badú y Mario Moreno "Cantinflas", quien por cierto, en 1937 le pidió musicalizar algunas revistas para el desaparecido Teatro Follies, allá por la plaza de Garibaldi.

Fue un tipo alegre, sincero, amistoso e inmensamente popular, considerándosele un bohemio completo. En su vida diaria dio el buen ejemplo con una máxima suya: "A tu semejante trátalo bien. Si no te comprende. . . no lo trates".

## Ignacio Fernández Esperón, "Tata Nacho"

Ignacio Fernández Esperón, conocido cariñosamente con el mote de Tata Nacho, nació en la Ciudad de México el 14 de febrero de 1894. Su mote se debió a un lamentable accidente: siendo un chiquillo cuando se encontraba en su escuela jugando al "burro" con uno de sus condiscípulos, sufrió una grave caída en la que perdió su dentadura y cuando hablaba se le oía la voz de un viejito desde entonces sus compañeros le empezaron a decir "Tata Nacho".

Sus conocimientos musicales los adquirió con renombrados maestros. Estudió piano con Salvador Ordóñez Ochoa en México y cuando se fue a radicar a Nueva York aprendió armonía, instrumentación y orquestación con el compositor francés Edgar Varese, con quien continuó los renglones de orquestación e instrumentación en París.

De entre sus numerosas composiciones las más famosas son "Carlota", "Dime, Ingrata", "La Borrachita", "Ya va cayendo", "Menudita", "Adiós mi Chaparrita", "Nunca, nunca, nunca", y entre ellas, "Así es mi tierra" que sirvió de tema para un programa de radio y televisión.

Fue fundador del Sindicato Mexicano de Autores, Compositores y Editores de Música (SMACEM), presidente de la Unión Latinoamericana de Sociedades de Autores y Compositores (ULSAC) y presidente de la Sociedad de Autores y Compositores de México (SACM). Falleció el 5 de junio de 1968, siendo muy sentida su desaparición, no sólo en la República Mexicana, sino en muchos países donde era ampliamente conocido y apreciado.

## Chava Flores

Salvador Flores Rivera, parafraseándolo, abrió por primera vez sus ojitos el 14 de enero de 1920, en la calle de La Soledad, en el popular barrio de La Merced de la Ciudad de México.

Según nos cuenta en su obra autobiográfica *Relatos de mi barrio*, publicada hace aproximadamente dos décadas empezó a trabajar y a ganar sus primeros pesos desde los 13 años, como cortador, etiquetero y planchador de corbatas, para seguir con toda una colección de ocupaciones: cortador de telas, bodeguero, repartidor, cobrador, contador privado, dueño de un almacén de ropa, ferretero, tlapalero, vendedor de zapatos y calcetines, repartidor de carnes, editor y músico.

De 1948 a 1951 editó el *Álbum de Oro de la Canción*, una revista quincenal, la que con grandes problemas sacó adelante durante esos años. Fue en 1952 cuando hace su entrada en el medio musical al empezar a cantar en la XEW y en la XEQ en los programas Pida su canción, La Hora Nacional y Tercia de ases. Compuso alrededor de 300 canciones, desde "Los tamales de Brunilda" hasta "El metro", también incursionó en el terreno de la actuación, ya que intervino en más de media docena de películas, siendo *Esquina de mi barrio* la más conocida.

Sus canciones son una crónica de la pobreza, de la diversión, del jolgorio, de los aconteceres citadinos; de amores entre la clase humilde, de situaciones jocosas a las que sacó partido y de las que él mismo fue testigo, sino es que a veces protagonista —a su paso por las colonias populares de la ciudad: La Merced, La Lagunilla, Álamos, Romita, Gabriel Hernández, San Rafael, Santa Julia—, todas dichas con una gracia, oportunidad y lenguaje que sólo él sabía manejar.

Cuando decía que le cantaba a "su pueblo", esto no sonaba hueco, como suena en otras bocas, sino que era realidad. Tuvo intérpretes como Pedro Infante, hace varias décadas; Óscar Chávez y Amparo Ochoa, ya más recientemente, sin olvidar desde luego que él mismo cantaba sus canciones y que varias generaciones disfrutaron y siguen disfrutando de la forma en que supo decir las cosas como muchos quisiéramos hacerlo para que fueran comprensibles para todos. Se seguirá recordando a Chava Flores al escuchar o cantar "A qué le tiras cuando sueñas, mexicano", "Sábado, Distrito Federal", "Peso sobre peso", "La tertulia", "Cerró sus ojitos Cleto", "Los pulques de Apan", "La interesada", "El bautizo de Cheto", "Los quince años de Espergencia" o "La boda de vecindad".

Este notable cronista musical de la Ciudad de México, sin título, como él decía, falleció el día 5 de agosto de 1987. Sus restos descansan en el lote de Compositores del panteón Jardín en esta ciudad de la que tanto habló.

## Rubén Fuentes

Si el maestro Manuel Esperón representa la piedra angular en la transformación de la canción mexicana a través de los grupos de mariachi, Rubén Fuentes se identifica con la etapa decisiva que habrá de colocar a nuestra música representativa en los primeros planos del panorama internacional. Su preocupación en la búsqueda de nuevos horizontes lo coloca a la vanguardia de una legión de músicos y arreglistas que habrán de secundarlo en su labor mexicanista. Al maestro Fuentes corresponde la paternidad del bolero ranchero, que a partir de "Tienes que pagar" encuentra en Pedro Infante a su mejor exponente. El género obtiene un auge inusitado y encuentra un digno heredero en las interpretaciones de Javier Solís.

Rubén Fuentes nació en Ciudad Guzmán, Jalisco, e hizo sus primeros estudios en aquella población. Posteriormente cursó la secundaria y la preparatoria en Guadalajara. Con su padre inició sus estudios de música y más tarde, con la práctica incrementó sus conocimientos. En 1945 se incorporó al Mariachi Vargas de Tecalitlán, grupo en el que permaneció por espacio de 11 años en calidad de violinista, arreglista y subdirector. Sus primeras experiencias como compositor fueron en 1951, cuando dio a conocer algunos temas como "Tres consejos", "La verdolaga" y "La noche y tú". Los arreglos que realizó para un sinnúmero de canciones que interpretaron Miguel Aceves Mejía, Pedro Infante y el propio Mariachi Vargas han quedado para la posteridad como un ejemplo de nuestra mexicanidad; algunas letras de éstas fueron escritas por Alberto Cervantes.

Al abandonar al Mariachi Vargas como ejecutante, pero sin perder jamás su relación, fungió por invitación de Mariano Rivera Conde como director artístico en la fonograbadora RCA Víctor, donde llevó a cabo una excelente labor. En la vitrina que aloja sus trofeos figuran preponderantemente aquellos prestigiados Discos de Oro que, instituidos por el maestro Roberto Ayala a través del desaparecido semanario *Selecciones musicales*, obtuvo como el mejor compositor y arreglista en los años 1954, 1958 y 1961. Cuenta con un impresionante número de composiciones.

## Francisco Gabilondo Soler

El popular Grillito Cantor "Cri-crí", nació en Orizaba, Veracruz, el 6 de octubre de 1907. En 1916 se trasladó con su familia a la Ciudad de México, donde permaneció por cinco años, pues decidieron volver a su tierra natal en 1922. A diferencia de otros compositores, no incursionó en la música desde su infancia, sino hasta la edad de 20 años, cuando decidió formar con sus amigos una orquesta.

Pero es hasta 1935 cuando se hace notable como compositor, con algunas melodías para niños, aunque ya antes había trabajado en la XETR de *El Universal* como el Guasón del Teclado, con canciones humorísticas de su creación. Su ascenso a la popularidad fue fulgurante, pues ingresó a la XEW y un año después era ya famoso por sus canciones de melodías sencillas y fáciles de aprender, dirigidas a los niños.

El contenido de sus canciones proporcionó enseñanza, así como el mensaje de las moralejas, por ello se consideran educativas. Entre lo más notable de una amplísima producción destacan "El Chorrito", "La Patita", "La Marcha de las Letras", "Caminito de la Escuela", "Di por qué", "Negrito Sandía", "Los Cochinitos dormilones", "Juan Pestañas", "El Comal y la Olla" y "El Ratón Vaquero", por no señalar sino las más conocidas.

Este notable compositor de música infantil ha recibido múltiples homenajes y no es exagerado afirmar que sus canciones han sido cantadas por varias generaciones de mexicanos.

## Juan S. Garrido

Nació un 9 de mayo en Valparaíso, República de Chile. Su madre, fue maestra, le guió en sus estudios de piano, al tiempo que estudiaba en un colegio inglés de enseñanza comercial. Más tarde fue ayudante de tenedor de libros. El comportamiento y dominio del piano le permitió desarrollarse como director artístico de una grabadora internacional.

En el año de 1928 compuso sus primeras canciones. En 1932 llegó a México donde empezó a escribir música

para varias películas como: *La familia Dreseel*, *El tesoro de Pancho Villa*, *María Elena*, *La india bonita*, *Pobre mercader*, *Calumnia*, *La pequeña madrecita* y cintas documentales. Desde 1935 dirigió una de las orquestas de baile más populares y grabó discos en distintas marcas.

Mantuvo largas series radiofónicas en la XEW, como el programa de "La hora del aficionado" y "Buenos días mis amigos"; este último pasó al canal 2 de televisión en 1960. Dirigió el coro infantil de Televicentro con el que grabó 14 discos de larga duración y muchos sencillos más.

El maestro Juan S. Garrido se naturalizó ciudadano mexicano en el año de 1952. Como compositor tuvo éxitos con las siguientes canciones: "Pelea de gallos en la Feria de San Marcos", "Noche de luna en Xalapa", "Cañitas", que es un pasodoble, "El corrido villista", "El enamorado", "Ay caramba", "Tampico", "Cuando tú me quieras" y "Adrede".

Fue presidente de la Unión Mexicana de Cronistas de Teatro y Música durante 6 años. Ha sido colaborador de los periódicos *Novedades* y *El Universal*. Fue fundador del Sindicato Único de Trabajadores de la Música así como de la Sociedad de Autores y Compositores de México (SACM).

Publicó una obra sobre la *Historia de la Música Popular en México* y una biografía de Mario Talavera. Es autor de "Canto al Vecino", con versos de Fernando García Rojas. En la actualidad alterna su trabajo de composición con el radiofónico, mediante su programa "Historia de la música popular", que cuenta con un considerable auditorio.

## Pepe Guízar

José Guízar Valencia Morfín, nació en Guadalajara, Jalisco, el 12 de febrero de 1912. Estudió en el Instituto de Ciencias de Jalisco, a la edad de 15 años, viajó a la Ciudad de México donde estudió en la Escuela Nacional Preparatoria y posteriormente en la Facultad de Derecho y Ciencias Sociales en la UNAM, hasta el tercer año de Leyes.

"Estudié también en 1929, piano en el Conservatorio Nacional de Música. Desde muy niño sentí gran afición a la música. Cuando era pequeño y mis padres me llevaban a la hacienda, me gustaba escuchar los cantos de los campesinos, canciones que se me quedaron en el fondo del corazón.

"En realidad, mi afición nació al nacer yo, una gran

afición de hacer música y versos. En aquella época (1930) triunfaba Agustín Lara y yo solía ir al Teatro Politeama, para escucharla, queriendo imitarlo en mis canciones; pero pensé que si él cantaba al amor, yo podría seguir otra escuela como la de Tata Nacho, haciendo versos que tuvieran esencia folklórica de México. Así fue como pasó el tiempo y en 1930, escribí mi primera canción 'Guadalajara'.

"Tata Nacho, regresaba en esa época de Europa, y cuando se acercaba el barco a México, quiso escuchar en el radio música mexicana. Su sorpresa fue cuando escuchó que México estaba lleno de canciones mías, como 'El Mariachi', 'Tehuantepec', 'El Corrido del Norte', y pensó como ahora yo lo hago: 'Se me adelantó una gente joven'.

"Como mis padres no querían que abandonara la carrera, me escapé y escogí una ciudad en donde no tuviera ningún pariente. Mi debut profesional fue en la ciudad de Monterrey. Ahí viví tres años y con Pepe Campillo, el viejo empresario y descubridor de Lupe Vélez, Pedro Vargas, Agustín Lara y Tito Guízar, me dijo que iba a ser su último descubrimiento. Así fue como, en 1930, me presenté en el Teatro Lírico de Monterrey con una revista musical titulada 'Guadalajara'. Cada ocho días, llevaba grandes figuras artísticas de la capital, como Lucha Reyes y Agustín Lara. Ellos por consiguiente se aprendían mis canciones y las traían a México.

"Un día Emilio Azcárraga llegó a Monterrey y me dijo que no tenía porqué quedarme más tiempo allá. Me trajo a México y me colocó en la XEW en 1939. Ahí participé en una serie de programas. Mi presentación profesional en México, fue en el Teatro Follies, habiéndome tendido la mano Mario Moreno 'Cantinflas'. Desde entonces he escrito más de 500 canciones, todas ellas dedicadas a México.

"Una de mis últimas satisfacciones, fue haber compuesto 32 canciones para cada uno de los estados de la República, grabando un álbum con esas melodías en la CBS, llamado 'Geografía de México'. En la televisión me presenté cuando ésta se inició. He tenido un sinnúmero de presentaciones personales y dos series muy importantes que han durado mucho tiempo, como 'Así es mi tierra' y 'Noches tapatías', en donde trabajé durante 15 años.

"He trabajado en toda América, desde Canadá hasta Argentina. He recibido muchos premios, otorgados por los gobiernos de cada estado de México, así como por periodistas y editores de música. He grabado seis elepés para Orfeón, RCA Víctor y CBS y tengo el orgullo de que mis canciones han sido interpretadas por numerosos intérpretes en todas las firmas disqueras. De todos los compositores, al que más admiro es a Agustín Lara."

## Agustín Lara

El compositor Agustín Lara nació en Tlacotalpan, Veracruz, el 14 de octubre de 1900. Sus padres fueron el doctor Joaquín Lara y la señora María Aguirre del Pino de Lara. Su infancia transcurrió en Tlacotalpan donde también nacieron otros dos hermanos.

Realizó sus primeros estudios en esa población y en la ciudad de Veracruz, y al trasladarse la familia a México, los continuó en la capital. Sus estudios superiores los cursó con los hermanos maristas, quienes tenían una escuela ubicada en la calle de La Perpetua. A la muerte de sus padres, su tía, la profesora Refugio Aguirre, se encargó de porporcionarle los medios para continuar estudiando; ella tuvo siempre gran predilección por el estudioso e inquieto chiquillo quien escribía rimas y al que veía entretenerse en un piano viejo que tenía arrumbado, en el que Agustín improvisaba sones y melodías.

Sus primeras lecciones de piano las recibió de la señora Guadalupe Baeza; tuvo otros maestros, pero el chico, un poco independiente y más rebelde que nunca, continuó su investigación de los secretos del piano como un autodidacta audaz.

Desde pequeño, Agustín Lara, tuvo tanto una disposición extraordinaria para ejecutar en el piano las melodías de moda, como para improvisar ideas musicales. A los trece años participó con dos sonetos en unos juegos florales, alcanzando el segundo premio, otorgado por el jurado del que formaban parte Luis G. Urbina y Rubén M. Campos.

Cuando era pianista en el restaurante Salambo, lanzó la canción "Imposible". Esta gustó mucho y se le propuso a una compañía grabadora; de aquí se desencadenó toda su producción en variados géneros. Entre los años de 1923 y 1930, Lara compuso "Rosarito", la Suite de Cabelleras: "Rubia", "Negra", y "Blanca"; más adelante, "Farolito", "Mujer", "Palmera", "Granada", "Murcia", "Fermín", "Novillero" y muchísimas más.

Agustín Lara empezó a percibir sus sensaciones creadoras en la contemplación de las vampiresas de cabaret y de restaurante, viéndolas reír y llorar, gozar y sufrir. Esas musas eternas inspiraron las primeras melodías sensuales y también los primeros versos de ardiente erotismo del vate veracruzano. Parece que sólo en "Rosa" y "Mujer" hubo musas tangibles de por medio. Nadie que tenga sensibilidad dejará de notar que en los versos de Agustín Lara, escritos para sus canciones, hay en verdad poesía, a veces elevación y siempre ternura amorosa.

Agustín Lara murió el 6 de noviembre de 1970, fue velado en la SACM, se le rindió homenaje en el Palacio de Bellas Artes y fue sepultado en la Rotonda de los Hombres Ilustres del panteón de Dolores.

José López Alavez

Son tres las canciones representativas del estado de Oaxaca: "La Sandunga", "Dios nunca muere" y "La canción mixteca". Esta última es, sin duda alguna, la más popular tanto nacional como internacionalmente. Su autor fue José López Alavez, que nació en Huajuapan de León, Oaxaca, el 14 de julio de 1889.

A la edad de 10 años se inició en la música y, en 1900, ingresó en la Banda Infantil de Huajuapan bajo la dirección del maestro Fidencio Toscano.

Llegó a la Ciudad de México en 1906, a la edad de 17 años, un año después ingresó al Conservatorio Nacional de Música. Cabe destacar que fue alumno del distinguido maestro Julián Carrillo, quien le impartió clases de armonía.

En 1912 compuso "La canción mixteca" en un humilde cuarto de la Casa del Estudiante de la Plaza del Carmen. Esta canción triunfó en el Primer Concurso de Canciones Mexicanas, organizado por el periódico *El Universal* en el año de 1918.

En 1964 compone la marcha titulada "Despedida de un patriota", dedicada al entonces presidente Adolfo López Mateos. Falleció el 27 de octubre de 1974.

Armando Manzanero

Hijo de don Santiago Manzanero y doña Juana Canché, nació en Mérida, Yucatán, el 7 de diciembre de 1935. Realizó estudios hasta el primer año de bachillerato. Su infancia transcurrió sin privaciones de ninguna naturaleza. Atraído por la música, desde los ocho años inició su aprendizaje del piano; estudió cuatro años en el Conservatorio y tres más con maestros particulares.

En 1947 inició profesionalmente sus actividades artísticas como integrante del Conjunto Tropical, con el que recorrió la Península de Yucatán. Posteriormente trabajó en el centro nocturno Los Tulipanes de Mérida y formó parte de otras orquestas con las que realizó varios recorridos por el interior del país. En 1956, se trasladó al Distrito Federal animado por el también compositor yucateco Luis Demetrio, donde decidió radicar definitivamente.

Sus primeros años en la capital transcurrieron sin mayores contratiempos, ya que siempre tuvo trabajo como pianista de Lucho Gatica, Angélica María y otros intérpretes. En marzo de 1967 Rubén Fuentes le dio la oportunidad de grabar su primer disco de larga duración con los temas "Mía", "Adoro", "Contigo aprendí", "Cuando estoy contigo" y algunos otros, todos de su inspiración. Quince días después su éxito como intérprete era una grata realidad.

A partir de entonces sus compromisos se multiplicaron y tuvo que convertirse en un trotamundos, llevando por todas partes el mensaje musical de México, ya que sus canciones han sido traducidas a un sinnúmero de idiomas y llevadas a los acetatos por los más renombrados cantantes. Actualmente el maestro Manzanero funge como vicepresidente de la Sociedad de Autores y Compositores de México (SACM).

## Hermanos Martínez Gil

Este popular dueto formado por Carlos y Pablo Martínez Gil, es originario de Misantla, Veracruz. Desde muy jóvenes se sintieron atraídos por la música, por lo cual, para prepararse debidamente, estudiaron solfeo y guitarra.

Una vez con los conocimientos suficientes, decidieron formar el dueto, que sería uno de los más reconocidos y queridos por el público que gustaba del género romántico, ya que desde un principio tuvieron gran aceptación.

Son autores de una vasta producción entre las que destacan "Chacha Linda", "Vuelve", "Relámpago", "Canción sin nombre", "Desgracia", "No salgas, niña a la calle', "El río canta", "Falsaria", "La novia blanca", "Madrigal", entre otros.

Este dueto se desintegró en 1972, pues en el mes de febrero de ese año falleció Carlos. Su hermano Pablo decidió no volver a formar dueto con nadie. Es indudable que a través de sus grabaciones todavía estarán presentes por muchos años en el gusto del público que ha disfrutado de sus singulares producciones.

## Rubén Méndez

Es conocido como Rubén de Pénjamo, siendo el desaparecido maestro Luis Martínez Serrano quien fungió como padrino cuando Rubén tomó la determinación de sustituir su apellido real por el de Pénjamo, nombre de la risueña población del estado de Guanajuato donde nació el 1o. de octubre de 1911; sus padres fueron Samuel Méndez y Dolores del Castillo.

En su tranquilo lugar de origen vivió hasta la edad de seis años, ya que los padres decidieron hacer el viaje a la Ciudad de México porque así convenía a sus intereses.

Tras permanecer en la capital de la República un año viajó a los Estados Unidos, donde en veinticuatro meses le enseñaron a sentir y sobre todo a querer nuestra música, la canción ranchera que es una de las más genuinas expresiones del pueblo mexicano.

Apenas tenía poco más de nueve años de edad cuando hacía esfuerzos por componer canciones que sirvieran para manifestar abiertamente el pensamiento y los sentimientos provincianos.

Así, Rubén recordaba: "Siempre fui un niño triste y muy serio. Dijérase que, pese a lo que dicen mis canciones más conocidas, yo era un completo introvertido. Los juegos infantiles no me gustaron nunca aunque parezca mentira. Jamás tuve afición por el trompo y mucho menos por las canicas. Los juegos de pelota me parecieron y siguen pareciendo bobos. Esa es la verdad, porque a mí me gustaba la música y no otra cosa."

En 1921, ya de regreso al país, comenzó a abrirse paso en la vida, desempeñando los más disímbolos empleos, pero al tomar auge la radiodifusión llegó a la XEK, que entonces transmitía desde un modesto local ubicado en la calle Jalapa, en la colonia Roma de la Ciudad de México, y se dedicó a cantar, pues eso era lo que más le agradaba.

En 1949 se dio a conocer su producción musical a través de la XEX, radioemisora en la que recibió la visita de Mariano Rivera Conde, director artístico de RCA Víctor, compañía donde grabó "Con un polvo y otro polvo", que se convirtió de la noche a la mañana en sonado éxito nacional que todos recordamos.

Ya en 1950 el "hit" musical también correspondió a Rubén, y se llamó "Cartas a Ufemia"; un año después compuso "Pénjamo", con la que le dio renombre a este lugar tanto en Guanajuato como a nivel nacional. Tocaba piano y guitarra.

Existen más de doscientas de sus composiciones grabadas. Siendo las más conocidas, además de las ya anotadas "El canto del bracero", "Nochecitas mexicanas" y "Zacazonapan". Cuando la carrera de Rubén se encontraba en su clímax, se le dio su nombre a una calle de Pénjamo. Murió el 22 de febrero de 1983 en el Distrito Federal.

Tomás Méndez

Su nombre está estrechamente ligado a la llamada época de oro de la canción ranchera. Junto con José Alfredo Jiménez y Cuco Sánchez forma la trilogía de compositores más importante de este género. Nació el 25 de julio de 1928 en Fresnillo, Zacatecas. Sus padres fueron Juan Méndez Aguilera y María Sosa de la Rosa.

En su ciudad natal compuso sus primeras canciones a la edad de catorce años. Trabajó en el hospital local; en 1946 dejó dicho empleo y se fue a Ciudad Juárez, Chihuahua, lugar en donde dio a conocer sus canciones "Pordiosero" y "Adorable pervertida". El 13 de junio de 1947 llegó al D.F. y tiempo después se incorporó a la XEW como ayudante de productor de programas radiofónicos. También se desempeñó como secretario del trío los Diamantes, con quienes viajó a Estados Unidos y Cuba.

Al regresar a la capital y en 1952, sus canciones fueron seleccionadas para ser grabadas por cantantes como Lola Beltrán quien encontró en ellos la plataforma para proyectarse a la popularidad, ya que en su voz fueron auténticos "hits" los temas "Cucurrucucú paloma", "Paloma negra", "Tres días", "El ramalazo", "Golondrina presumida", entre otras. En su larga lista de intérpretes se incluyen a Pedro Infante, Javier Solís, Raphael, Donna Behar, Julio Iglesias, Nana Mouskouri, Nat King Cole, Miguel Aceves Mejía, Amalia Mendoza, El Charro Avitia, Tony Aguilar.

A lo largo de su carrera, tanto de compositor como de intérprete, ha recibido numerosos reconocimientos entre los que destaca el homenaje que recibió en su tierra natal, el cual consistió en poner su nombre a la calle en que nació. En la actualidad el maestro Tomás Méndez es miembro del Consejo Directivo de la Sociedad de Autores y Compositores de México (SACM).

## Chucho Monge

Jesús Monge Ramírez nació en Morelia, Michoacán, el 9 de noviembre de 1910. Cuando tenía 17 años compuso su primera canción que tituló "Al son de mi guitarra", la cual obtuvo difusión internacional, inicialmente en los Estados Unidos con el nombre de "I'm trying to forget you", y después en Francia, bajo el rubro "Ma chanson vibrant".

Claro, si dicha obra nació al calor del entusiasmo de un joven carente de experiencia, resultó natural que dedicara definitivamente esfuerzos a la composición, sabiendo que en ella tendría un amplio porvenir. Se estableció en la ciudad de México a finales de 1928, donde para sobrevivir pasó el calvario de todo principiante, pero en 1929 ya estaba cantando en la vieja XEB, en 1931 pasó a la XEW, como uno de los artistas fundadores y posteriormente quedó incluido en el cuadro principal de la XEQ con el programa "Noches Tapatías", en el que permaneció durante bastante tiempo.

Entre sus más notables composiciones destacan: "Sacrificio", "Dolor", "Creí", "No me vuelvo a enamorar", "Te vi llorar", "Caricia y herida", todas estas boleros y "Pa' qué nos sirve la vida", "El remero", "No hay derecho", "Sus ojitos", "Sólo Dios", "Cartas marcadas", "Pobre corazón", "Besando la cruz", "México lindo y querido" y "La Feria de las Flores", éstas de corte campirano.

Ya en las postrimerías de su vida, su canción "Alondra", fue premiada con el segundo lugar en el Primer Festival Mexicano de la Canción realizado en 1962, pero sin duda su más grande éxito fue "La Feria de las Flores", la que incluso fue llevada a la pantalla con gran aceptación; dicha canción desde entonces, forma parte del repertorio de los más notables intérpretes de la música popular mexicana. Chucho Monge falleció el 9 de agosto de 1964; sus restos descansan en el lote de compositores del panteón Jardín en la ciudad de México.

## Jorge del Moral

El maestro Jorge del Moral nació en la Ciudad de México en diciembre de 1900; sus padres doña Isabel Ugarte y el ingeniero Emilio del Moral le procuraron una esmerada educación que posteriormente continuó en las más destacadas instituciones musicales de Europa. En Munich, Alemania, hizo amistad con músicos tan destacados como Claudio Arrau.

Jorge del Moral obtuvo gran renombre como concertista de piano al realizar varias giras por diferentes países. En México sus canciones fueron interpretadas por los más destacados cantantes de su época, entre ellos La Chacha Aguilar, Paco Santillana, Néstor Mesta Chaires, Alfonso Ortiz Tirado, María Trinidad Martínez viuda de González y otros.

Además de sus múltiples melodías populares destacan "No niegues que me quisiste", "Pierrot", "Guitarras y flores", "Nunca digas", "Condénala, señor", "Divina mujer" y "¿Por qué?".

También escribió música selecta y religiosa y fue figura de gran popularidad en la tercera década de este siglo. Su máxima ambición era ver la representación en el Palacio de Bellas Artes de su ópera en tres actos Don Ramiro, que no fue realizada a pesar de que ya estaba todo preparado para dicha presentación. Víctima de una penosa enfermedad, falleció el 26 de octubre de 1941 en la Ciudad de México.

## Los Panchos

El trío Los Panchos formado inicialmente por Alfredo Gil, Chucho Navarro y Hernando Avilés, ocupa un destacado lugar en el panorama de la música popular de nuestro país, pues desde su integración en 1943, tuvieron gran aceptación y se podría decir que literalmente han recorrido el mundo entero en exitosas giras.

Se debe a Alfredo Gil la invención del requinto, que es, en términos generales, una guitarra más pequeña pero que tiene todo un proceso de cálculo para su diseño y construcción, la cual, una vez obtenida la plantilla, se ha reproducido con suma facilidad.

Chucho Navarro, segunda voz, hacía gala de su histrionismo, pues era el encargado de conducir las actuaciones y dialogar con el público, al que prácticamente se echaba a la bolsa desde sus primeras palabras.

Hernando Avilés fue la primera voz de la llamada Época de Oro y lo hacía con tal maestría y gusto, sobre todo en los solos, que se podría asegurar que al trío Los Panchos de esa época todo el pueblo lo ha escuchado, pues llama la atención su perfecto acoplamiento, la sencillez de sus melodías, los requinteos así como la emoción que transmitían en cada actuación y grabación.

Desde la separación de Hernando Avilés, ocurrida en la década de los cincuenta, han desfilado una serie de primeras voces: Johnny Albino, Julito Rodríguez, Raúl Shaw Moreno, Enrique Cáceres y otros, pudiendo decirse que han conservado el sitio de preferencia el trío en el gusto del público.

Alfredo Gil es el autor de canciones como "Caminemos", "Me castiga Dios", "Solo", "Ya me voy", "Mi último fracaso", "No trates de mentir", "Un siglo de ausencia", "Ya es muy tarde", entre otras.

A la inspiración de Chucho Navarro se deben "Perdida", "Rayito de luna", "Sin remedio", "Una copa más" y "Sin un amor", por no mencionar sino las más famosas.

Salvo Hernando Avilés, fallecido hace pocos años, el trío Los Panchos sigue vigente, aunque sea con otras voces y guitarras, pues los viejos Panchos se han preocupado por dejar continuadores de su nombre y fama.

## Joaquín Pardavé

Joaquín Pardavé Arce nació en Pénjamo, Guanajuato, el 30 de septiembre de 1900. Fue un artista polifacético, pues además de actor, director y escritor, fue compositor. Escribió numerosos libretos radiofónicos, sin embargo el teatro y el cine lo llevaron a ser actor y director.

Entre las obras musicales que escribió y dirigió hay operetas y programas líricos; una de ellas fue la titulada "Tradiciones que perduran", donde nació el personaje cómico de Don Susanito Peñafiel y Somellera, quien recordaba el ayer, desarrollaba algo de crítica, al comparar lo viejo con lo moderno, en los monólogos que eran escritos por Joaquín Bauche Alcalde.

También en la radio se le ocurrió revivir los "sketches del payaso Ricardo Bell con el personaje del Señor Patiño, entre ellos "La confesión del indio", "El beisbol" y "El box" y otros muchos que hicieron reír en el Circo Orrín a generaciones pasadas.

Pardavé hizo numerosas temporadas en los teatros de revista capitalinos, así conoció al actor Roberto "El Panzón" Soto y con él formó el dueto Soto-Pardavé, con exitosas presentaciones. Aprendió mucho con Soto, al grado de que tiempo después formó su propia compañía de revistas al asociarse con Agustín Lara, y así competían los teatros capitalinos en beneficio del público.

Como compositor tuvo numerosos éxitos musicales pero éstos, generalmente, no se ligaban con su nombre porque él ya había sobrepasado su propia fama de autor en plan de gran actor, pero ahora los papeles se invierten, pues como actor, sólo ocasionalmente lo vemos en la televisión, en cambio, su producción musical ya forma parte del acervo musical de México. Entre sus canciones más famosas tenemos "Varita de nardo", "Falsa", "Aburrido me voy", "Caminito de la sierra", "Negra consentida", "No hagas llorar a esa mujer" y "La Panchita", entre otras.

Sus canciones fueron interpretadas por cantantes de la talla de Juan Arvizu, Luis G. Roldán y Lucha Reyes. Falleció el 20 de julio de 1955 en la Ciudad de México.

## Manuel M. Ponce

Nació el día 8 de diciembre de 1886 en Fresnillo, Zacatecas. Las primeras clases de piano las recibió de su hermana Josefina. En 1901 ingresó al Conservatorio Nacional de Música, teniendo que cumplir con el plan de estudios como principiante, a pesar de tener los conocimientos musicales necesarios para terminar pronto la carrera. Después de un año dejó la escuela y se trasladó a Aguascalientes, dedicándose a dar clases particulares.

Con algunos ahorros en 1904 emprendió su primer viaje de estudios a Europa, donde cursó composición, orquestación y contrapunto en el Liceo Rossini, de Bolonia. De 1906 a 1908 estudió piano en el Stern'sches Konservatorium de Berlín.

En 1909 regresó a México y lo nombraron profesor de piano e historia musical en el Conservatorio Nacional. Gracias a sus enseñanzas se formó toda una generación de pianistas mexicanos, entre los cuales cabe mencionar a Carlos Chávez, Antonio Gomezanda y Salvador Ordóñez. Los familiarizó con la obra pianística de los impresionistas franceses, desconocida todavía en México.

En diferentes épocas vivió en París, La Habana y en Nueva York, tanto en calidad de estudiante como de compositor o dando conciertos, sobre todo con obras propias.

Fundó y dirigió varias publicaciones como la *Revista Musical Mexicana*, *Gaceta Musical* y *Cultura Musical*, con las que difundió en México tanto las nuevas ideas y corrientes musicales europeas, como en Europa la música y la producción de autores hispanoamericanos.

En el aspecto pedagógico tuvo a su cargo las cátedras de piano, folclor, composición y orquestación en la Escuela Nacional de Música y en la Escuela Nacional de Música de la UNAM. En diferentes épocas, fue director de ambas instituciones.

Es importante destacar a Manuel M. Ponce como el iniciador del nacionalismo musical en nuestro país; además, dio un lugar digno a la canción popular, ya que rescató obras tan famosas como "A la orilla de un palmar", "Qué lejos ando", "Marchita el alma" y "Rayando el sol", amén de sus inmortales composiciones; "Estrellita", "Serenata mexicana" y "Lejos de ti", por no mencionar sino lo más conocido de este notable músico mexicano, sin olvidar, desde luego, su enorme producción musical para piano, guitarra y voz.

Falleció el 24 de abril de 1948 en la Ciudad de México.

## Miguel Prado

Nació en Tingüindín, Michoacán, el 1o. de agosto de 1905, en el seno de una familia de músicos. Su padre, Amado Prado, tocaba la trompeta, el violoncello y el contrabajo y su madre, María Dolores Paz, el piano y la guitarra.

José, el hermano mayor era el mejor dotado, musicalmente hablando, pues tocaba el violín con habilidad profesional que le permitió destacar como un magnífico músico. Desempeñó el cargo de subdirector del Conservatorio de Música del estado de Guanajuato y figuró durante varios años en la Orquesta Sinfónica Nacional.

Sus demás hermanos, Enrique, Rubén y Luis, dominaban también varios instrumentos musicales y bajo la dirección de don Amado Prado formaron un conjunto orquestal. Miguel, a la edad de 8 años, ejecutaba en forma bastante aceptable la guitarra, al mismo tiempo que iniciaba sus estudios de piano.

A los 16 años de edad, ya residiendo en la Ciudad de México, formó su primer conjunto orquestal, en combinación con jóvenes de su misma edad que también eran aficionados a la música, amenizando fiestas y reuniones de personajes de la política y la sociedad de aquellos tiempos. Con la experiencia adquirida de esta manera y con una serie de actuaciones personales como pianista, llegó a adquirir magnífico prestigio.

A principios de la década de los veinte, la situación caótica por la que atravesaba el país, lo obligó al igual que a la mayoría de los artistas de esa época, a ganarse el sustento tocando en sitios de muy dudosa categoría, y fue precisamente cuando, atravesando por experiencias de toda clase, surgió el compositor.

No teniendo facilidad como letrista, acudió a la inspiración de grandes poetas como Rubén C. Navarro, Luis Mora Tovar, Martín Galas Jr., Gabriel Luna de la Fuente, Bernardo Sancristóbal, Ricardo López Méndez, José A. Zorrilla "Monís" y Mario Molina Montes. Su canción "Duerme", dedicada a una de sus hijas, ha trascendido el ámbito nacional con gran éxito. Miguel Prado falleció en San Miguel Allende, Guanajuato, en el año de 1987.

## Mario Talavera

Nació en la ciudad de Jalapa, capital del estado de Veracruz, el 13 de diciembre de 1885. Desde niño inició sus estudios en Córdoba, lugar por el que sentía profundo cariño, al grado de considerarse más cordobés que jalapeño.

Siendo muy joven llegó a la capital de la República Mexicana para estudiar en el Conservatorio Nacional de Música. Años más tarde ingresó a la Impulsora de Ópera que dirigía el maestro José Pierson. Aprovechando su magnífica voz de tenor logró realizar sus sueños: cantar diversas obras como La Bohemia, de G. Puccini, con la

que alcanzó el éxito soñado. Gozó de fama por tener la misma escuela del gran Caruso.

Hizo innumerables viajes al extranjero; en Nueva York actuó con el renombrado barítono Ángel R. Esquivel, la soprano Carmen García Cornejo y el maestro Miguel Lerdo de Tejada, con los que llevó estrecha amistad.

Posteriormente manifestó su romántica inspiración, la que dedicó a la canción mexicana, consagrándose como uno de los más gustados de aquella época.

Entre las más famosas obras de este notable compositor, se cuentan "China", "Arrullo" y "*Gratia plena*", esta última con letras del inmortal poeta nayarita Amado Nervo, las cuales forman parte del acervo musical de nuestro país.

Formó parte de un cuarteto artístico denominado Los Cuatro Ases de la Canción, integrado por Alfonso Esparza Oteo, Ignacio Fernández Esperón, Tata Nacho, Miguel Lerdo de Tejada y Mario Talavera. Al fallecer Miguel Lerdo de Tejada en 1941 siguieron deleitando al público los tres restantes, como Trío Veneno.

"Fray Mario", como lo nombraban sus múltiples amigos, siempre se distinguió en las reuniones donde asistía por su agradable carácter que era innato en él: contaba chascarrillos, anécdotas de su vida y de las de sus amigos con quienes había convivido, publicó un libro referente a la pintoresca vida de su entrañable amigo Miguel Lerdo de Tejada.

Falleció el 27 de marzo de 1960, cuando ocupaba el cargo de Presidente Honorario Vitalicio de la Sociedad de Autores y Compositores de México, a la que dedicó parte de su vida.

## José Alfredo Jiménez

Nació en Dolores Hidalgo, Guanajuato, el 19 de enero de 1926. Sus padres fueron Agustín Jiménez y Carmen Sandoval.

Al fallecer su padre se trasladó a la Ciudad de México y se estableció en la colonia Santa María la Ribera. Por esos rumbos había un restaurante llamado "La Sirena", lugar donde encontró trabajo. En ese sitio conoció a los "Costeños" de Andrés Huesca; este hecho permitió a José Alfredo dar a conocer canciones que hacía tiempo había compuesto y que él cantaba, pero que no habían trascendido. Los "Costeños" grabaron su primera canción: "Yo", la que obtuvo un éxito casi inmediato. A partir de entonces su carrera de compositor fue en ascenso; sus canciones fueron grabadas por Miguel Aceves Mejía, Pedro Infante, Jorge Negrete y un sinnúmero de intérpretes famosos desde aquella época. Rubén Fuentes fue el encargado de hacer los arreglos musicales y lo siguió haciendo durante la larga carrera de José Alfredo, quien no sabía escribir música, pero tenía sobrada inspiración.

De sus primeras canciones, que fueron rápidamente aceptadas por el público, destacan: "Yo", "Ella", "Cuatro caminos" y "La que se fué"; pero su producción es amplísima, ya que fue uno de los más prolíficos compositores que ha tenido nuestro país en lo referente a música popular. La canción ranchera es el terreno en que más se desenvolvió, aunque no se limitó únicamente a ese género, pues son de su inspiración huapangos muy famosos.

Se puede decir que José Alfredo Jiménez fue un músico popular en toda la extensión de la palabra, ya que también interpretó sus propias composiciones, lo cual le permitió más identificación con el público. Es más, en los últimos años de su vida tuvo la oportunidad —cosa que rara vez sucede— de despedirse de su auditorio con canciones apropiadas para la ocasión.

Sería prolijo enlistar los títulos de sus canciones, que además, son de sobra conocidas. Este extraordinario músico mexicano, quien a lo largo de su vida recibió numerosos reconocimientos, homenajes y premios, falleció el 23 de noviembre de 1973 en la Ciudad de México.

# Bibliografía


ÁLVAREZ BOADA, MANUEL, *La música popular en la Huasteca Veracruzana*. México, Dirección General de Culturas Populares. Premiá Editora de Libros, S.A., 1985. 161 pp. (Colec. La Red de Jonás).

ÁLVAREZ CORAL, JUAN, *Alfonso Esparza Oteo*. México, Sociedad de Autores y Compositores de Música, S. de A., 1979. 72 pp.

ÁLVAREZ CORAL, JUAN, *Compositores mexicanos*. 32 Biografías ilustradas. 4a. ed. México, Editores Asociados Mexicanos, S.A. (EDAMEX), 1971. 272 pp.

ÁLVAREZ CORAL, JUAN, *Gonzalo Curiel Barba*. México, Sociedad de Autores y Compositores de Música, S. de A., 1979. 72 pp.

BAQUEIRO FÓSTER, GERÓNIMO, *La canción popular de Yucatán (1850-1950)*. México, Editorial del Magisterio, 1950. 319 pp.

CABALLERO MORENO, ANTONIO, *Panorama musical de la Ciudad de México*. México, D.D.F., 1975. 190 pp. (Colec. Popular "Ciudad de México", 32).

*Cancionero mexicano*. [Sin Autor]. México, Libro-Mex. Editores, 1979. 2 tomos.

Canciones de México. *200 joyas de la canción mexicana*. [Sin Autor]. Guadalajara, Dibujos Musicales "Ambriz", [s.f.]. 4 volúmenes.

DEL RÍO, GABRIEL, *Vida y canciones de Tata Nacho*. México, Editorial Meridiano, S.A., 1968. 92 pp. (Colec. "Poetas y Compositores contemporáneos", 2).

*El espíritu de la música oaxaqueña*. Divulgación Artística del Gobierno Socialista del Lic. Genaro V. Vázquez. Oaxaca, Talleres Tipográficos del Gobierno del Edo. 1928. 62 pp.

GARRIDO, JUAN S. *Historia de la música popular en México*. 2a. ed. México, Edit. Extemporáneos, 1974. 206 pp. (Colec. Ediciones Especiales).

GARRIDO, JUAN S. *Mario Talavera Andrade*. México, Sociedad de Autores y Compositores de Música, S. de A., 1979. 72 pp.

LEGASPI DE ARISMENDI, ALCIRA, *Canciones de América Latina*. La Habana, Casa de las Américas-Editora Musical de Cuba, EGREM, 1985. 249 pp.

*Libro de oro de la canción* [Sin Autor]. México, Talleres tipográficos "Medina Hnos" [s.f.]. 3 volúmenes.

MARÍA CONCEPCIÓN, *Pepe Guízar, Pintor musical de México*. México, Editores Asociados, S. de R.L., 1971. 112 pp.

MENDOZA, VICENTE T., *El corrido mexicano*. México, FCE, 1954. 467 pp. (Colec. P., 139).

MENDOZA, VICENTE T., *La canción mexicana*. Ensayo de clasificación y antología. 2a. ed. México, FCE, 1981. 637 pp.

MENDOZA, VICENTE T., *Lírica infantil de México*. México, FCE, 1980. 214 pp. (Colec. Letras Mexicanas).

MICHEL, CONCHA, *Cantos indígenas de México*. México, Instituto Nacional Indigenista 1951. 1951. 111 pp. (Colec. Biblioteca de Folklore Indígena).

MIRANDA, JORGE (comp.) *Del rancho al bataclan. Cancionero del Teatro de Revista 1900-1940*. México, Museo Nacional de Culturas Populares, 1984. 69 pp. (Proyecto: El País de las Tandas).

MOEDANO, GABRIEL, Jas Reuter y Liliana Scheffler, *Los niños de Campeche cantan y juegan*. Recopilación. México, Gobierno del estado de Campeche y Dirección General de Culturas Populares. SEP. 1978. 79 pp.

MONCADA GARCÍA, FRANCISCO, *Pequeñas biografías de grandes músicos mexicanos*. Primera serie. 2a. ed. México, "Ediciones FRAMONG", 1966. 300 pp.

RAMOS, MARIO ARTURO, *La letra cantada*. Querétaro, Universidad Autónoma de Querétaro, 1984. 227 pp.

REUTER, JAS, *La música popular de México. Origen e historia de la música que canta y toca el pueblo mexicano*. 3a. ed. México, Panorama Editorial, S.A., 1983. 195 pp.

# Índice de contenido

VOLUMEN I

Presentación ........ 5
Prólogo ........ 9
Bolero Ranchero ........ 15
Canción de Jalisco ........ 33
Canción Mexicana ........ 51
Canción Michoacana ........ 145
Canción Norteña ........ 161
Canción Oaxaqueña ........ 171
Canción de Otras Regiones ........ 209
Canción Ranchera ........ 237
Canción de la Revolución ........ 395
Corrido ........ 425
Chilena ........ 485
Huapango ........ 537
Son Jarocho ........ 587
Índice de contenido ........ 610
Índice por géneros ........ 611
Índice de primeros versos ........ 626
Índice de autores ........ 639

VOLUMEN II

Presentación ........ 5
Prólogo ........ 9
Canción Extranjera Arraigada en México ........ 15
Canción Histórica ........ 77
Canción Humorística ........ 99
Canción Infantil ........ 135
Canción Navideña ........ 153
Canción Romántica Urbana ........ 183
Trova Yucateca ........ 393
Vals ........ 421
Biografías ........ 435
Bibliografía ........ 483
Índice de contenido ........ 485
Índice por géneros ........ 486
Índice de primeros versos ........ 500
Índice de autores ........ 511

# Índice por géneros

**CANCIÓN EXTRANJERA ARRAIGADA EN MÉXICO** .......... **15**

Acércate más .......... 53
Ahora seremos felices .......... 66
Amapola .......... 52
Amor ciego .......... 54
Amor perdido .......... 60
Aquellos ojos verdes .......... 69
Ay, ay, ay .......... 56

Canción del alma .......... 68
Canta, canta .......... 68
Capullito de alhelí .......... 61
Cariño verdad .......... 64
Cerezo rosa .......... 65
Cómo fue .......... 18
Contigo a la distancia .......... 52
Cuando calienta el sol .......... 46

Delirio .......... 33
Despedida .......... 38
Desvelo de amor .......... 44
Diez años .......... 42
Drume, negrita .......... 24

El amor de mi bohío .......... 25
El barrilito .......... 47

El manicero .............................. 27
El relicario .............................. 36
Enamorado de ti .............................. 26
En un bosque de la China .............................. 20
Espinita .............................. 38
Estrellita del sur .............................. 40

Fina estampa .............................. 58

La gloria eres tú .............................. 48
La hiedra .............................. 17
Lamento borincano .............................. 62
La múcura .............................. 49
La paloma .............................. 39
La última noche .............................. 34
Los dos .............................. 35
Lo siento por ti .............................. 37

María Cristina .............................. 22
Martha .............................. 40
Me voy pa'l pueblo .............................. 67
Mi cafetal .............................. 41
Mi delito .............................. 32
Mi viejo .............................. 45

Noche y día .............................. 57
No, me quieras tanto .............................. 31
No, no y no .............................. 51
Nuestro amor .............................. 50

Obsesión .............................. 44
Ojitos traidores .............................. 59

Parece que va a llover .............................. 55
Pecado .............................. 34
Perdón .............................. 30
Perfume de gardenias .............................. 43
Piel canela .............................. 29
Poquita fe .............................. 50
Por eso no debes .............................. 56

¡Qué te importa! .............................. 32
Quiéreme mucho .............................. 48
Quizá, quizá, quizá .............................. 28

Ramona .............................. 63
Regresa a mí .............................. 72

Salud, dinero y amor .......... 73
Siboney .......... 70
Silencio .......... 26

Tres palabras .......... 19

Vaya con Dios .......... 21

Yo vendo unos ojos negros .......... 70

**CANCIÓN HISTÓRICA .......... 77**

Adiós España .......... 91
Adiós Mamá Carlota .......... 80
Allá en la cumbre .......... 83

Batalla del 5 de Mayo .......... 81

Canto de chinaca .......... 94

El guajito .......... 92
El telele .......... 87

La maldición de Malinche .......... 86
La nueva paloma .......... 79
La pasadita .......... 82
Los cangrejos .......... 84
Los enanos .......... 90

**CANCIÓN HUMORÍSTICA .......... 99**

Boda de vecindad .......... 131

Cerró sus ojitos Cleto .......... 116

El charro Ponciano .......... 128
El gato viudo .......... 119
El hijo de su... .......... 122
El piojo y la pulga .......... 126
El retrato de Manuela .......... 118

La endina .......... 124
La interesada .......... 107
La presentación .......... 120
La Semana Santa .......... 121

Las otras mañanitas . . . . . . . . . . . . . . . . . . . . . . . . . . . . . 104
La tertulia . . . . . . . . . . . . . . . . . . . . . . . . . . . . . . . . . . . . . 106
La vaca . . . . . . . . . . . . . . . . . . . . . . . . . . . . . . . . . . . . . . . 111
La vieja chismosa . . . . . . . . . . . . . . . . . . . . . . . . . . . . . . . 102
Los aguaceros de mayo . . . . . . . . . . . . . . . . . . . . . . . . . . . 127
Los pulques de Apan . . . . . . . . . . . . . . . . . . . . . . . . . . . . . 105

Llegaron los gorrones . . . . . . . . . . . . . . . . . . . . . . . . . . . . 112

Mi chorro de voz . . . . . . . . . . . . . . . . . . . . . . . . . . . . . . . . 108

Pancho López . . . . . . . . . . . . . . . . . . . . . . . . . . . . . . . . . . 101
Peso sobre peso . . . . . . . . . . . . . . . . . . . . . . . . . . . . . . . . 115
Pobre Tom . . . . . . . . . . . . . . . . . . . . . . . . . . . . . . . . . . . . 110

Sábado Distrito Federal . . . . . . . . . . . . . . . . . . . . . . . . . . 130

Vámonos al parque, Céfira . . . . . . . . . . . . . . . . . . . . . . . 114
Virgen purísima . . . . . . . . . . . . . . . . . . . . . . . . . . . . . . . . 125

Yo no fui . . . . . . . . . . . . . . . . . . . . . . . . . . . . . . . . . . . . . 103

**CANCIÓN INFANTIL . . . . . . . . . . . . . . . . . . . . . . . . . . 135**

A la víbora de la mar . . . . . . . . . . . . . . . . . . . . . . . . . . . 149

Canción de cuna . . . . . . . . . . . . . . . . . . . . . . . . . . . . . . . 142

Di por qué . . . . . . . . . . . . . . . . . . . . . . . . . . . . . . . . . . . . 146

El chorrito . . . . . . . . . . . . . . . . . . . . . . . . . . . . . . . . . . . 138
El piojito . . . . . . . . . . . . . . . . . . . . . . . . . . . . . . . . . . . . 143

La huerfanita . . . . . . . . . . . . . . . . . . . . . . . . . . . . . . . . . 146
La marcha de las letras . . . . . . . . . . . . . . . . . . . . . . . . . . 141
La patita . . . . . . . . . . . . . . . . . . . . . . . . . . . . . . . . . . . . . 139
La viudita . . . . . . . . . . . . . . . . . . . . . . . . . . . . . . . . . . . . 137
Los cochinitos dormilones . . . . . . . . . . . . . . . . . . . . . . . 147
Los diez perritos . . . . . . . . . . . . . . . . . . . . . . . . . . . . . . . 140

Mambrú . . . . . . . . . . . . . . . . . . . . . . . . . . . . . . . . . . . . . . 148

Patito, patito . . . . . . . . . . . . . . . . . . . . . . . . . . . . . . . . . . 145

Tengo una muñeca . . . . . . . . . . . . . . . . . . . . . . . . . . . . . 144

**CANCIÓN NAVIDENA** . . . . . . . . . . . . . . . . . . . . . . **153**

A la nanita . . . . . . 171
A la ru, ru, ru . . . . . . 162

Duerme, no llores . . . . . . 164

El pastorcillo . . . . . . 175
El rorro . . . . . . 170
En Belén . . . . . . 166
Esta noche es Nochebuena . . . . . . 164

Gaspar, Melchor y Baltazar . . . . . . 169

Hacia Belén va un borrico . . . . . . 163

La piñata . . . . . . 173
La posada . . . . . . 178
La Rama . . . . . . 156
Las mañanitas . . . . . . 158
Los pastores . . . . . . 172
Los pastores . . . . . . 174

Niñito Jesús . . . . . . 160
Noche de paz . . . . . . 172
Nunca suenan las campanas . . . . . . 167

Quedito, quedo . . . . . . 155

Soy un pobre pastorcillo . . . . . . 166

Veinticinco de diciembre . . . . . . 161
Velo qué bonito . . . . . . 165
Venid pastorcillos . . . . . . 168
Versos para pedir y dar posada . . . . . . 176
Villancico mexicano . . . . . . 155

**CANCIÓN ROMÁNTICA URBANA** . . . . . . . . . . **183**

Adiós . . . . . . 322
Adiós mi vida . . . . . . 370
Adivinanza . . . . . . 338
Adoro . . . . . . 387
Ahora y siempre . . . . . . 355
Albricias . . . . . . 330
Albur . . . . . . 384

Alma, corazón y vida . . . . . 345
Alma de cristal . . . . . 360
Al son de la marimba . . . . . 190
Amada mía . . . . . 322
Amargura . . . . . 346
Amar y vivir . . . . . 206
Amor, amor . . . . . 335
Amorcito corazón . . . . . 366
Amor de la calle . . . . . 344
Amor de mis amores . . . . . 339
Amor mío . . . . . 386
Amor y olvido . . . . . 376
Angelitos negros . . . . . 349
Anoche . . . . . 343
Ansiedad . . . . . 338
Arráncame la vida . . . . . 385
Arrepentida . . . . . 361
Arrepentida . . . . . 373
As de corazónes . . . . . 379
Así . . . . . 342
A una ola . . . . . 367
Aunque tengas razón . . . . . 378
Aunque tú me quieras . . . . . 342
Aventurera . . . . . 375

Bésame mucho . . . . . 347
Besar . . . . . 352
Besos de fuego . . . . . 340
Bonita . . . . . 376
Buenas noches mi amor . . . . . 358

Cabellera blanca . . . . . 340
Cada noche un amor . . . . . 381
Calla . . . . . 341
Caminemos . . . . . 350
Caminos de ayer . . . . . 314
Cancionero . . . . . 388
Canción sin nombre . . . . . 271
Canta el son . . . . . 329
Cantar del regimiento . . . . . 337
Cariño . . . . . 384
Casualidad . . . . . 314
Celos de luna . . . . . 325
Cien años . . . . . 218
Cien mujeres . . . . . 221
Como dos puñales . . . . . 318
Compréndeme . . . . . 222
Condición . . . . . 225

Confidencias de amor . . . . . 386
Conozco a los dos . . . . . 346
Consentida . . . . . 223
Contigo . . . . . 348
Corazón . . . . . 219
Cosas del ayer . . . . . 256
Cuando me vaya . . . . . 251
Cuando vuelvas . . . . . 332
Cuando tú me quieras . . . . . 249
Cuando vuelva a tu lado . . . . . 263
Cuando ya no me quieras . . . . . 250
Cuatro palabras . . . . . 260
Cuerdas de mi guitarra . . . . . 336
Cumbancha . . . . . 232

Chacha linda . . . . . 369

De corazón a corazón . . . . . 274
Déjame en paz . . . . . 347
Desamparada . . . . . 267
Desesperadamente . . . . . 324
Desesperanza . . . . . 264
Desgracia . . . . . 254
Despecho . . . . . 258
Despierta . . . . . 264
Destino . . . . . 256
Devuélveme el corazón . . . . . 334
Diez minutos más . . . . . 310
Dime . . . . . 248
Dos gardenias . . . . . 200
Dos palabras . . . . . 372
Duerme . . . . . 286

El andariego . . . . . 383
El cielo, el mar y tú . . . . . 290
El organillero . . . . . 266
El reloj . . . . . 326
El triste . . . . . 227
El vicio . . . . . 244
En qué quedamos . . . . . 254
Enamorada . . . . . 272
Encadenados . . . . . 252
Escarcha . . . . . 245
Eso . . . . . 275
Esta tarde vi llover . . . . . 389
Estoy perdido . . . . . 240
Eternamente . . . . . 246
Eternamente . . . . . 258

Farolito . . . . . . . . . . 325
Fatalidad . . . . . . . . . . 323
Felicidad . . . . . . . . . . 315
Frenesí . . . . . . . . . . 195

Gema . . . . . . . . . . 318
Granada . . . . . . . . . . 320

Hasta que vuelvas . . . . . . . . . . 400
Hastío . . . . . . . . . . 319
Hay que saber perder . . . . . . . . . . 302
Humanidad . . . . . . . . . . 317
Humo en los ojos . . . . . . . . . . 189

Imposible . . . . . . . . . . 320
Incertidumbre . . . . . . . . . . 194

La cita . . . . . . . . . . 370
Lágrimas de amor . . . . . . . . . . 196
Lágrimas de sangre . . . . . . . . . . 205
La mentira . . . . . . . . . . 201
Lamento gitano . . . . . . . . . . 369
Lamento jarocho . . . . . . . . . . 212
La nave del olvido . . . . . . . . . . 214
La noche es nuestra . . . . . . . . . . 210
La número cien . . . . . . . . . . 312
La novia blanca . . . . . . . . . . 191
Limosna . . . . . . . . . . 295
Linda boca . . . . . . . . . . 308
Loca pasión . . . . . . . . . . 234
Luna amiga . . . . . . . . . . 348
Luna de octubre . . . . . . . . . . 302
Luz de luna . . . . . . . . . . 310

Llegaste tarde . . . . . . . . . . 306
Llévame . . . . . . . . . . 191
Lloraremos los dos . . . . . . . . . . 307

Madrigal . . . . . . . . . . 200
Maldito corazón . . . . . . . . . . 268
Mar . . . . . . . . . . 298
María bonita . . . . . . . . . . 296
Mar y cielo . . . . . . . . . . 230
Me castiga Dios . . . . . . . . . . 270
Me dices que te vas . . . . . . . . . . 185
Me gustas mucho . . . . . . . . . . 273
Me sobra corazón . . . . . . . . . . 192
Mi ciudad . . . . . . . . . . 380

Miénteme . . . . . . 197
Mientes . . . . . . 309
Mil besos . . . . . . 304
Mil noches . . . . . . 301
Mi Magdalena . . . . . . 294
Mi plegaria . . . . . . 393
Mi razón . . . . . . 382
Miseria . . . . . . 294
Mis noches sin ti . . . . . . 353
Mis ojos me denuncian . . . . . . 194
Morena linda . . . . . . 272
Morenita mía . . . . . . 297
Muchachita . . . . . . 289
Mucho corazón . . . . . . 269
Mujer . . . . . . 257
Muñequita de Squire . . . . . . 333
Musmé . . . . . . 334
Muy quedito . . . . . . 315

Nadie . . . . . . 329
Naufragio . . . . . . 291
Negra consentida . . . . . . 300
Negrura . . . . . . 292
Ni que sí, ni quizá, ni que no . . . . . . 353
Nocturnal . . . . . . 313
Noche . . . . . . 316
Nochecita . . . . . . 229
Noche criolla . . . . . . 298
Noche de luna . . . . . . 281
Noche de ronda . . . . . . 281
Noche no te vayas . . . . . . 286
No dejes de quererme . . . . . . 305
No hagas llorar a esa mujer . . . . . . 308
No me platiques . . . . . . 279
No pidas más perdón . . . . . . 330
Nosotros . . . . . . 290
No trates de mentir . . . . . . 288
Novia mía . . . . . . 186
No vuelvo contigo . . . . . . 350
Nube gris . . . . . . 287
Nuestra cita . . . . . . 292
Nuestro juramento . . . . . . 270
Nunca jamás . . . . . . 306

Ódiame . . . . . . 186
Ojos cafés . . . . . . 266
Oración caribe . . . . . . 284

Oye la marimba .................................. 190
Óyelo bien ........................................ 274

Página blanca ..................................... 356
Palabras de mujer ................................. 299
Palmera ........................................... 289
Parece que fue ayer ............................... 188
Pecadora .......................................... 303
Pensando en ti .................................... 288
Perdida ........................................... 300
Perdóname mi vida ................................. 302
Perfidia .......................................... 213
Perla negra ....................................... 371
Piénsalo bien ..................................... 282
Pobre de mí ....................................... 207
Por equivocación .................................. 230
Por fin ........................................... 226
Por la cruz ....................................... 228
Por si acaso me recuerdas ......................... 363
Por si no te vuelvo a ver ......................... 220
Por ti ............................................ 362
Por tu amor ....................................... 356
Prisionero del mar ................................ 209

Qué divino ........................................ 282
Que murmuren ...................................... 226
Qué te parece ..................................... 220
Que te vaya bien .................................. 365
¿Quién será? ...................................... 212
Quinto patio ...................................... 222
Quisiera ser ...................................... 224

Rayito de luna .................................... 217
Recuerdo de ti .................................... 203
Regálame esta noche ............................... 218
Relámpago ......................................... 216
Revancha .......................................... 216
Río Colorado ...................................... 218
Rival ............................................. 215
Rosa .............................................. 202
Rumbo perdido ..................................... 204

Sábelo bien ....................................... 224
Sabor a mí ........................................ 336
Sabor de engaño ................................... 196
Sabrá Dios ........................................ 377
Sacrificio ........................................ 199
Santa ............................................. 351

Sé muy bien que vendrás .......................... 284
Sentencia .......................... 262
Señora tentación .......................... 277
Será por eso .......................... 192
Serenata de la noche .......................... 211
Serenata tropical .......................... 262
Siempreviva .......................... 199
Sinceridad .......................... 362
Sin remedio .......................... 259
Sin ti .......................... 187
Sin un amor .......................... 268
Soberbia .......................... 275
Solamente una vez .......................... 273
Solo .......................... 283
Sombras .......................... 331
Sombra verde .......................... 248
Somos diferentes .......................... 246
Somos novios .......................... 243
Son tus ojos verde mar .......................... 240
Sortilegio .......................... 234
Soy feliz .......................... 242
Sueño .......................... 321
Suspenso infernal .......................... 255

Te fuiste .......................... 260
Temeridad .......................... 357
Temor .......................... 360
Te odio y te quiero .......................... 374
Te quiero .......................... 324
Te quiero, dijiste .......................... 276
Te traigo serenata .......................... 282
Te vendes .......................... 366
Te vengo a decir adiós .......................... 285
Tiempo .......................... 378
Tipitipitín .......................... 280
Toda una vida .......................... 193
Tormento .......................... 278
Total .......................... 278
Traicionera .......................... 261
Tres regalos .......................... 364
Triunfamos .......................... 247
Tú .......................... 312
Tú eres mi destino .......................... 368
Tú me acostumbraste .......................... 210
Tu partida .......................... 316
Tus promesas de amor .......................... 238
Tú volverás .......................... 328
Tú y yo .......................... 231

Una aventura más . . . . . . . . . . 233
Una copa más . . . . . . . . . . 359
Una traición . . . . . . . . . . 236
Una voz . . . . . . . . . . 332
Un consejo . . . . . . . . . . 242
Un gran amor . . . . . . . . . . 237
Un siglo de ausencia . . . . . . . . . . 354
Un sueño de tantos . . . . . . . . . . 326
Usted . . . . . . . . . . 232

Vagabundo . . . . . . . . . . 327
Vanidad . . . . . . . . . . 228
Vendaval sin rumbo . . . . . . . . . . 358
Veracruz . . . . . . . . . . 236
Verdad amarga . . . . . . . . . . 244
Vereda tropical . . . . . . . . . . 238
Vete de aquí . . . . . . . . . . 241
Viajera . . . . . . . . . . 239
Volverá el amor . . . . . . . . . . 208
Voy . . . . . . . . . . 208
Vuélveme a querer . . . . . . . . . . 235

Ya es muy tarde . . . . . . . . . . 204
Ya no me quieres . . . . . . . . . . 206
Yo lo comprendo . . . . . . . . . . 198

**TROVA YUCATECA . . . . . . . . . . 393**

Aires del Mayab . . . . . . . . . . 408
A qué negar . . . . . . . . . . 409

Beso asesino . . . . . . . . . . 416

Caminante del Mayab . . . . . . . . . . 400
Claveles . . . . . . . . . . 404
Crucifijo . . . . . . . . . . 411

Desdén . . . . . . . . . . 416
Dile a tus ojos . . . . . . . . . . 398

Ella . . . . . . . . . . 397

Flor . . . . . . . . . . 414
Flores de mayo . . . . . . . . . . 407

Golondrinas yucatecas . . . . . . . . . . 396

Labios mentirosos . . . . . . . . . . . . . . . . . . . . . . . . . . . 405
Lágrimas . . . . . . . . . . . . . . . . . . . . . . . . . . . . . . . . . . 395
Las dos rosas . . . . . . . . . . . . . . . . . . . . . . . . . . . . . . 409
Los arrayanes . . . . . . . . . . . . . . . . . . . . . . . . . . . . . 399
Los mirlos . . . . . . . . . . . . . . . . . . . . . . . . . . . . . . . . 402

Mañanita gentil . . . . . . . . . . . . . . . . . . . . . . . . . . . . 401
Mestiza . . . . . . . . . . . . . . . . . . . . . . . . . . . . . . . . . . 417
Mujer perjura . . . . . . . . . . . . . . . . . . . . . . . . . . . . . 404

Novia envidiada . . . . . . . . . . . . . . . . . . . . . . . . . . . 412
Nunca . . . . . . . . . . . . . . . . . . . . . . . . . . . . . . . . . . . 400

Ojos tristes . . . . . . . . . . . . . . . . . . . . . . . . . . . . . . 398

Pájaro azul . . . . . . . . . . . . . . . . . . . . . . . . . . . . . . 398
Para olvidarte . . . . . . . . . . . . . . . . . . . . . . . . . . . . 395
Pensamiento . . . . . . . . . . . . . . . . . . . . . . . . . . . . . 415
Peregrina . . . . . . . . . . . . . . . . . . . . . . . . . . . . . . . . 402
Peregrino de amor . . . . . . . . . . . . . . . . . . . . . . . . . 403
Presentimiento . . . . . . . . . . . . . . . . . . . . . . . . . . . . 397

Quisiera . . . . . . . . . . . . . . . . . . . . . . . . . . . . . . . . . 396

Reminiscencias . . . . . . . . . . . . . . . . . . . . . . . . . . . 414
Rosalinda . . . . . . . . . . . . . . . . . . . . . . . . . . . . . . . . 410

Semejanzas . . . . . . . . . . . . . . . . . . . . . . . . . . . . . . 418

Un rayito de sol . . . . . . . . . . . . . . . . . . . . . . . . . . . 403

Ya que el destino . . . . . . . . . . . . . . . . . . . . . . . . . 412
Yo sé de un ave . . . . . . . . . . . . . . . . . . . . . . . . . . . 413
Yukalpetén . . . . . . . . . . . . . . . . . . . . . . . . . . . . . . . 406

**VALS . . . . . . . . . . . . . . . . . . . . . . . . . . . . . . . . . . . 421**

Alejandra . . . . . . . . . . . . . . . . . . . . . . . . . . . . . . . . 433

Cuando escuches este vals . . . . . . . . . . . . . . . . . . 423

Dios nunca muere . . . . . . . . . . . . . . . . . . . . . . . . . 426

El faisán . . . . . . . . . . . . . . . . . . . . . . . . . . . . . . . . 432
Espejito . . . . . . . . . . . . . . . . . . . . . . . . . . . . . . . . . 425

Íntimo secreto .......... 427

Morir por tu amor .......... 424

Noche azul .......... 430

Ojos de juventud .......... 429

Recuerdo .......... 434
Rosalía .......... 428

Sobre las olas .......... 431

Viva mi desgracia .......... 424

**BIOGRAFÍAS .......... 435**

Luis Arcaraz .......... 437
Federico Baena .......... 438
Lorenzo Barcelata .......... 438
Felipe Bermejo .......... 440
Severiano Briseño .......... 440
Roberto Cantoral .......... 441
Guty Cárdenas .......... 442
Álvaro Carrillo .......... 443
Cuates Castilla .......... 444
Nicandro Castillo .......... 445
Víctor Cordero .......... 446
Ernesto Cortázar .......... 447
Gonzalo Curiel .......... 448
Alberto Domínguez .......... 450
Jesús Elizarrarás .......... 451
Alfonso Esparza Oteo .......... 452
Manuel Esperón .......... 453
Claudio Estrada .......... 454
Ignacio Fernández Esperón "Tata Nacho" .......... 456
Chava Flores .......... 457
Rubén Fuentes .......... 459
Francisco Gabilondo Soler "Cri-crí" .......... 460
Juan S. Garrido .......... 460
Pepe Guízar .......... 462
Agustín Lara .......... 464
José López Alavez .......... 466
Armando Manzanero .......... 467
Hermanos Martínez Gil .......... 468
Rubén Méndez .......... 469

Tomás Méndez . . . . . . . . . . . . . . . . . . . . . . . . . . . 471
Chucho Monge . . . . . . . . . . . . . . . . . . . . . . . . . . . 472
Jorge del Moral . . . . . . . . . . . . . . . . . . . . . . . . . . 473
Los Panchos . . . . . . . . . . . . . . . . . . . . . . . . . . . . 474
Joaquín Pardavé . . . . . . . . . . . . . . . . . . . . . . . . . 475
Manuel M. Ponce . . . . . . . . . . . . . . . . . . . . . . . . . 476
Miguel Prado . . . . . . . . . . . . . . . . . . . . . . . . . . . 478
Mario Talavera . . . . . . . . . . . . . . . . . . . . . . . . . . 479
José Alfredo Jiménez . . . . . . . . . . . . . . . . . . . . . . 481

# Índice de primeros versos

Abriste los ojos con el suave ritmo... . . . . . . . . . . . . . . . 329
Acuérdate de Acapulco... . . . . . . . . . . . . . . . . . . . . . . 296
Adiós... . . . . . . . . . . . . . . . . . . . . . . . . . . . . . . . 322
Adoro la calle en que nos vimos... . . . . . . . . . . . . . . . . . 387
Ahí donde guardan sus cantos... . . . . . . . . . . . . . . . . . . 256
Ahí viene el Charro Ponciano... . . . . . . . . . . . . . . . . . . . 128
A la banda de oro... . . . . . . . . . . . . . . . . . . . . . . . . . 156
A la Nanita Nana, Nanita ea... . . . . . . . . . . . . . . . . . . . 171
A la rorro niño... . . . . . . . . . . . . . . . . . . . . . . . . . . 142
A la rorro Niño... . . . . . . . . . . . . . . . . . . . . . . . . . . 170
A la víbora, víbora de la mar, de la mar... . . . . . . . . . . . . 149
Alegre el marinero... . . . . . . . . . . . . . . . . . . . . . . . . 80
Al estallido del cañón mortífero... . . . . . . . . . . . . . . . . . 81
Al momento en que nos presentaron... . . . . . . . . . . . . . . . 120
Allá en la cumbre de una montaña... . . . . . . . . . . . . . . . . 83
A Manuela su retrato le pidió el novio Fidel... . . . . . . . . . . 118
A mi vida... . . . . . . . . . . . . . . . . . . . . . . . . . . . . . 355
Amor, amor, amor, nació de ti... . . . . . . . . . . . . . . . . . . 335
Amorcito corazón... . . . . . . . . . . . . . . . . . . . . . . . . . 366
Amor de la calle... . . . . . . . . . . . . . . . . . . . . . . . . . . 344
Amor, estoy solo aquí en la playa... . . . . . . . . . . . . . . . . 46
Amor mío, tu rostro querido... . . . . . . . . . . . . . . . . . . . 386
Amor perdido... . . . . . . . . . . . . . . . . . . . . . . . . . . . 60
Anoche tuvieron tus manos... . . . . . . . . . . . . . . . . . . . . 343
Ansiedad, de tenerte en mis brazos... . . . . . . . . . . . . . . . 338
A que la gusto que la teniendo... . . . . . . . . . . . . . . . . . . 155
A qué negar que me quisiste un día... . . . . . . . . . . . . . . . 409
Arrastrando mi desgracia... . . . . . . . . . . . . . . . . . . . . . 254
Arrepentida, estarás... . . . . . . . . . . . . . . . . . . . . . . . 373

As de corazones rojos... 379
Así. . . enamorada... 272
Así la quería, así como tú... 192
A solas caminando... 267
Asómate a la ventana, ay, ay, ay... 56
Atiéndeme, quiero decirte algo... 290
A través de las palmas... 313
Aunque me digas te quiero... 51
Aunque retornes pidiéndome olvido... 350
¡Ay!, cómo es cruel la incertidumbre... 194
Ayer era tu amante enternecido... 357
Ayer se cumplieron diez años... 42
Ay, pero qué te parece... 220
Ay, qué amargura dejaste en mi vida... 316
¡Ay!, qué divino... 382
¡Ay!, tienes alma de quimera... 261

Barrilito, barrilito... 47
Bella imagen que soñe... 430
Bésame, bésame mucho... 347
Bésabe tú a mí... 195
Bonita, como aquellos juguetes... 376
Buenas noches mi amor... 358

Cada noche un amor... 381
Café, de un café obscuro... 266
Calla... no me digas nada... 341
Caminante... Caminante... 400
Caminé... 294
Caminos de ayer... 314
Cangrejos, al combate... 84
Cantando por el barrio del amor... 266
Cantan los mirlos de mil colores... 402
Canto a la raza, raza de bronce... 212
Cariño... 384
Cleto, "el Fufuy", sus ojitos cerró... 116
Como dos puñales de hoja damasquina... 318
Cómo fue... 18
Cómo se podrá olvidar... 229
Como un abanicar de pavos reales... 319
Como un loto desmayado... 334
Como un rayito de luna... 217
Con el fulgor de una estrella... 294
Con esos ojazos negros... 236
Con lágrimas de sangre... 205
Conocí a una linda morenita... 297
Contemplando tus cabellos de oro... 234
Cuando, cuando llegaste... 347

Cuando escuches este vals... 423
Cuando la luna se pone regrandota... 119
Cuando la noche lo envuelve... 211
Cuando lejos de ti... 40
Cuando marchabas garbosa, de blanco... 191
Cuando me asalta el recuerdo de ti... 235
Cuando salí de La Habana... 39
Cuando salí del Congreso... 79
Cuando sintió mi alma tu desdén... 416
Cuando tú te hayas ido... 331
Cuando un amor se va... 202
Cuando ya no me quieras... 250
Cuerdas de mi guitarra... 336

Chacha, mi Chacha linda... 369
Chispazo de luz del cielo... 216

Dame un poquito de tu amor siquiera... 295
De amor en los hierros de tu reja... 52
De aquel sombrío misterio... 291
Debo a la luna... 277
De corazón a corazón... 274
De la marimba al son te conocí... 190
De las lunas la de octubre es más hermosa... 302
De lejos vengo, morena... 272
Del mar los vieron llegar... 86
De nada me ha servido... 258
Despierta... 264
Después de tantas noches... 301
Dile a tus ojos que no miren... 398
Di por qué... 146
Di si encontraste en mi pasado... 269
Divina claridad... 303
Dos gardenias para ti... 200
Duerme, duerme dulce niño... 162
Duermen en mi jardín... 26

El cielo, el mar y tú... 290
El lunes me picó un piojo... 143
El lunes por la mañana... 121
El piojo y la pulga se van a casar... 126
El saludo que traigo en este día... 104
El vicio, el vicio, el vicio... 244
Ella, la que hubiera amado tanto... 397
Ella me dijo que sería mía... 399
En Belén a medianoche... 172
—En el nombre del cielo... 176
En estas noches de frío... 385
En esta vida lo mejor es callar... 56

En la eterna noche... 351
En la inmensidad de las olas flotando te vi... 431
En lugar de remoto país... 432
En mi vida hay una eterna sombra verde... 248
En noche lóbrega, galán incógnito... 125
En qué quedamos por fin... 254
En su cuna ya no pué drumí... 24
Entre las almas y entre las rosas... 418
Entre palmeras y flores... 63
En tu boca de fresa quiero besarte... 416
En una casita chiquita y muy blanca... 64
En una fiesta de barriada muy popof... 112
En una noche de luna... 367
En un bosque de la China... 20
Eres como una canción... 340
Eres mi bien lo que me tiene extasiado... 48
Escucha mi bien... 260
Eso que tú me dijiste... 265
Espejito compañero... 425
Espera, aún la nave del olvido no ha partido... 214
Esta desesperación... 221
Esta noche es Nochebuena... 164
Esta novia mía... 186
Estás perdiendo el tiempo... 28
Esta tarde vi llover... 389
Estos franchutes... 90
Estoy perdido... 240
Estoy viviendo reminiscencias... 414
Es una voz que dice... 332
Es un buen tipo mi viejo... 45
Es un recuerdo de amor, mujer... 434

Farolito que alumbras apenas... 325
Felicidad... 315
Flor en que su amor palpita... 409
Fueron tus ojos los que me dieron... 69
Flores de mayo llevó la niña... 407
Flor se llamaba... 414
Fuimos tontos los dos... 251

Gaspar, Melchor y Baltazar... 169
Granada, tierra soñada por mí... 320
Guajito... 92

Hace tanto tiempo... 253
Hacia Belén va un borrico, rin, rin... 163
Hay en mi vida un gran amor... 237

Hay en tus ojos... 289
He encontrado en tu amor... 304
He perdido para siempre... 382
He querido olvidar la ilusión de ayer... 262
Hermosa claridad que resplandece... 214
Hijo de su, era un muchacho... 122
Hoy, mi vida, faltaste a la cita... 292
Hoy, que al frente tengo que partir... 370
Hoy que me encuentro... 203
Humo en los ojos... 189

Inolvidable primavera... 65

Junto a la chimenea... 340

Ladrón de amores me llaman... 280
La gota de agua que da la nube... 138
La juventud se va... 384
La múcura está en el suelo... 49
La noche ya dormida... 282
La otra noche fui de fiesta en cas'e Julia... 106
La patita... 139
La última noche que pasé contigo... 34
Leyeron en la palma de mi mano... 256
Linda boca loca de amor... 308
Linda flor de alborada... 40
Lindo capullo de alhelí... 61
Lindos ojos en tu cara... 289
Los aguaceros de mayo... 127
Los cochinitos ya están en la cama... 147
Los domingos y los jueves... 114
Los pastores a Belén... 174
Luna, que vela su ventana... 325

Llegaste tarde... 306
Llévame todas las tardes a tu huerto... 191
Llevo tantas penas en el alma... 223

¡Maldito corazón!... 268
Mambrú se fue a la guerra, do, re, mi... 148
Maní... maní... 27
Mañanita, gentil mañanita... 401
Maria Cristina me quiere gobernar... 22
Mar, se me fue... 298
Me castiga Dios... 270
Me dices que te vas... 185
Me dijo la muy endina... 124
Me dirán que de tanto quererte... 32
Me espero... 364

Me gustas mucho... 273
Me muerdo los labios... 374
Me preguntas si te quiero... 324
Me robaron una vaca... 111
Mestiza, joya castiza... 417
Me tienes, pero de nada te vale... 230
Me voy pa'l pueblo, hoy es mi día... 67
Mi ciudad es chinampa... 380
Mi delito mayor fue quererte... 32
Mi dolor lo canta el son... 329
Mientes si juras que nunca te besó el amor... 309
Mira, Bartola... 115
Mira, corta esos males... 245
Mira, no te vayas, quédate un momento... 310
Mire, Chatita no le haga caso... 102
Mis ojos me denuncian lo que siento... 194
Mi vida, triste jardín... 202
Morir por tu amor... 424
Muere el sol en los montes... 426
Mujer, mujer divina... 257
Muñequita de Squire... 333
Muy quedito... 315

Nació en Chihuahua en 1906... 101
Nadie comprende lo que sufro yo... 213
Noche... 316
Noche a noche, sueño contigo... 249
Noche de paz, noche de amor... 172
Noche de ronda, qué triste pasas... 281
Noche... Noche... 300
Noche, no te vayas 286
Noche tibia y callada de Veracruz... 298
No dejes de quererme... 305
No es aventura ni capricho... 242
No existe un momento del día... 52
No hagas llorar a esa mujer... 308
No hay nada más hermoso... 370
No me importa que quieras a otro... 365
No me pidas que te quiera... 330
No me platiques más... 279
No, no me dejes sola... 54
No puedo verte triste porque me mata... 270
No quiero oro ni quiero plata... 173
No quiero que te vayas... 218
No sé por qué, no sé por qué... 361
No sé por qué te fuiste... 328
No sé si al alejarme me enloqueces... 220
Nos tenemos que decir adiós... 196

No trates de mentir... 288
No, tú no puedes... 238
No, ya no debo pensar que te amé... 350
Nuestro amor, nuestro amor... 50
Nuevamente vendrás hacia mí... 284
Nunca jamás... 306
Nunca, nunca sospeché... 322
Nunca suenan las campanas... 167

Ódiame por piedad yo te lo pido... 186
Oiga usted como suena la clave... 232
Ojos de juventud... 429
Oración caribe... 284
Os anunciamos con gozo inmenso... 164
Oye la confesión... 19
Oye la marimba... 190
Oye lo que yo te canto... 317
Oye, te estaba esperando... 53

Palabras de mujer... 299
Para encontrar otra vez tu dulzura... 314
Para olvidarte a ti, que no supiste... 395
Parece que fue ayer... 188
Parece que va a llover... 55
Pasaron desde aquel ayer... 17
Pasaste a mi lado... 218
Patito, patito... 145
Pensamiento... 415
Pensarás que a qué he venido... 334
Pensar que todo tengo... 258
Pensé que este nuevo cariño... 288
Penumbra en el jardín... 199
Perdida... 300
Perdón, vida de mi vida... 30
Peregrina de ojos claros y divinos... 402
Peregrino de amor, vagaba triste... 403
Perfume de gardenias... 43
Piénsalo bien, mulata, piénsalo bien... 282
Pintor nacido en mi tierra... 349
Pobrecita huerfanita... 146
Poniendo la mano sobre el corazón... 339
Por alto esté el cielo en el mundo... 44
Por buena suerte te encontré... 246
Por el río del Colorado... 110
Por fin... 226
Por qué al mirarme en tus ojos... 342
¿Por qué en tus ojos llenos de encanto... 395
Porque la gente vive criticando... 41

¿Por qué no han de saber... 206
¿Por qué te alejas para siempre de mi vida?... 199
Por ti yo dejé de pensar en el mar... 362
Por tu amor... 356
Por unos ojitos negros... 59
Por vivir en quinto patio... 222
—Posada te piden... 178
Pretendiendo humillarme, pregonaste... 278

Que dejen toditos los libros abiertos... 141
Quedito, quedo... 155
Que has dejado de amarme... 198
Qué mañanitas alegres... 158
Que murmuren... 226
Qué mustia estaba su frente... 411
Qué saco del orgullo... 378
Que se quede el infinito sin estrellas... 29
Qué triste fue decirnos adiós... 227
¿Quién no lo sabe... 352
¿Quién será... 212
Quiéreme mucho, dulce amor mío... 48
Quiero arrancar a tus ojos... 271
Quiero robarle a mis recuerdos... 248
Quisiera preguntarle a la distancia... 396
Quisiera ser el primer motivo de tu vivir... 224

Rebozo, rebozo de Santa María... 408
Recuerdas aquel beso... 263
Recuerdo aquella vez... 345
Regresa a mí... 72
Reloj no marques las horas... 326
Rema, nanita, rema... 91
Rival de mi cariño... 215
Rodando por el mundo me enseñaron... 274
Rosalinda que perfumas... 410

Sábado, Distrito Federal... 130
Sábelo bien... 224
Sabía que ibas a volver... 330
Sabia virtud de conocer el tiempo... 378
Sabor de engaño siento en tus ojos... 196
Sabrá Dios... 377
Sale loco de contento... 62
Se casó Tacho con Tencha la del ocho... 131
Secreto de un amor... 427
Se estremecen envidiosas... 412
Se ha dicho que los sueños... 210

Se ha dormido el Niño... 160
Se inauguró en la colonia Pensil... 105
Se llegó el momento ya de separarnos... 21
Sembramos de espinas el camino... 228
Se me parte el corazón... 68
Sé muy bien que te vas... 283
Sentí cuando se fue... 255
Sé que te vas... 204
Se te olvida... 201
Si acaso te ofendí, perdón... 302
Si alguna vez pudieras saber... 278
Siboney, yo te quiero... 70
Si buscas en la vida... 219
Si en la noche azul... 293
Si has mentido... 405
Si me alejo de ti... 287
Sin remedio... 259
Sin saber que existías te deseaba... 397
Sin ti no podré vivir jamás... 187
Sin un amor... 268
Si pudiera expresarte... 33
Si quieres conocer, mujer perjura... 404
Si te vienen a contar... 103
Si tú supieras que me parte el alma... 192
Si vivo para ti... 26
Si yo te bajara el sol... 107
Sola, llorando sin fe... 371
Solamente una vez amé en la vida... 273
Sol de mi vida, luz de mis ojos... 207
Somos novios... 243
Sonido más lindo al oído... 372
Son tus ojos verde mar... 240
Soñar en noche de luna... 281
Sortilegio de mujer... 234
Soy feliz desde que te vi... 433
Soy prisionero del ritmo del mar... 209
Soy soñador que persigue una inútil promesa... 323
Soy un pobre pastorcillo... 166
Soy un pobre vagabundo... 327
Suave que me estás matando... 38
Sucedió lo que nunca pensé... 307
Sueña... 286
Sueño de amor que se esfumó... 37
Sueño que en noches calladas... 326
Sufro al pensar que el destino... 353
Sufro mucho tu ausencia, no te lo niego... 44

Tal vez sería mejor... 252

Tan rojos son tus claveles... 404
Tanto tiempo disfrutamos este amor... 336
Te acordarás de mí... 262
Te fuiste... 260
Te fuiste sin dejar... 376
Te llegué a querer mucho... 264
Te me vas... te me vas de la vida... 332
Temor de ser feliz a tu lado... 360
Tengo una muñeca... 144
Tengo una pena en el alma... 292
Tengo un pájaro azul dentro del alma... 398
Tenía que suceder, al fin te has convencido... 225
Te quiero... ¡ay!, mi linda muñequita... 356
Te quiero, dijiste... 276
Te seguiré... 35
Te vendes... 366
Te vengo a decir adiós... 285
Te voy a dar un consejo... 242
Tienen tus ojos un raro encanto... 398
Toda una vida, me estaría contigo... 193
Tres cosas hay en la vida... 73
Tú, como piedra preciosa... 318
Tú eres mi destino... 368
Tú me acostumbraste... 210
Tú me has dado a comprender... 230
Tú que te ligaste a mi tristeza... 312
Tus besos se llegaron a recrear... 348
Tuve ganas de verte muy cerca... 346
Tuve una duda nunca sentida... 360
Tuya soy... 206
Tú y yo... 231

Una copa más... 359
Una cosa es cierta... 82
Una musa trágica hizo... 337
Una veredita alegre... 58
Un día de San Eugenio... 36
Une tu voz a mi voz... 247
Un rayito de sol por la mañana... 403
Un siglo de ausencia... 354
Usted es la culpable... 232

Valle plateado de luna... 25
Vamos pastores, vamos... 175
Veinticinco de diciembre... 161
Velo qué bonito lo vienen bajando... 165
Ven a mi vida con amor... 362

Ven conmigo, mi vida... 228
Vendaval sin rumbo que te llevas... 358
Vende caro tu amor... 375
Vengo a decirle adiós a los muchachos... 38
Venid pastorcillos... 168
Ven, mi corazón te llama... 324
Vete de aquí... 241
Viajera que vas por cielo y por mar... 239
Vinieron en tardes serenas de estío... 396
Viva mi desgracia... 424
Volverá el amor, sé que volverá... 208
Volveré algún día, volveré... 363
Voy a cantar a la orilla del mar... 428
Voy a mojarme los labios... 208
Voy cargando en mi vida una cruz... 346
Voy por la vereda tropical... 238
Voy viviendo ya de tus mentiras... 197
Vuelve, vuelve otra vez... 200

Ya en Belén estamos... 166
Ya es muy tarde para remediar... 204
Ya me convencí... 246
Ya Pamuceno murió... 87
Ya que el destino con cruel dureza... 412
Ya se va la tarde... 348
Yo conocí el amor... 216
Yo me paso noche y día pensando... 57
Yo muchas veces te juré... 342
Yo nací con la luna de plata... 236
Yo no sé por qué he nacido... 369
Yo no sé si es prohibido... 34
Yo que fui del amor ave de paso... 383
Yo quiero... 222
Yo quiero luz de luna... 310
Yo quiero que tú... 338
Yo sé de un ave que mora... 413
Yo sé que andas diciendo... 312
Yo sé que es imposible que me quieras... 320
Yo sé que nunca... 400
Yo sé que siempre dudas de mi amor... 50
Yo sé que soy... 233
Yo sé que tú comprendes... 68
Yo siento en el alma... 31
Yo soy la viudita... 137
Yo soy libre como el viento... 94
Yo soy un humilde cancionero... 388
Yo tengo que decirte la verdad... 294
Yo tengo ya la casita... 66

Yo tenía diez perritos... 140
Yo tenía un chorro de voz... 108
Yo te soñé anoche... 321
Yo vendo unos ojos negros... 70
Yo vivo en tu pensamiento... 275
Yo ya te iba a querer... 386
Yukalpetén... 406

# Índice de autores

ACOSTA RODRÍGUEZ, ALFREDO
La Zenaida, 242-I
ACUÑA, M. DE
Cuatro vidas, 263-I
AGUILAR, APOLONIO
Traigo mi cuarenta y cinco, 314-I
AGUILAR, HOMERO
Mi razón, 382-II
AGUSTÍN RAMÍREZ, JOSÉ
Acapulqueña, 517-I
Mañanita costeña, 506-I
Ometepec, 516-I
Caleta, 495-I
El toro rabón, 527-I
Atoyac, 530-I
Mariquita se llamaba, 489-I
Por los caminos del sur, 497-I
Camino de Chilpancingo, 531-I
ALARCÓN LEAL, E.
Aunque pasen los años, 365-I
Dos Huastecas, 544-I
ALBARRÁN, "PEPE"
El prieto azabache, 474-I
La tumba de Villa, 403-I
ALBARRÁN "PEPE" Y LALO GONZÁLEZ
El cuaco lobo gateado, 462-I
ALCALÁ, MACEDONIO
Dios nunca muere, 426-II
ALESIO, E. Y R. YISO
Te odio y te quiero, 374-II
ALVARADO, ALBERTO M.
Recuerdo, 434-II

ÁLVAREZ, MARIO
Rumbo perdido, 204-II
Sabor de engaño, 196-II
Vuélveme a querer, 235-II
ÁLVAREZ, MANUEL "MACISTE"
Ábranse que vengo herido, 372-I
Me sobra corazón, 192-II
Virgencita de Talpa, 90-I
ÁLVAREZ, MANUEL "MACISTE" Y ANDRÉS ELOY BLANCO
Angelitos negros, 349-II
AMADEO, MIGUEL
Tus promesas de amor, 238-II
ARCARAZ, LUIS
As de corazones, 379-II
Sortilegio, 234-II
ARCARAZ, LUIS Y J.A. ZORRILLA
Bonita, 376-II
ARCARAZ, LUIS Y E. CORTÁZAR
Despecho, 258-II
Prisionero del mar, 209-II
ARCARAZ, LUIS Y MARIO MOLINA MONTES
Muñequita de Squire, 333-II
Quinto patio, 222-II
Sombra verde, 248-II
Viajera, 239-II
ÁVALOS, FIDEL
Serían las dos, 292-I
ÁVILA, CUAUHTÉMOC
Mil noches, 301-II

BAENA, FEDERICO
Cuatro palabras, 260-II
En qué quedamos, 254-II
Que te vaya bien, 365-II
Vagabundo, 327-II
BARBOSA, M.
Los laureles, 268-I
BARCELATA, LORENZO
Corrido del agrarista, 436-I
El arreo, 549-I
El coconito, 557-I
El novillo despuntado, 429-I
Espejito, 425-II
La palomita, 592-I
Lináloe, 488-I
María Elena, 67-I
Por ti aprendí a querer, 78-I
Shunca, 178-I

BARRAZA, SALVADOR
Mi destino fue quererte, 342-I
BELTRÁN RUIZ, PABLO
Somos diferentes, 246-II
BELTRÁN RUIZ, PABLO Y LUIS DEMETRIO
¿Quién será?, 212-II
BERMEJO, FELIPE
Al morir la tarde, 571-I
Arriba el norte, 166-I
Rancho alegre, 276-I
Uruapan, 153-I
Échale un cinco al piano, 168-I
Corrido de Chihuahua, 463-I
BERMEJO, FELIPE Y ALFONSO ESPARZA OTEO
Mi tierra mexicana, 82-I
BERMEJO, GUILLERMO
El Queretano, 555-I
BERMÚDEZ, BULMARO
Con dinero baila el perro, 351-I
BOLAÑOS, ALFREDO
Qué lindo es Michoacán, 148-I
BRISEÑO, SEVERIANO
Caminito de Contreras, 347-I
Corrido de Monterrey, 459-I
El Sinaloense, 295-I
BRITO, CARLOS Y ROSARIO SANSORES
Sombras, 331-II
BRITO, JULIO
El amor de mi bohío, 25-II
BRIZ, CARLOS A.
Encadenados, 252-II
BRUNO TARRAZA, JUAN
Besar, 352-II
Soy feliz, 242-II
BUENFIL, LICHO Y ERMILO A. PADRÓN
Desdén, 416-II

CABRERA, SALVADOR
El venadito, 380-I
CAMPO, MANUEL S. DEL
Paloma triste, 71-I
CANTORAL, "HERMANOS"
El crucifijo de piedra, 579-I
El preso número nueve, 568-I
CANTORAL, ROBERTO
El reloj, 326-II
El triste, 227-II
Mi derrota, 339-I

Noche no te vayas, 286-II
Regálame esta noche, 218-II
CANTORAL, R. Y D. RAMOS
Yo lo comprendo, 198-II
La nave del olvido, 214-II
CAPÓ, BOBBY
Piel canela, 29-II
Poquita fe, 50-II
CARBAJO, ROQUE
Recuerdos de ti, 203-II
CÁRDENAS, FRANCISCO
Viva mi desgracia, 424-II
CÁRDENAS, GUTY
A qué negar, 409-II
Dile a tus ojos, 398-II
Peregrino de amor, 403-II
Piña madura, 542-I
Ya que el destino, 412-II
CÁRDENAS, GUTY Y ALFREDO AGUILAR A.
Ojos tristes, 398-II
CÁRDENAS, GUTY Y ANTONIO MEDIZ BOLIO
Caminante del Mayab, 400-II
Yukalpetén, 406-II
CÁRDENAS, GUTY Y ERMILO A. PATRÓN
Para olvidarte, 395-II
Un rayito de sol, 403-II
CÁRDENAS, GUTY Y RICARDO LÓPEZ MÉNDEZ
Nunca, 400-II
Quisiera, 396-II
CÁRDENAS, GUTY, A. PÉREZ BONALDE Y DIEGO CÓRDOBA
Flor, 414-II
CÁRDENAS, OLIMPO
Nuestro juramento, 270-II
CÁRDENAS, RAFAEL Y FEDERICO BAENA
Triunfamos, 247-II
CARRASCO, ALFREDO
Adiós, 98-I
CARRILLO, ACRELIO
Reconciliación, 26-I
CARRILLO, ÁLVARO
Amor mío, 386-II
Cancionero, 388-II
El amuleto, 526-I
El andariego, 383-II
Eso, 265-II
La mentira, 201-II
Luz de luna, 310-II
Pinotepa, 514-I

Sabor a mí, 336-II
Sabrá Dios, 377-II
CARRILLO, ISOLINA
Dos gardenias, 200-II
CARRILLO, RENÁN J.
Perla negra, 371-II
CASANOVA, DOMINGO Y OSVALDO BAZIL
Ella, 397-II
CASTAÑÓN, JOSÉ
Chilpancingueñita, 515-I
Costa suriana, 518-I
Río Balsas, 522-I
Tarde costeña, 523-I
Tierra morena, 487-I
Tierra Colorada, 214-I
Trovador sin estrella, 216-I
CASTELL, RAÚL
Sonora querida, 164-I
CASTILLA, "CUATES"
Cuando ya no me quieras, 250-II
El aeroplano, 286-I
El pastor, 564-I
Flor silvestre, 573-I
La vieja chismosa, 102-II
Plegaria Guadalupana, 547-I
CASTILLO, NICANDRO
El cantador, 472-I
El hidalguense, 576-I
Las tres Huastecas, 566-I
CASTRO, CONSUELO
La Martina, 246-I
CASTRO PADILLA, MANUEL
Las chiapanecas, 229-I
CISNEROS, GÜICHO
Alma de cristal, 360-II
Gema, 318-II
Negrura, 292-II
Tres regalos, 364-II
CLAVEL, MARIO
Quisiera ser, 224-II
CLEMENTE, JUAN
La señorita, 521-I
COLLAZO, BOBBY
La última noche, 34-II
CORDERO, VÍCTOR
El ojo de vidrio, 476-I
El puente roto, 274-I
Juan Charrasqueado, 455-I

Mi casita de paja, 105-I
Gabino Barreda, 447-I
CORONADO GONZÁLEZ, JESÚS
Daría mi vida, 130-I
CORONEL RUEDA, F.
Estrellita del sur, 40-II
CORTÉS, HÉCTOR
Úrsula, 501-I
CRUZ MANJARREZ, PELAGIO Y JAIME TORRES BODET
La mañana está de fiesta, 115-I
CURIEL, GONZALO
Adiós, 322-II
Amargura, 346-II
Caminos de ayer, 314-II
Calla, 341-II
Canta el son, 329-II
Casualidad, 314-II
Desesperanza, 264-II
Dime, 248-II
Fatalidad, 323-II
Incertidumbre, 194-II
Luna amiga, 348-II
Llévame, 191-II
Morena linda, 272-II
Muy quedito, 315-II
Noche de luna, 281-II
Son tus ojos verde mar, 240-II
Sueño, 321-II
Tú, 312-II
Temor, 360-II
Traicionera, 261-II
Un gran amor, 237-II
Vereda tropical, 238-II
Anoche, 343-II
CURIEL, GONZALO Y SERGIO GUERRERO
Sueño, 321-II
CURIEL, MARÍA ELISA Y RICARDO LÓPEZ MÉNDEZ
Tu partida, 316-II
CURIEL, SEBASTIÁN
Yo no me caso compadre, 260-I

CHÁVEZ, ÓSCAR
Por ti, 362-II
CHÁZARO LAGOS, GUILLERMO
Décimas jarochas, 596-I

DELGADO, ANTONIO I.
Guerrero es una cajita, 500-I

DÍAZ BUSTAMANTE, JESÚS
Corrido del general Zapata, 397-I
DIMAS ESTEBAN
Male Paulita, 151-I
DI MINNO Y LOMBARDO Y MOLINA MONTES
Regresa a mí, 72-II
DOLORES QUIÑONES, JOSÉ
Mil problemas, 196-I
Vendaval sin rumbo, 358-II
DOMÍNGUEZ, ABEL
Hay que saber perder, 202-II
Te vengo a decir adiós, 285-II
Tormento, 278-II
Óyelo bien, 274-II
DOMÍNGUEZ, ALBERTO
Al son de la marimba, 190-II
Eternamente, 258-II
Humanidad, 317-II
Perfidia, 213-II
Por la cruz, 228-II
DOMÍNGUEZ, ALBERTO Y RODOLFO SANDOVAL
Frenesí, 195-II
DOMÍNGUEZ, ARMANDO
Destino, 256-II
Miénteme, 197-II
DOMÍNGUEZ, EDMUNDO
Loca pasión, 234-II
DOMÍNGUEZ, FRANK
Tú me acostumbraste, 210-II
DOMÍNGUEZ "PEPE"
Beso asesino, 416-II
Mañanita gentil, 401-II
DOMÍNGUEZ "PEPE" Y MANUEL DÍAZ MASSA
Pájaro azul, 398-II
DOMÍNGUEZ "PEPE" Y CARLOS DUARTE
Aires del Mayab, 408-II
DUARTE, P.
Cómo fue, 18-II

ELIZARRARÁS JESÚS
Tierra de mis amores, 95-I
ELIZONDO, J.F. Y BELISARIO DE JESÚS GARCÍA
Cuatro milpas, 142-I
ELIZONDO, J.F. Y F. MÉNDEZ
Ojos tapatíos, 84-I
ESCOBAR, ANTONIO
Qué puntada, 268-I

ESPARZA OTEO, ALFONSO
Golondrina mensajera, 94-I
La chancla, 118-I
Su mamá tuvo la culpa, 96-I
Un viejo amor, 121-I
La chaparrita, 99-I
Íntimo secreto, 427-II
Agua le pido a mi Dios, 131-I
Déjame llorar, 110-I
Estrellita marinera, 304-I
La rondalla, 88-I
No vuelvo a amar, 80-I
Pajarillo barranqueño, 334-I
Te he de querer, 63-I
ESPARZA OTEO, ALFONSO Y FELIPE BERMEJO
Juan Colorado, 147-I
ESPERÓN, M. Y AMADO NERVO
El día que me quieras, 58-I
ESPERÓN, M. Y E. CORTÁZAR
¡Ay, Jalisco, no te rajes!, 364-I
Amor con amor se paga, 368-I
Canción vaquera, 583-I
Cocula, 277-I
Esos Altos, 302-I
No volveré, 332-I
Noche plateada, 333-I
Serenata tapatía, 361-I
Tequila con limón, 280-I
Traigo un amor, 369-I
Yo soy mexicano, 316-I
ESPERÓN Y URDIMALAS
Amorcito corazón, 366-II
Maldita sea mi suerte, 328-I
Mi cariñito, 344-I
ESPINOSA, JOSÉ ÁNGEL "FERRUSQUILLA"
Échame a mí la culpa, 326-I
La ley del monte, 244-I
ESPINOSA DE LOS MONTEROS, CARLOS
Noche azul, 430-II
ESPINOZA, JUAN JOSÉ
Atotonilco, 373-I
La Joaquinita, 411-I
Por una mujer ladina, 138-I
Las alteñitas, 118-I
ESQUIVEL, MANUEL
La mancornadora, 248-I
Las gaviotas, 329-I

ESTRADA, CLAUDIO
Albricias, 330-II
Contigo, 348-II
Una traición, 236-II
ESTRADA, MARGARITO
A la luz de una vela, 388-I

FARRÉS, OSWALDO
No, no y no. . ., 51-II
Acércate más. . ., 53-II
Quizá, quizá, quizá, 28-II
Tres palabras, 19-II
Toda una vida, 193-II
FERNÁNDEZ ESPERÓN, IGNACIO "TATA NACHO"
Adiós mi chaparrita, 103-I
El chilpayate, 81-I
Así es mi tierra, 93-I
La borrachita, 91-I
Menudita, 72-I
Mírenme esos ojitos, 139-I
Nunca, nunca, nunca, 69-I
Otra vez, 80-I
Serenata, 57-I
¿Sábes por qué?, 86-I
Que triste estoy, 94-I
Quera Dios, 122-I
Ya va cayendo, 83-I
FERNÁNDEZ PORTAS, MARIO
No vuelvo contigo, 350-II
FLORES, ADRIÁN
Alma, corazón y vida, 345-II
FLORES, "CHAVA"
Cerró sus ojitos Cleto, 116-II
Sábado, Distrito Federal, 130-II
El gato viudo, 119-II
Boda de vecindad, 131-II
El retrato de Manuela, 118-II
La presentación, 120-II
La interesada, 107-II
La tertulia, 106-II
Las otras mañanitas, 104-II
Llegaron los gorrones, 112-II
Mi chorro de voz, 108-II
Peso sobre peso, 115-II
Pobre Tom, 110-II
Los pulques de Apan, 105-II
Los aguaceros de mayo, 127-II
Vámonos al parque, Céfira, 114-II

Flores, Pedro
Amor perdido, 60-II
Despedida, 38-II
Obsesión, 44-II
Perdón, 30-II
Fuentes, Antonio
La múcura, 49-II
Fuentes, Rubén
Mira nada más, 27-I
Ni por favor, 19-I
Nuestro amor, 338-I
Te vengo a buscar, 22-I
Qué bonita es mi tierra, 282-I
Fuentes, Rubén y R. Cárdenas
Al derecho y al revés, 572-I
Que murmuren, 226-II
Fuentes R. y Alberto Cervantes
La verdolaga, 543-I
Mal de amores, 545-I
Presentimiento, 26-I
Ruega por nosotros, 541-I
Si tú me quisieras, 18-I
Tres consejos, 546-I
Fuentes Rubén y Alberto Cervantes
Cien años, 218-II
Fuentes y Méndez
Con un polvo y otro polvo, 272-I
Fuentes R. y S. Vargas
Camino Real de Colima, 217-I
Fuentes R. y T. Méndez
Cartas a Ufemia, 356-I

Gabilondo Soler, Francisco
El chorrito, 138-II
La marcha de las letras, 141-II
La patita, 139-II
Di por qué, 146-II
Los cochinitos dormilones, 147-II
Galindo, Pedro
El sueño, 551-I
Mi preferida, 337-I
Viva México, 294-I
Galván, Marcela
Respeta mi dolor, 22-I
Gallarzo, J.
Ojitos traidores, 59-II
García, Belisario de Jesús
Amorcito consentido, 100-I

Morir por tu amor, 424-II
Patito, patito. . ., 145-II
García Segura, "Hermanos"
Por tu amor, 356-II
Garrido, Ángel
Cuando escuches este vals, 423-II
Garrido, Juan S.
Adrede, 134-I
¡Ay caramba!, 382-I
Enamorado, 356-I
Los dies perritos, 140-II
Melchor, Gaspar y Baltazar, 169-II
Noche de luna en Jalapa, 220-I
Pelea de gallos, 232-I
Serenata en la noche, 211-II
Garrido, Juan S. y Ernesto Cortázar
Corrido villista, 430-I
Garrido, Vicente
No me platiques, 279-II
Gaytán, Juan
Dos palomas al volar, 327-I
Gil, Alfredo
Cien mujeres, 221-II
Me castiga Dios, 270-II
No trates de mentir, 288-II
Solo, 283-II
Ni que sí, ni quizá, ni que no, 253-II
Te fuiste, 260-II
Un siglo de ausencia, 354-II
Ya es muy tarde, 204-II
Gil, Alfredo y Enrique Nery
Linda boca, 308-II
Gil, Alfredo y H. de Oliveira
Caminemos, 350-II
Gil, Charro
El piojo y la pulga, 126-II
¿Qué hubo. . . cuándo?, 564-I
Gil, Felipe y Mario Arturo Ramos
Hasta que vuelvas, 390-II
Gómez Barrera, Carlos
Tú eres mi destino, 368-II
González, Carlos
Eternamente, 246-II
González, Carlos A.
Ojos cafés, 266-II
González Camarena, Guillermo
Río Colorado, 214-II

GRANDA, CHABUCA
Fina estampa, 58-II
GRENET, ELISEO
Drume, negrita, 24-II
GREVER, MARÍA
Alma mía, 102-I
Así, 342-II
A una ola, 367-II
Cuando vuelva a tu lado, 263-II
Júrame, 77-I
Lamento gitano, 369-II
Por si no te vuelvo a ver, 220-II
Te quiero, dijiste, 276-II
Tipitipitín, 280-II
Volveré, 107-I
Ya no me quieres, 206-II
Cuando me vaya, 251-II
GRÜBER, FRANZ Y JOSEF MOHR
Noche de paz, 172-II
GUERRERO, LALO, BRUNS Y BLACKBURN
Pancho López, 101-II
GUERRERO, LALO
Canción mexicana, 362-I
Nunca jamás, 306-II
GUERRERO, M. Y CASTELLANOS
Novia mía, 186-II
GUGLIELMI, LOUIS Y AGERÓN MARCEL
Cerezo rosa, 65-II
GUÍZAR, "PEPE"
Corrido del norte, 456-I
El mariachi, 46-I
Guadalajara, 42-I
Oye vale, 305-I
Pregones de México, 112-I
Sin ti, 187-II
Acuarela potosina, 230-I
Chapala, 137-I
Tehuantepec, 175-I
GUÍZAR, T. Y N. NORIEGA
La higuera, 375-I
GUTIÉRREZ, JULIO
Qué te parece, 220-II

HENESTROSA, ANDRÉS
La Martiniana (letra), 179-I
HERNÁNDEZ, RAFAEL
Ahora seremos felices, 66-II
Amor ciego, 54-II

Canción del alma, 68-II
Canta. . . canta. . ., 68-II
Capullito de alhelí, 61-II
Desvelo de amor, 44-II
Diez años, 42-II
Enamorado de ti, 26-II
Lamento borincano, 62-II
Lo siento por ti, 37-II
Mi delito, 32-II
No me quieras tanto, 31-II
Noche y día, 57-II
Perfume de gardenias, 43-II
Qué chula es Puebla, 228-I
¡Qué te importa!, 32-II
Silencio, 26-II

HERNÁNDEZ, RAMIRO
Voy de gallo, 265-I

HIDALGO, ARCADIO
El fandanguito, 606-I

HUESCA, ANDRÉS
Compadécete mujer, 241-I
La traicionera, 354-I

HUESCA, VÍCTOR
Nochecita, 229-II

INCLÁN, RAMÓN
Aún se acuerda de mí, 374-I
No dejes de quererme, 305-II

IGNACIO, JAIME
Te traigo serenata, 282-II

JIMÉNEZ, JOSÉ ALFREDO
Corazón, corazón, 278-I
Alma de acero, 258-I
Cuando sale la luna, 291-I
Cuando vivas conmigo, 296-I
Cuando el destino, 299-I
Cuando llegue el momento, 262-I
Cuatro caminos, 304-I
El rey, 301-I
Ella, 306-I
Esta noche, 298-I
Llegando a ti, 297-I
Maldición ranchera, 319-I
Maldito abismo, 331-I
Muy despacito, 292-I
Pa' todo el año, 345-I
Paloma querida, 252-I

Por qué volviste a mí, 282-I
Qué bonito amor, 270-I
Qué suerte la mía, 260-I
Retirada, 270-I
Serenata sin luna, 317-I
Tierra sin nombre, 475-I
Tu recuerdo y yo, 285-I
Tú y las nubes, 251-I
Una noche de julio, 283-I
Virgencita de Zapopan, 548-I
Que te vaya bonito, 348-I
Yo, 249-I
Si tú también te vas, 377-I
Amarga navidad, 349-I
Tú y la mentira, 290-I
Un mundo raro, 359-I
Camino de Guanajuato, 358-I
El caballo blanco, 457-I
El jinete, 556-I
Media vuelta, 24-I
La que se fue, 257-I
Para morir iguales, 340-I
Serenata huasteca, 539-I
JIMÉNEZ, MARCOS A.
Adiós Mariquita linda, 104-I
JIMÉNEZ, NICO
Espinita, 38-II
Nobleza, 20-I
JIMÉNEZ G., JOSÉ
Fiesta costeña, 496-I
JIMÉNEZ GIRÓN, EUSTAQUIO
El cantarito, 187-I
JUNCO, P.
Nosotros, 290-II

KENDIS, JACOBO
Mi linda Oaxaca, 197-I
KINLEINER, OSKAR
Una aventura más, 233-II
KURI-ALDANA, "HERMANOS"
María de Jesús, 86-I
KURI, MARIO Y GUILLERMO LEPE
Página blanca, 356-II

LABASTIDA, GENARO
Confidencias de amor, 386-II
LACALLE, JOSÉ M.
Amapola, 52-II

LAN, SIMÓN
Los dos, 35-II
LANDÍN, CARLOS
Eres casado, 284-I
LARA, AGUSTÍN
Adiós Nicanor, 129-I
Amor de mis amores, 339-II
Aquel amor, 119-I
Arráncame la vida, 385-II
Aventurera, 375-II
Cada noche un amor, 381-II
Cantar del regimiento, 337-II
Como dos puñales, 318-II
Cumbancha, 232-II
El organillero, 266-II
Escarcha, 245-II
Cabellera blanca, 340-II
Cuando vuelvas, 332-II
Farolito, 325-II
Granada, 320-II
Hastío, 319-II
Cuerdas de mi guitarra, 336-II
El cielo, el mar y tú, 290-II
Tú volverás, 328-II
Oye la marimba, 190-II
Humo en los ojos, 189-II
Imposible, 320-II
Janitzio, 149-I
Te quiero, 324-II
Palmera, 289-II
Lágrimas de sangre, 205-II
Lamento jarocho, 212-II
Limosna, 295-II
Se me hizo fácil, 275-I
María bonita, 296-II
Mujer, 257-II
Naufragio, 291-II
Noche criolla, 298-II
Noche de ronda, 281-II
Oración caribe, 284-II
Palabras de mujer, 299-II
Pecadora, 303-II
Nadie, 329-II
Piénsalo bien, 282-II
Pobre de mí, 207-II
Revancha, 216-II
Rival, 215-II
Rosa, 202-II

Santa, 351-II
Señora tentación, 277-II
Solamente una vez, 273-II
Te vendes, 366-II
Ventanita colonial, 96-I
Veracruz, 236-II
LARA FOSTER, BENIGNO
Labios mentirosos, 405-II
LARREA, CARMELO
Las tres cosas 29-I
LECUONA, ERNESTO Y E. MORSE
Siboney, 70-II
LECUONA, MARGARITA
Por eso no debes, 56-II
LEDUC, RENATO Y R. FUENTES
El tiempo, 378-II
LERDO DE TEJADA, MIGUEL
El faisán, 432-II
Paloma blanca, 66-I
LISZT ARZUBIDE, A. Y G. AMADOR
La muerte de Emiliano Zapata, 414-I
LÓPEZ, CHARLIE
Por equivocación, 230-II
LÓPEZ ALAVEZ, JOSÉ
Canción mixteca, 97-I
LOZANO, SAMUEL M.
El desterrado, 135-I
La rielera, 421-I
Marieta, 413-I
Persecución de Villa, 428-I
Tampico hermoso, 477-I
Una noche serena y oscura, 378-I
LUIS DEMETRIO
Voy, 208-II
LUNA, F. Y MIGUEL LERDO DE TEJADA
Perjura, 73-I
LLERA, FELIPE Y MANUEL JOSÉ OTHÓN
La casita, 126-I

MADRIGAL, FRANCISCO
Jacinto Cenobio, 379-I
MALDONADO, FERNANDO Z.
Amor de la calle, 344-II
Lloraremos los dos, 307-II
Qué va, 23-I
Volver, volver, 247-I
MANZANERO, ARMANDO
Adoro, 387-II

Felicidad, 315-II
Esta tarde vi llover, 389-II
Parece que fue ayer, 188-II
Somos novios, 243-II
MARÍA ALMA
Compréndeme, 222-II
MARTÍNEZ, J. DE JESÚS
El abandonado, 296-I
MARTÍNEZ, VÍCTOR M. Y MANUEL LÓPEZ BARBEITO
Reminiscencias, 414-II
MARTÍNEZ GIL, CHUCHO
Dos arbolitos, 133-I
Mi Magdalena, 294-II
MARTÍNEZ GIL, "HERMANOS"
Adivinanza, 338-II
Arrepentida, 373-II
Canción sin nombre, 271-II
Desamparada, 267-II
Desgracia, 254-II
La novia blanca, 191-II
Madrigal, 200-II
No salgas niña a la calle, 553-I
Relámpago, 216-II
Chacha linda, 369-II
MARTÍNEZ SERRANO, LUIS
¿Dónde estás corazón?, 60-I
Lágrimas, 395-II
MÁRQUEZ, PAUL Y BLAS HERNÁNDEZ
No pidas más perdón, 330-II
MÁRQUEZ, E.
Nube gris, 287-II
MATA, VÍCTOR MANUEL
Estoy perdido, 240-II
MATAMOROS, M.
Mujer perjura, 404-II
MATAS, ANTONIO
Parece que va a llover, 55-II
MATEO, JOSÉ M.
Un consejo, 242-II
MEJÍA PELAZZI, GILBERTO
Volverá el amor, 208-II
MEJÍA HERNÁNDEZ, MANUEL
El alingo-lingo, 504-I
MENÉNDEZ, NILO
Aquellos ojos verdes, 69-II
MENESES, HÉCTOR
Vete de aquí, 241-II

MÉNDEZ, JOSÉ ANTONIO
La gloria eres tú, 48-II
MÉNDEZ, RUBÉN
Nochecitas mexicanas, 330-I
Pénjamo, 390-I
Zacazonapan, 222-I
MÉNDEZ, TOMÁS
A los cuatro vientos, 357-I
El aguacero, 552-I
Las rejas no matan, 372-I
Cucurrucucú, paloma, 550-I
El ramalazo, 284-I
Laguna de pesares, 255-I
Paloma, déjame ir, 266-I
Puñalada trapera, 279-I
Que me toquen las golondrinas, 259-I
Suspenso infernal, 255-II
Tres días, 307-I
MENDOZA, JUAN
Coplas de Michoacán, 150-I
La endina, 124-II
Los dos hermanos, 465-I
MENDOZA Y CORTEZ, QUIRINO
Cielito lindo, 140-I
MICHEL, JOSÉ ANTONIO
Luna de octubre, 302-II
MICHEL, PACO
Yo, el aventurero, 560-I
MIRAL, LUCIANO
Déjame en paz, 347-II
MIRANDA, MIGUEL DARÍO
Quedito, quedo, 155-II
MONCADA, LUIS
Pídele a Dios, 79-I
MONDRAGÓN, SAMUEL
Cántaro fiel, 202-I
El sarape oaxaqueño, 201-I
Llévame oaxaqueña, 186-I
Tortolita cantadora, 176-I
MONGE, CHUCHO
Besando la cruz, 266-I
Cartas marcadas, 252-I
Creí, 20-I
El remero, 76-I
La Feria de las Flores, 124-I
México lindo, 106-I
No hay derecho, 335-I
Pa'qué me sirve la vida, 341-I

Pobre corazón, 254-I
Sacrificio, 199-II
Sus ojitos, 308-I
Sólo Dios, 288-I
MONTES, MARIO
El sube y baja, 163-I
MONREAL, J. Y J. CURRITO
Cariño verdad, 64-II
MORA, ENRIQUE
Alejandra, 433-II
MORAL, JORGE DEL
Divina mujer, 134-I
No niegues que me quisiste, 87-I
Pierrot, 76-I
¿Por qué?, 113-I
MORAL, JORGE DEL Y EMILIO D. URANGA
Allá en el Rancho Grande, 384-I
MORALES, JOSÉ DE JESÚS
Ahora y siempre, 355-II
MUÑIZ, MIGUEL
El barzón, 418-I

NAVARRETE, ESTEBAN
Señorita cantinera, 374-I
NAVARRO, ARMANDO
Por fin, 226-II
NAVARRO, CHUCHO
Perdida, 300-II
Rayito de luna, 271-II
Maldito corazón, 268-II
Sin remedio, 259-II
Una copa más, 359-II
NAVARRO, CHUCHO Y ALFREDO GIL
Sin un amor, 268-II
NAVARRO, CHUCHO Y H. HARRIS
Una voz, 332-II
NERI, ARTURO
Cariño, 384-II
NICOLÁS, EMILIO DE
Musmé, 334-II
NÚÑEZ, ARTURO
Nuestra cita, 292-II
Serenata tropical, 262-II
NÚÑEZ M., ANTONIO
Sé muy bien que vendrás, 284-II
NÚÑEZ, GENARO
Con el tiempo y un ganchito, 363-I

NÚÑEZ DE BORBÓN, ALFREDO
Consentida, 223-II
Siempreviva, 199-II
OCAMPO, ROSA
Guerrero lindo, 512-I
OLMOS, GRACIELA
Corrido de Durango, 461-I
El Siete Leguas, 482-I
OTERO, RAFAEL
Ódiame, 186-II
OTHÓN DÍAZ, E. Y SAMUEL MONDRAGÓN
El Nito, 205-I
ORTEGA, PRIDA, PADILLA
Jícaras de Michoacán, 152-I
ORTIZ Y MÁRQUEZ
Mis noches sin ti, 353-II

PACHECO, J.
Presentimiento, 397-II
PACHECO, LIDIO
Valentín de la sierra, 439-I
PADILLA OLIVEROS
El relicario, 36-II
PALACIOS, JESÚS
Copitas de mezcal, 366-I
PALACIOS, JOSÉ A.
Mi guerido capitán, 128-I
PALMERÍN, RICARDO
Claveles, 404-II
Novia envidiada, 412-II
Pensamiento, 415-II
Semejanzas, 418-II
Yo sé de un ave, 413-II
PALMERÍN, RICARDO Y ERMILO A. PADRÓN
Rosalinda, 410-II
PALMERÍN, RICARDO Y JOSÉ ESQUIVEL PREN
Las dos rosas, 409-II
PALMERÍN, RICARDO Y R. VEGA
Crucifijo, 411-II
PALOMAR, RAFAEL
Los barandales del puente, 240-I
PALOMARES, GABINO
La maldición de Malinche, 86-II
PALOMO, HUMBERTO "CHICUCO"
Dos palabras, 372-II
PANCARDO, MARCELO
Por si acaso me recuerdas, 363-II

PANTOJA, JUAN
Rosalía, 428-II
PARDAVÉ, JOAQUÍN
Aburrido me voy, 136-I
Caminito de la sierra, 98-I
La Panchita, 53-I
Negra consentida, 300-II
No hagas llorar a esa mujer, 308-II
Soy virgencita, 70-I
Varita de nardo, 109-I
Ventanita morada, 101-I
PARRA, GILBERTO
Amor de los dos, 369-I
Por un amor, 303-I
¿Qué te ha dado esa mujer?, 114-I
PARRA, INOCENCIO
Mañanitas de Benjamín Argumedo, 404-I
PASOS PENICHE Y ÁNGELA RUBIO
Los mirlos, 402-II
PASOS PENICHE, R. Y E. PADRÓN
Mestiza, 417-II
PAZOS, MIGUEL A.
Me gustas mucho, 273-II
PEÑA, CARLOS A.
Mi Juchitán, 180-I
PERDOMO, RICARDO G.
Total, 278-II
PÉREZ, GASTÓN
Sinceridad, 362-II
PÉREZ, RAY Y SOTO
Indita mía, 111-I
PÉREZ ARCARAZ, DANIEL
Mientes, 309-II
PÉREZ FREYRE, OSMÁN
¡Ay. . .! ¡Ay. . .! ¡Ay. . .!, 56-II
PÉREZ MEZA, LUIS
Las Isabeles, 386-I
PÉREZ RODAS
Mi plegaria, 293-II
PIERO, JOSÉ
Mi viejo, 45-II
POMIÁN, MANUEL
El rebelde, 261-I
Prieta linda, 313-I
PONCE, MANUEL M.
A la orilla de un palmar, 59-I
Estrellita, 56-I
Lejos de ti, 58-I

Qué lejos ando, 90-I
Rayando el sol, 65-I
Serenata Mexicana, 64-I
PONCE REYES, TOMÁS
Adolorido, 309-I
PONTIER FRANCINI, C.
Pecado, 34-II
PORTILLO DE LA LUZ, CÉSAR
Contigo a la distancia, 52-II
Delirio, 33-II
PRADO, MIGUEL Y GABRIEL LUNA DE LA FUENTE
Duerme, 286-II
PRADO, MIGUEL Y B. SANCRISTÓBAL
Me dices que te vas, 185-II
Te quiero así, 28-I
PULIDO, ABELARDO
Un sueño de tantos, 326-II

QUIJANO, CHOYA
El pregonero de Campeche, 212-I

RABANAL Y GRAÑA
Corrido del descarrilamiento o "La maquinita", 441-I
RAMÍREZ, ELPIDIO
La malagueña, 540-I
RAMÍREZ, INDALECIO
Una limosna, 25-I
RAMÍREZ, RAFAEL
Llorarás, 21-I
Nuestro amor, 50-II
RAMÍREZ, VIDAL
La Malagueña Curreña, 502-I
Verdad de Dios, 513-I
El indio suriano, 528-I
La Casimira, 494-I
La Mala maña, 520-I
RAMOS, MARÍA GUADALUPE
De puro Costa Chica, 510-I
RANGEL, SALVADOR
Tú y yo, 231-II
RANGEL, SALVADOR Y GABRIEL LUNA DE LA FUENTE
Amor y olvido, 376-II
RASGADO, CHUY
Cruel destino, 196-I
La misma noche, 195-I
Naela, 188-I
Salina Cruz, 191-I
El penúltimo beso, 199-I

La vida es un momento, 194-I
Me despido de ti, 194-I
Tehuanita, 186-I
RATTI, R.
En un bosque de la China, 20-II
RESÉNDIZ, JUAN
El hijo de su. . ., 122-II
RIGUAL, "HERMANOS"
Cuando calienta el sol, 46-II
RIVA PALACIO, VICENTE
Adiós mamá Carlota, 80-II
RIVAS, WELLO
Cenizas, 17-I
Llegaste tarde, 306-II
RODRÍGUEZ, A.
Sábelo bien, 224-II
RODRÍGUEZ, CHUCHO
Besos de fuego, 340-II
Cosas del ayer, 256-II
RODRÍGUEZ, JULIO
Mar y cielo, 230-II
ROIG, GONZALO Y A. RODRÍGUEZ
Quiéreme mucho, 48-II
ROMERO, VENTURA
A la ru, ru, ru, 162-II
El gavilán pollero, 243-I
La vaca, 111-II
Senderito de amor, 315-I
Un madrigal, 104-I
ROSADO VEGA, LUIS Y RICARDO PALMERÍN
Peregrina, 402-II
Flores de mayo, 407-II
Golondrinas yucatecas, 396-II
ROSAS, JUVENTINO
Sobre las olas, 431-II
ROSAS, PEDRO
El Querreque, 558-I
ROZZANO Y GARDEL
El caballo bayo, 448-I
RUBIO, ERNESTO
Amapola del camino, 130-I
RUIZ, GABRIEL
Adiós mi vida, 370-II
Buenas noches mi amor, 358-II
La cita, 370-II
La parranda, 360-I
Madrigal mexicano, 64-I
Mazatlán, 212-I

RUIZ, GABRIEL Y GABRIEL LUNA DE LA FUENTE
Condición, 225-II
RUIZ, GABRIEL, LUNA DE LA FUENTE Y JAIME LÓPEZ
Despierta, 264-II
RUIZ, GABRIEL, Y RICARDO LÓPEZ MÉNDEZ
Amor, amor, 335-II
De corazón a corazón, 274-II
Desesperadamente, 324-II
Mar, 298-II
Noche, 316-II
RUIZ, GABRIEL Y R. SANDOVAL
Soberbia, 275-II
RUIZ, GABRIEL Y J.A. ZORRILLA
Diez minutos más, 310-II
La noche es nuestra, 210-II
El vicio, 244-II
Perdóname mi vida, 302-II
Usted, 232-II
RUIZ ARMENGOL, MARIO
Muchachita, 289-II
RUIZ ARMENGOL, MARIO Y FERNANDO FERNÁNDEZ
Amada mía, 322-II
Aunque tú no me quieras, 342-II
RUSSEL, PEPPER Y GAMBOA
Vaya con Dios, 21-I

SABRE MARROQUÍN, JOSÉ Y JOSÉ MOJICA
Nocturnal, 313-II
SABRE MARROQUÍN, MANUEL Y E. CORTÁZAR
La número cien, 312-II
SALAS, ADOLFO
Pobre del pobre, 264-I
SALCEDO, CRESCENCIO
Mi cafetal, 41-II
SÁNCHEZ, CUCO
Anillo de compromiso, 370-I
Corazón apasionado, 243-I
La cama de piedra, 367-I
El mil amores, 552-I
Fallaste corazón, 289-I
Grítenme piedras del campo, 376-I
Le falta un clavo a mi cruz, 274-I
Mi gran amor, 348-I
No soy monedita de oro, 355-I
Que me lleve el diablo, 262-I
SÁNCHEZ, HERIBERTO
Mañanitas oaxaqueñas, 188-I

SANTANDER, FELIPE
Corrido del 18 de marzo, 449-I
SANTOS, PABLO
La pajarera, 62-I
SAQUITO, NICO
María Cristina, 22-II
SARABIA, J. Y R. MENDOZA
Ansiedad, 338-II
SERACINI D'ACQUISTO
La hiedra, 17-II
SERRADELL, NARCISO
La Golondrina, 66-I
SHAW MORENO, RAÚL
Cuando tú me quieras, 249-II
Lágrimas de amor, 196-II
Temeridad, 357-II
SIMONS, MOISÉS
El manicero, 27-II
Martha, 40-II
SUÁREZ, JOSÉ PILAR
Bonito San Juan del Río, 450-I

TALAVERA, MARIO
Arrullo, 97-I
China, chinita, 72-I
Por la señal, 68-I
TIMM, J.
El barrilito, 47-II
TOLENTINO, ARTURO
Ojos de juventud, 429-II
TORRES, ALFONSO
Pensando en ti, 288-II
TREJO, VALERIANO
Rogaciano, 561-I
Tata Dios, 325-I
TREVIÑO, J.G.
Duerme, no llores, 164-II
TREVIÑO, PACO Y J.A. ZORRILLA
Albur, 384-II
TRIGO, GUADALUPE
Mi ciudad, 380-II
La milpa de Valerio, 565-I

URANGA, EMILIO D.
La negra noche, 56-I
La mula, 466-I
Alborada, 71-I

VALDELAMAR, EMMA ELENA
Devuélveme el corazón, 334-II
Mil besos, 304-II
Mucho corazón, 269-II
VALDERRABÁN, JOSÉ LUIS
Le falta un clavo a mi cruz, 274-I
VALDÉS LEAL, FELIPE
Cada vez que me emborracho, 383-I
El ausente, 278-I
Entre suspiro y suspiro, 253-I
Hace un año, 381-I
Mal pagadora, 250-I
Mi ranchito, 55-I
Noches eternas, 336-I
Soldado raso, 273-I
Traigo penas en el alma, 288-I
Tú, sólo tú, 248-I
Veinte años, 255-I
VALDÉS LEAL, FELIPE Y S. ACUÑA
Canción de un preso, 310-I
Mis ojos me denuncian, 194-II
VALDEZ, MERCEDES
Me voy pa'l pueblo, 67-II
VALDEZ HERRERA, ANTONIO
Esta tristeza mía, 324-I
Renunciación, 281-I
VALDEZ HERNÁNDEZ, PABLO
Conozco a los dos, 346-II
Sentencia, 262-II
VALLADARES, MIGUEL ÁNGEL
Miseria, 294-II
VÁZQUEZ, LUIS
Celos de luna, 325-II
VÁZQUEZ, EMILIO PRESBÍTERO
La Sanmarqueña, 524-I
VEGA JOSÉ DE LA
La piedra, 256-I
VELÁZQUEZ, CONSUELO
Amar y vivir, 206-II
Aunque tengas razón, 378-II
Bésame mucho, 347-II
Corazón, 219-II
Enamorada, 272-II
Orgullosa y bonita, 353-I
Qué divino, 382-II
Que seas feliz, 371-I
Será por eso, 192-II
Verdad amarga, 244-II

Yo no fui, 103-II
VELÁZQUEZ, JUAN Y MABEL WAYNE
Ramona, 63-II
VENEGAS, JULIÁN
Paloma mensajera, 125-I
VIGIL Y ROBLES, EDUARDO
La norteña, 85-I
Pompas ricas, 108-I
VILLAFUERTE, JULIO C.
Arrepentida, 361-II
VILLARREAL, ARMANDO
Morenita mía, 297-II
VILLASEÑOR, BONNY
Lágrimas del alma, 387-I
VILLAVERDE, A.
Golondrina oaxaqueña, 206-I
VILLEGAS, DELFINO
Simón Blanco, 452-I

YRADIER, SEBASTIÁN DE
La Paloma, 39-II
La nueva Paloma, 79-II

ZÁIZAR, JUAN
Cielo rojo, 574-I
Cruz de olvido, 300-I
ZARIAVELA
Salud, dinero y amor, 73-II
ZÚÑIGA, ANTONIO
Sombrero ancho, 226-I
Marchita el alma, 68-I

Este libro se terminó de imprimir
en el mes de julio de 2001,
en los talleres de Litográfica Ingramex, S.A. de C.V., Centeno 162,
colonia Granjas Esmeralda, México, D.F.
La encuadernación de los ejemplares se hizo en los talleres de
Dinámica de Acabado Editorial, S.A. de C.V., Centeno 4-B, colonia
Granjas Esmeralda, México, D.F.
Se tiraron 15 mil ejemplares.